NAPOLEON HILL

COMO ENRIQUECER COM PAZ DE ESPÍRITO

Título original: *Grow rich! With peace of mind*

Como enriquecer com paz de espírito
1ª edição: Novembro 2021

Autor:
Napoleon Hill

Tradução:
Débora Isidoro

Preparação de texto:
3GB Consulting

Revisão:
3GB Consulting

Projeto gráfico e Capa:
Jéssica Wendy

DADOS INTERNACIONAIS DE CATALOGAÇÃO NA PUBLICAÇÃO (CIP)

Hill, Napoleon.
Como enriquecer com paz de espírito / Napoleon Hill. –
São Paulo : Citadel, 2021.

320 p.

ISBN: 978-65-5047-115-6

1. Desenvolvimento pessoal 2. Prosperidade 3. Sucesso I. Título

21-4733 CDD 158.1

Angélica Ilacqua - Bibliotecária - CRB-8/7057

Produção editorial e distribuição:

contato@citadel.com.br
www.citadel.com.br

NAPOLEON HILL

COMO ENRIQUECER COM PAZ DE ESPÍRITO

Tradução:
Débora Isidoro

CITADEL
Grupo Editorial

2021

COMO ENRIQUECER COM PAZ DE ESPÍRITO

Napoleon Hill nasceu pobre, em 1883, e conquistou grande sucesso como advogado e jornalista. Ele foi conselheiro de Andrew Carnegie e Franklin Roosevelt. Com a ajuda de Carnegie, formulou uma filosofia do sucesso, baseando-se em pensamentos e experiências de uma variedade de magnatas que foram da miséria à riqueza. Recentemente, a Fundação Napoleon Hill publicou seus *best-sellers* no mundo todo, dando a ele imensa influência. Entre seus títulos famosos, estão *Think and Grow Rich Action Pack, Napoleon Hill's A Year of Growing Rich* e *Napoleon Hill's Keys to Success.*

PREFÁCIO

O jovem Napoleon Hill não era diferente da maioria dos jovens de hoje. No início da carreira, ele associava sucesso a dinheiro. Queria ser importante, exibir opulência. Hoje as pessoas costumam associar o popular livro *Quem pensa enriquece* a dinheiro – mas o ponto de vista de Hill mudou quando ele amadureceu.

Hill comentou, em um de seus trabalhos, que, durante o início da carreira, quando recebia grandes quantias em dinheiro, ele acreditava que era essencial dirigir um Rolls-Royce, nada menos que isso. Comprou uma grande propriedade em Nova York, tinha criados e vários outros empregados para atender às suas necessidades. Essa despesa extravagante antes da Grande Depressão de 1929 levou Hill a perder seus bens e, mais tarde, sua propriedade.

Quando *Como enriquecer com paz de espírito* foi publicado, em 1967, Hill tinha 84 anos. Sua mensagem tinha mudado. Ele era mais velho, mais sábio e queria transmitir a importância da paz de espírito.

Em *Como enriquecer com paz de espírito*, Hill afirma que está tentando ajudar o leitor a evitar os erros que ele cometeu. À medida que ler o livro, talvez você possa aprender, com a vida de Hill, que muitas outras coisas, além de dinheiro e bens materiais, são necessárias para se ter realmente paz de espírito. Você vai ler sobre aprender com seu passado, desenvolver uma atitude mental positiva, viver livre do medo, e sobre a importância de compartilhar sua riqueza com outras pessoas.

Napoleon Hill teve uma vida muito interessante de pesquisa, entrevistas e escritos sobre o que constitui o sucesso. Este último livro combina todo o seu conhecimento sobre viver uma vida com paz de espírito.

– Don M. Green

Diretor-executivo | Fundação Napoleon Hill

Introdução

Comecei a planejar este livro nos últimos anos do século 19. Foram, portanto, quase setenta anos de preparação. Nesse tempo, testemunhei mais mudanças vitais nas questões dos homens do que aconteceram em todos os anos anteriores da história da civilização. Vi o surgimento do automóvel, avião, rádio, televisão, energia atômica, a era espacial. Vi a energia elétrica se espalhar pelo país, a indústria alcançar níveis de produção que iam além dos sonhos do século 19, a ciência e a tecnologia desfrutarem de um desenvolvimento quase explosivo.

Vi antigas nações desaparecerem, novas nações surgirem, florestas darem lugar a estradas pavimentadas, cidades prosperarem onde antes havia povoados sonolentos. E vi pessoas se adaptarem a todas essas mudanças e continuarem sendo pessoas, como haviam sido por incontáveis milhares de anos.

Você vai descobrir que este livro atenta para o mundo em transformação. Ao falar de pessoas, porém, falo das forças que sempre moveram e sempre moverão as pessoas. Ainda vemos que, sem dinheiro suficiente, nossa vida é dura e limitada, por isso queremos sucesso relacionado a ganhar dinheiro. E com o sucesso financeiro queremos nos libertar de medos, tensões nervosas, doença autoinduzida, preocupações, infelicidade. Isto é, além do sucesso financeiro, buscamos paz de espírito para fazer nossa vida completa. Este livro pode ajudá-lo a conquistar grande riqueza, mas também pode ajudá-lo a conquistar paz de espírito abundante.

Como você vai ver, quando falamos de paz de espírito, falamos em mais do que *paz* como um estado de repouso. Paz de espírito é, ao mesmo tempo, tranquila e dinâmica, ou, podemos dizer, uma base tranquila sobre a qual se sustenta seu dinamismo. Tem sido chamada de riqueza sem a qual não se pode ser rico de verdade. Ela se manifesta de muitas maneiras:

É liberdade das forças negativas que podem se apoderar de sua mente e de quaisquer atitudes negativas, como preocupação e sentimento de inferioridade.

É liberdade de qualquer sentimento de carência.

É liberdade de doença mental e física autoinduzida do tipo que degrada a vida de maneira crônica.

É liberdade de todos os medos, especialmente dos sete medos básicos que se mostram em toda a sua feiura.

É liberdade da fraqueza humana comum de procurar alguma coisa em troca de nada.

É ter alegria de trabalhar e conquistar.

É o hábito de ser quem é e pensar com a própria cabeça.

É o hábito de estar atento às próprias atitudes em relação à vida e aos semelhantes, e sempre ajustar essas atitudes para melhor.

É o hábito de *ajudar os outros a se ajudarem*!

É liberdade da ansiedade em relação ao que pode acontecer com você depois da morte.

É o hábito de fazer além do necessário em todos os relacionamentos humanos.

É o hábito de pensar no que você quer fazer, em vez de pensar nos obstáculos que podem atrapalhar.

É o hábito de rir dos pequenos infortúnios que podem acontecer.

É o hábito de dar antes de tentar receber.

Paz de espírito abrange uma área surpreendentemente ampla, não é? Em todos os sentidos, ajuda a conquistar o sucesso financeiro – e mais. Paz de espírito o ajuda a viver a vida nos seus termos, com valores de sua escolha, de forma que, todos os dias, sua vida se torne mais rica e maior.

Este livro é escrito por um homem que encontrou a paz de espírito do jeito mais difícil, por tentativa e erro. Seu propósito é ajudar outras pessoas a encontrar sua paz de espírito, bem como sucesso financeiro, por um caminho mais curto e menos custoso. Se alguns episódios parecerem pessoais demais, por favor, lembre-se de que são os acontecimentos aparentemente pequenos da vida de um homem que compõem a porção maior de suas experiências.

Em minhas experiências pessoais, você pode ver as suas. Perceba como pequenas experiências escondem sucesso e fracasso. Elas são o primeiro campo de teste em que você tem a oportunidade de provar que *é* mestre de seu destino, que *você* é o capitão de sua alma.

Sei que ninguém quer tomar um remédio prescrito por um médico que não toma esse mesmo remédio quando busca os benefícios que afirma que ele traz. O "remédio" oferecido aqui é o "remédio" cujo efeito maravilhoso eu mesmo e milhares de outras pessoas provamos.

Graças às circunstâncias, tive a ajuda de mais de quinhentos dos homens mais bem-sucedidos da América. Esses homens me permitiram espiar atrás das cortinas de sua vida particular e ver, por mim mesmo, tanto suas qualidades quanto suas fraquezas; seus sucessos e fracassos; como aproveitaram ou não seu dinheiro; como esse fator se relaciona a eles terem ou não paz de espírito.

Foi com a Ciência da Realização Pessoal, construída a partir de minhas entrevistas e pesquisa, que ajudei milhares de homens e mulheres a banir a pobreza, banir os efeitos de uma infância negativamente condicionada, resolver problemas, superar as circunstâncias que os impediam de progredir.

E quero dizer que fiz isso muitos anos depois de ter superado um legado de cinco males – talvez você conheça alguns ou todos eles:

- Pobreza
- Ignorância
- Medo
- Analfabetismo
- Desespero

Quando era pequeno, estava sempre com fome. Houve um tempo em que eu comia a casca que raspava dos troncos de bétulas. E continuei sentindo fome até a adolescência.

Ainda sinto fome! Não a fome física, mas a fome mental, fome de alimento para uma mente curiosa que ainda procura saber mais sobre por que alguns homens têm sucesso e outros fracassam, alguns têm paz interior e outros têm conflitos internos. Mas deixei as deficiências da minha infância para trás.

Chegou um tempo em que um dos homens mais ricos do mundo, Andrew Carnegie, apoiou-me em um plano para descobrir os segredos do sucesso financeiro e sucesso na vida. Fui conselheiro de três presidentes dos Estados Unidos, William Howard Taft, Woodrow Wilson e Franklin D. Roosevelt, bem como ajudei o primeiro presidente das Filipinas a conquistar a liberdade para seu povo.

Houve um período em que cortejei a fama. Eu a desejei, rezei por ela e trabalhei incansavelmente para tê-la. Finalmente, minha correspondência chegava de todas as partes do mundo, malotes cheios, mais do que eu jamais poderia ler, muito menos responder; promotores que queriam minha cooperação, comerciantes me oferecendo todo tipo de crédito e muitos se oferecendo para comprar meu endosso para suas mercadorias.

Hoje meus gostos são diferentes. Quando descobri que, se quisesse dormir, não poderia ter um telefone registrado em meu nome, comecei a apreciar a paz de espírito.

Mas, enquanto cortejava a fama, nunca parei de escrever. Livros seguiam mais livros em meu esforço para contar ao mundo o que eu tinha aprendido sobre sucesso, sobre o valor de um estado mental positivo, sobre relações humanas. Aqui vai uma lista dos livros que escrevi: *O manuscrito original* (8 volumes); *Quem pensa enriquece; Quem vende enriquece; A chave para a prosperidade; Como aumentar o seu próprio salário; Dinamite mental* (16 volumes); *Science of Personal Achievement;* e um curso de dezessete aulas que hoje é lecionado em estudos domésticos e grupos de estudo locais nos Estados Unidos e em muitos outros países.

O passar dos anos me ajudou a julgar o valor desses livros e avaliar seu efeito sobre os leitores. Eles ajudaram centenas de milhares, talvez milhões, a construir uma vida de felicidade e sucesso. Durante todo esse tempo, estive interessado em descobrir qual dos muitos conselhos se mostrou o mais útil e de aplicação mais universal. Verifiquei cuidadosamente para descobrir que histórias e tipos de histórias promoveram o ponto de transformação em que um homem se descobre e *vai.*

Este livro representa, em parte, uma escolha cuidadosa de itens que resistiram ao teste do tempo. Lendo-os, você vai saber que eles têm alguma coisa que se apodera da mente e constrói o poder mental para fazer o melhor.

Você também vai descobrir que muito disso é novo. O mundo muda – não em princípio, mas em certos aspectos que trazem diferentes tipos de oportunidades àquele que as procura. Mais oportunidades de ganhar dinheiro surgiram nos Estados Unidos nas últimas duas décadas do que existiram em toda a sua história anterior, e elas continuam aparecendo aos montes. Você vai adquirir uma ampla visão dessas oportunidades à medida que ler este livro.

Você vai descobrir, se leu meus trabalhos anteriores, que este tem um objetivo novo e diferente: enfatiza valores que só dinheiro não pode comprar. Todos os meus livros mostram de muitas maneiras que a vida é mais que ganhar dinheiro. Este livro prova esse ponto mais plenamente do que fui capaz de prová-lo anos atrás – e também mostra que paz de espírito é uma força poderosa que o ajuda a ganhar dinheiro.

Eu disse que este livro foi planejado durante quase setenta anos. É verdade, mas, até recentemente, eu não sabia disso. Acredito que somos todos guiados por fortes inspiradores invisíveis, e recentemente fui inspirado por uma fonte real e muito estranha que revelou quanto tempo de minha vida tinha sido dedicado a me preparar para escrever estas páginas, o que me impeliu a abrir a máquina de escrever e começar a trabalhar.

O homem que fala com você chegou aos seus oitenta anos. Sua vida ainda é plena e farta. Suas posses – e ele certamente tem muitas – não tiraram dele a empolgação da realização. O livro é o primeiro passo da realização; o melhor da realização vem com a consciência de que este livro vai levar riqueza e felicidade àqueles que o lerem.

Agora estou pronto para escrever com mais clareza e maturidade do que jamais me foi possível antes. Venha comigo e faremos juntos uma jornada fascinante... uma jornada rumo às riquezas... uma jornada rumo à realização de seus mais caros sonhos... uma jornada rumo a um Segredo Supremo que dá a você o domínio da própria vida.

– Napoleon Hill

1967

SUMÁRIO

1

CONHEÇA SUA PRÓPRIA MENTE, VIVA SUA PRÓPRIA VIDA

Você tem um grande potencial para o sucesso, mas antes precisa conhecer sua mente e viver sua vida – então vai encontrar e desfrutar esse poderoso potencial. Conheça seu eu interior e você vai poder conquistar o que quiser no prazo que determinar. Certas técnicas especiais o ajudam a conquistar os objetivos com que mais sonha, e cada uma dessas técnicas está facilmente ao seu alcance.

Em algum lugar ao longo do caminho da vida, todo homem *bem-sucedido* descobre como viver a própria vida do jeito que quer vivê-la.

Quanto mais jovem você é quando descobre esse poder, maior é a probabilidade de viver com sucesso e felicidade. Porém, mesmo em anos recentes, muitos fizeram a grande mudança: de deixar outras pessoas definirem quem eles são, para a certeza de que eles mesmos vão construir sua vida como quiserem.

O Criador deu ao homem a prerrogativa de poder sobre a própria mente. Seu propósito deve ter sido incentivar o homem a viver a própria vida, pensar os próprios pensamentos, encontrar seus objetivos e alcançá-los. Simplesmente exercendo essa prerrogativa, você pode levar abundância à sua vida e, com ela, conhecer a maior de todas as riquezas, paz de espírito, sem a qual não pode haver felicidade real.

Você vive em um mundo repleto de influências externas, que são impostas a você. É influenciado pelos atos e desejos de outras pessoas, por leis e costumes, por seus deveres e suas responsabilidades. Tudo o que você faz tem algum efeito sobre os outros, como as atitudes deles sobre você. No entanto, você deve encontrar um jeito de viver a própria vida, usar a cabeça, seguir em frente rumo ao sonho que *você* quer tornar real e sólido. *Conhece-te*, disseram os antigos filósofos gregos, e esse ainda é um conselho fundamental para o homem que deseja ser rico em todos os sentidos. Sem se conhecer e ser você mesmo, é impossível usar o único Grande Segredo que confere o poder de moldar o próprio futuro e fazer a vida levá-lo aonde quer ir.

Vamos, então, partir em nossa viagem para o Vale Feliz!

Não pense em mim como alguém que está sentado no banco de trás. Melhor, você está ao volante, e eu só chamo sua atenção para um mapa confiável no qual a rua principal é marcada inequivocamente. Em nossa jornada rumo a riquezas e paz de espírito, a estrada fica mais suave e reta à medida que se viaja.

Nunca acredite que você não tem o que é necessário. Provavelmente, você está lendo à luz de uma lâmpada elétrica. Sabe que Thomas A. Edison deu a primeira lâmpada elétrica ao mundo. Mas você sabia que Edison foi expulso da escola nos primeiros anos, depois que um professor decidiu que ele era mentalmente "prejudicado" e não conseguiria acompanhar o processo de escolarização?

Esse foi, então, o impacto da opinião de outra pessoa sobre Thomas Edison – uma voz de autoridade informando que ele não tinha o que era necessário para absorver até mesmo uma educação fundamental! Onde ele teria estado se deixasse essa orientação dominar seu pensamento?

Felizmente, para ele e para o mundo, Edison decidiu viver a própria vida. Enfrentando adversidades desde pequeno, Edison descobriu algo que nunca poderia ter aprendido com a educação formal. Aprendeu, primeiro, que podia controlar e dirigir a própria mente para qualquer fim desejado. Depois aprendeu que poderia usar o treinamento técnico de outros homens e conduzir com sucesso pesquisas científicas, embora nunca tivesse estudado nenhuma das ciências na educação formal. Quando se apropriou completamente daquela mente "prejudicada", ela produziu não só a lâmpada incandescente, mas também uma grande descoberta depois da outra.

Um menino encontra um amigo e se encontra. Eu também quase fui condenado por um rótulo falso de imprestabilidade. Tinha nove anos. Minha mãe morrera um ano antes, e eu morava com parentes. Para eles e para meu pai eu era uma criança com problemas, alguém que nunca realizaria nada, exceto, talvez, o que uma vida no crime pode realizar.

Eu fazia o melhor para manter essa reputação de sucessor de Jesse James. Tinha até uma pistola de seis tiros que aprendi a usar como um perito. Então, certa mulher entrou em cena e mudou minha vida. Essa mulher era minha madrasta.

Muito antes de sua chegada, meus parentes me condicionaram a odiá-la. Descobri que isso era muito fácil. Ela chegou, e meu pai a levou à nossa casa, onde a família estava reunida para conhecê-la. Ele a apresentou a todos. Finalmente me encontrou em um canto, onde eu fazia o possível para parecer durão.

"E aqui", meu pai anunciou, "está seu enteado, Napoleon, sem dúvida nenhuma o menino mais maldoso de Wise County. Não esperamos muita coisa dele. Eu não me surpreenderia se ele começasse a jogar pedras em você amanhã cedo."

Naquele momento, creio que minha vida foi posta na balança.

Foi uma mulher sábia e maravilhosa que tocou meu queixo e levantou minha cabeça para poder olhar dentro dos meus olhos. Ela disse apenas algumas poucas palavras, mas elas me levaram a um novo patamar.

Olhando para meu pai, minha madrasta disse: "Está enganado sobre este menino. Ele não é o mais maldoso de Wise County, ou de qualquer outro lugar. Ele é um menino muito alerta e inteligente, e tudo de que precisa é um objetivo digno para o qual direcionar seu bom pensamento".

Aquela foi a primeira vez em minha vida que alguém disse algo de bom sobre mim. Endireitei as costas, estufei o peito e sorri. Ali, naquele momento, senti que "aquela mulher" que tinha chegado para ocupar o lugar de minha mãe – como os parentes se referiam a ela – era uma dessas raras pessoas que podem ajudar os outros a encontrar o que há de melhor neles.

Aquele foi o fim dos meus dias de pistola de seis tiros. Encontrando-me cada vez mais à medida que crescia, descobri meu talento para escrever. Minha madrasta me ajudou a dominar a datilografia. Com a ajuda de uma máquina de escrever, tornei-me redator de jornais. Com essa experiência, qualifiquei-me para entrevistar homens bem-sucedidos, e assim acabei me sentando com Andrew Carnegie. Daquela entrevista – que se estendeu por quase três dias e noites – surgiu meu compromisso de pesquisar o segredo da conquista bem-sucedida, não só como discurso, mas também como um padrão de ação definida na vida de homens que conquistaram grande riqueza. Disso saiu a organização da Ciência da Realização Pessoal, que reverberou pelo mundo todo, levando prosperidade e paz de espírito a milhões de homens e mulheres.

Grandes artistas também vivem a própria vida, ou não poderiam ser grandes. Uma das grandes estrelas da ópera de todos os tempos, Madame Schumann-Heink, procurou um professor de música, quando era menina, para testar sua voz. Ele a ouviu por alguns minutos e disse, de maneira rude: "Chega! Volte para sua máquina de costura. Você pode se tornar uma costureira de primeira. Uma cantora, não!".

Lembre-se, essa era a voz de uma autoridade. A menina poderia ser perdoada se tivesse decidido ali mesmo que nunca mais voltaria a cantar. Mas ela era dona da própria mente, e assim se manteve. Tornou-se ainda mais determinada a aprender a cantar, e cantar bem. Ela fez isso, e o mundo se tornou mais rico. E foi assim com muitos outros casos nos quais grandes talentos pessoais poderiam ter se perdido para sempre se o dono desse talento não o sentisse inclusive quando "especialistas" disseram que ele não existia.

Adversidade? É um tônico, não um obstáculo! Toda adversidade carrega a semente de um benefício igual ou maior. Poucas pessoas marcham diretamente para o sucesso sem enfrentar períodos de fracasso temporário e desânimo. Mas, quando se tem a posse do eu interior, não existe nocaute. Você pode ser derrubado, mas é capaz de se levantar. Pode ter que se desviar de estradas acidentadas, mas sempre é capaz de encontrar o caminho de volta para as vias pavimentadas.

Você pode achar que isso é válido apenas para questões simples. Pense, então, na questão infinitamente complexa de conquistar a independência de um território colonial – e não só isso, mas também focar as diversas influências espalhadas que garantem que você se torne o primeiro presidente do país.

Em 1910, tornei-me conselheiro pessoal de Manuel L. Quezon. Não só o aconselhava politicamente, mas também, e talvez mais importante, ensinei a ele a Ciência da Realização Pessoal, que então era muito nova.

Señor Quezon foi o primeiro presidente das Ilhas Filipinas após a independência do país. Em 1910, porém, esse tempo ainda pertencia a um futuro distante. O objetivo de libertar seu povo dominava a mente de Quezon, e ele se via como primeiro presidente da nova nação. Garanti que ele poderia realizar as duas ambições, mas nós dois sabíamos que acontecimentos assim grandiosos não aconteceriam da noite para o dia.

Existe um poder reconhecido em estabelecer um objetivo definido. Poucos, no entanto, percebem o poder de determinar um prazo realista para a conquista desse objetivo. Depois de ter aconselhado o Señor Quezon por alguns anos, eu o induzi a determinar um prazo para libertar as Filipinas e se tornar o novo líder da nação. Também preparei uma afirmação que ele repetia para si mesmo diariamente. Ela terminava com uma asserção deste tipo: "Não permitirei que a opinião ou influência de outra pessoa entre em minha mente se não estiver em harmonia com meu objetivo". Determinação de prazo e afirmação foram grandes ajudas para Quezon conhecer a própria mente e manter sua direção diante das enormes dificuldades que o cercavam.

Vinte e quatro anos e seis meses depois do dia em que começou a usar a Ciência da Realização Pessoal, Quezon se tornou o primeiro presidente das Ilhas Filipinas livres.

Coincidência? Coincidência apenas de uma guerra mundial e muitos outros fatores que não eram previsíveis? Não acredito que tenha sido coincidência porque vi esse princípio da Realização Pessoal funcionar para tanta gente, em tantas situações diferentes, que coincidência nem deve ser levada em consideração.

Voltaremos ao princípio. No momento, vou contar sobre um homem, que atualmente tem negócios em Chicago, que o utilizou com sucesso notável.

W. Clement Stone estava no colégio quando descobriu os próprios objetivos, a direção em que os poderes de sua mente o levariam.

Logo ele vendia apólices de seguro tão rapidamente que ganhava mais dinheiro que seus professores. Hoje sua fortuna é estimada em mais de US$ 160 milhões e cresce rapidamente.

Em 1939, no entanto, ele se deparou com o desastre. Naquela época ele era chefe de uma agência, representando uma grande empresa de seguros que vendia uma apólice especial de acidentes e saúde. Um dia, a companhia-mãe "esticou a corda" e encerrou o contrato dele com duas semanas de aviso prévio.

O Sr. Stone não tinha grandes reservas. Era fundamental manter o contrato. Ele passou 45 minutos renovando o contato com seu eu interior; depois decidiu que, nessas duas semanas críticas, convenceria a companhia de que seria mais favorável para eles manter seu contrato. A empresa tinha motivos muito convincentes para encerrá-lo. Mesmo assim, eles mudaram de ideia como ele queria, e Stone seguiu avançando em direção à sua fortuna.

Ele então decidiu que em 1956 teria sua própria companhia de seguros de saúde e acidentes. Em 1956 ele era dono dessa empresa.

Ele decidiu que em 1956 teria US$ 10 milhões. E tinha.

Recentemente, soube que o Sr. Stone estabeleceu um objetivo de vida, US$ 600 milhões. Não sei que data ele estabeleceu como prazo, mas não tenho dúvida de que nessa data, ou antes dela, ele terá o valor estabelecido; e mais, que ele usará uma boa parte dele como sempre usou seu dinheiro – para beneficiar a humanidade. O conceito de US$ 600 milhões pode assustar um homem que pensa pequeno, mas um homem que conhece os segredos da Realização Pessoal diz apenas: *Por que não?*

Há pouco tempo, fiz uma pesquisa para descobrir quem eram os dez homens que fizeram a aplicação mais notável da Ciência da Realização Pessoal nos Estados Unidos.

W. Clement Stone era o terceiro nome a partir do topo da lista. Os outros dois eram Andrew Carnegie, o patrocinador dos meus vinte anos de pesquisa, e Thomas Alva Edison, o maior inventor de todos os tempos.

Conheci o Sr. Stone em 1953. Foi então que comecei a desvendar a história dramática de sua ascensão à fama e fortuna, fundando um negócio próprio com apenas cem dólares em dinheiro e uma cópia do meu livro mais popular, *Quem pensa enriquece*. Fiquei tão intrigado com a aplicação efetiva que Stone fez de minha filosofia do sucesso que aceitei seu convite para ajudá-lo a levar a Ciência da Realização Pessoal a toda a sua equipe de seguros.

A tarefa se estendeu por dez anos, durante os quais dediquei todo o meu tempo a ajudar o Sr. Stone a doutrinar toda a sua organização com minha filosofia do sucesso. Foi um trabalho tremendo, mas compensador, no sentido de provar conclusivamente que meus vinte anos de pesquisa sob a direção de Andrew Carnegie descobriram uma fórmula milagrosa para ajudar as pessoas a irem de onde estavam a onde queriam estar na vida.

Quando comecei minha associação com o Sr. Stone, muitos de seus altos executivos torceram o nariz para a aliança, que consideraram perda de tempo. Nunca tinham ouvido falar em uma filosofia do sucesso baseada no que quinhentos homens relevantes haviam aprendido durante uma vida inteira experimentando o método de tentativa e erro, e estavam naturalmente desconfiados disso.

Cinco anos mais tarde, esses mesmos executivos se reuniram comigo e o Sr. Stone em uma conferência de negócios. Para minha grande surpresa, o Sr. Stone se levantou e falou para o grupo: "Cavalheiros", disse ele, "a Combined Insurance Company of America está agora fazendo milagres". Ele fez uma longa pausa antes de prosseguir: "A companhia não fazia milagres antes de Napoleon Hill chegar aqui".

Quando comecei minha associação com o Sr. Stone, a renda anual do prêmio dos segurados estava em torno de US$ 24 milhões, e a fortuna pessoal do Sr. Stone era estimada em cerca de US$ 3 milhões. Quando a associação foi encerrada, por decisão de ambas as partes, dez anos mais tarde, a renda anual de prêmio da companhia estava em torno de US$ 84 milhões, e a fortuna pessoal do Sr. Stone era estimada em mais de US$ 160 milhões.

Você pode estar querendo perguntar quanto ganhei com a associação. O dinheiro que recebi foi irrisório comparado ao que o Sr. Stone ganhou, mas eu não estava trabalhando pela recompensa financeira, estava atrás de alguma coisa muito maior do que se pode obter com qualquer quantia em dinheiro, porque tinha provado, durante aqueles dez anos de associação com o Sr. Stone, que a Ciência da Realização Pessoal poderia fazer milagres para quem a abraçasse e a aplicasse de maneira inteligente.

Mais importante ainda, eu havia criado a base para a Napoleon Hill Academy, que agora organiza e administra escolas franqueadas para o ensino da Ciência da Realização Pessoal em todos os Estados Unidos, e que, com o tempo, vai alcançar todo o mundo livre. A abrangente importância dessas escolas pode ser ressaltada e compreendida pelo fato de a Ciência da Realização Pessoal ter se tornado um antídoto perfeito para o comunismo – algo que não antecipei quando comecei a organização da filosofia, em 1908. O que me faz lembrar de que, realmente, "o homem propõe, mas Deus dispõe".

Pode ser que a Ciência da Realização Pessoal se torne um fator importante para a neutralização do mal canceroso conhecido como comunismo, que agora ameaça a liberdade de toda a humanidade.

A Ciência da Realização Pessoal já é uma opção para um grupo de homens que a está traduzindo para o espanhol a fim de levá-la para todos os povos de todos os países de língua espanhola, começando por nossos amigos latino-americanos. Em algum momento, planejo ter a filosofia traduzida para todos os grandes idiomas do mundo.

Então, quem pode saber o que ganhei com meus dez anos de associação com W. Clement Stone, ou entender a mão do destino que uniu nós dois?

A dramática história de Arnold Reed. Arnold Reed é outro executivo da área de seguros cuja história de vida e relação com a Ciência da Realização Pessoal se comparam às de W. Clement Stone. Em muitos aspectos, sua história, como se relaciona com a filosofia do sucesso, é mais dramática que a história de Stone.

O Sr. Reed era um alto vendedor de seguros de vida, com um registro de produção de vendas raramente igualado por qualquer um do ramo. As vendas do Sr. Reed começaram em torno de US$ 1 milhão ao ano e cresceram muito além desse valor. Ele era associado a uma companhia de seguros comandada por um homem que ele considerava seu amigo pessoal.

Infelizmente (ou não?) Arnold não leu com atenção as letras miúdas do contrato que assinou com a empresa, e mais tarde descobriu que havia nele uma cláusula que o privava da renovação de suas comissões, o único fator no trabalho do vendedor de seguros que dá a ele o maior incentivo para fazer um bom trabalho.

Essa descoberta chocou Arnold de tal maneira que ele foi para casa e para a cama, recusando-se a comer ou se comunicar com os amigos. Médicos foram chamados para diagnosticar seu mal, mas nenhum deles conseguiu descobrir nenhum problema físico. Não era o corpo que estava doente, era a alma, pois o choque sofrido com a perfídia do amigo havia cortado a linha de comunicação entre ele e a fonte de inspiração que o havia tornado um grande vendedor de seguros de vida; *a fonte que, sozinha, pode tornar os homens realmente grandes!*

Devagar, mas certamente, Arnold Reed estava morrendo.

Sua doença não podia ser curada por nenhum médico. Os que o atenderam sabiam disso e admitiram com toda a franqueza que não podiam dar esperança. Então, um milagre aconteceu. Um amigo de Arnold, que havia muito tempo estudava minha filosofia do sucesso, foi visitá-lo e deu a ele uma cópia de *Quem pensa enriquece*. "Trouxe para você", ele disse, "um livro que fez maravilhas por mim, e quero que o leia."

Arnold pegou o livro, jogou-o a seu lado sobre a cama e virou-se para o outro lado sem fazer nenhum comentário. Horas mais tarde, ele pegou o livro, abriu-o, e pronto! Alguma coisa chamou sua atenção, e ele o leu inteiro. Depois releu, e de novo, e na terceira vez ele sentiu a onda de poder que reconheceu prontamente como alguma coisa que poderia tirá-lo da masmorra do desespero em que havia caído.

Ele saiu da cama e começou a escrever cartas para amigos que conheciam seu histórico como vendedor de seguros, oferecendo a eles uma oportunidade de participar da organização de uma companhia de seguros que teria o nome de Great Commonwealth Life Insurance Company.

Os amigos responderam depressa e com generosidade. A quantia necessária foi remetida em excesso, e boa parte do dinheiro teve que ser devolvida aos remetentes. Tudo isso aconteceu mais ou menos na época em que eu começava minha aliança com W. Clement Stone.

Agora, cerca de doze anos depois, a Great Commonwealth Life Insurance Company é uma das mais bem-sucedidas em seu campo, com renda bruta em prêmio de mais de US$ 9 milhões em 1966, crescendo rapidamente em direção ao novo objetivo que Arnold Reed estabeleceu, US$ 1 bilhão por ano.

A companhia opera em grande parte dos Estados Unidos e tem uma organização de vendas de mais de quatrocentos homens e mulheres dedicados, que sintonizaram e absorveram aquele poder misterioso que tirou Arnold Reed das sombras da morte; e eles estão fazendo um trabalho que não tem comparação na indústria de seguros.

A Great Commonwealth Life Insurance Company conduz escolas em várias partes do país nas quais são treinados novos recrutas para sua força de vendas. A primeira coisa que cada treinando recebe é uma cópia de *Quem pensa enriquece* e um resumo sobre o que esse livro fez por Arnold Reed e pela companhia.

Na última vez que falei com a organização de vendas da Great Commonwealth, Arnold Reed subiu ao palco me levando pelo braço. Ele segurava uma cópia de *Quem pensa enriquece* quando disse: "Meus amigos, se não fosse por este livro e por meu querido amigo aqui à minha esquerda, não haveria Great Commonwealth Life Insurance Company, e eu agora estaria dois metros abaixo da terra".

Foi a introdução mais curta e mais dramática que jamais tive, e ela me emocionou tão profundamente que quase não consegui começar meu discurso.

Arnold Reed é realmente um grande líder, como ficou evidente pelo registro fenomenal que ele estabeleceu com a Great Commonwealth. O principal segredo de sua liderança é a crença no que ele está fazendo e a sinceridade na relação que mantém com seus associados, duas qualidades sem as quais nenhum homem pode se tornar um grande líder em nenhum nível de vida.

A mente atenta ao sucesso funciona rapidamente e com eficiência. Em minhas centenas de entrevistas com homens que fizeram perguntas, notei quanto a mente dessas pessoas era focada no sucesso. Alguns desses homens eram bem-educados. Alguns, como Henry Ford, por exemplo, eram notavelmente desinformados em algumas áreas de "aprendizado escolar". Nunca foi a educação formal ou a falta dela que deu a esses homens o poder de usar a mente com tanta determinação e efeito, nem foi inteligência incomum. O que foi, então, que impeliu a mente desses homens a se apropriar de grandes objetivos, depois filtrar todas as circunstâncias da vida e usar as que podiam ajudá-los a realizar suas ambições? Foi *consciência de sucesso.*

Primeiro, você precisa conhecer sua mente; depois encontra a consciência de sucesso. Quando Henry Ford dominou a arte de fazer um automóvel bom e barato, ele ainda continuou usando sua consciência de sucesso. Precisava ter certeza de que seus carros eram bem distribuídos e de que as vendas abrangiam todas as partes do país. Para isso ele precisava de capital. Os banqueiros tinham capital para emprestar, mas ele não queria que interesses financeiros externos dominassem sua companhia.

A mente verdadeiramente eficiente de Ford mostrou a ele o caminho para ter o capital necessário enquanto ainda construía sua organização para distribuição. Primeiro, ele distribuiu toda a sua produção de automóveis apenas para distribuidores que fossem da franquia Ford. Depois, deixou claro que cada distribuidor teria que aceitar uma cota fixa de carros, adiantando em dinheiro uma porcentagem do preço de compra antes de os automóveis serem entregues.

Esse plano fez de cada distribuidor praticamente um sócio nos negócios de Ford, mas não afetou o controle que ele mantinha sobre esses negócios. Repito, sem afetar seu controle, esse arranjo forneceu o necessário capital de operação. Mais ainda, garantiu vendedores com um incentivo definido para encontrar um comprador para cada carro – na verdade, o mesmo incentivo que teriam tido se estivessem operando o próprio negócio independente.

Ouvi dizer que esse plano criou dificuldades para alguns distribuidores Ford. Mas, tendo conhecido alguns revendedores desde antes do Modelo T, e tendo olhado os registros atuais, posso dizer que a maioria dos revendedores Ford se destaca por seu sucesso.

Dois mecânicos de bicicletas, Orville e Wilbur Wright, deram ao mundo o primeiro avião bem-sucedido. O que manteve a mente dos dois em sintonia, fez com que construíssem o primeiro túnel de vento do mundo e descobrissem um segredo de controle de asa em que mais ninguém tinha pensado? O que os levou a superar limitações de material e poder que ainda fazem aquele primeiro voo parecer "impossível"? Primeiro, eles assumiram o controle da própria mente e de suas vidas; depois foram guiados pela consciência de sucesso que é sempre decorrente disso.

O mundo atual é diferente? Só em alguns detalhes. Vejamos como exemplo um núcleo de memória, uma pequena engenhoca magnética que funciona aos milhares em muitos computadores modernos. Os irmãos Wright não conheciam essas coisas, nem Henry Ford, Andrew Carnegie ou Thomas Edison. Em 1955, um jovem chamado Merlyn Mickelson olhou para a era da computação, que nascia rapidamente, e viu o que toda era oferece – uma necessidade e uma maneira de supri-la. Ele começou a fabricar núcleos de memória em seu porão. O primeiro investimento em ferramentas e suprimentos foi de US$ 7,21. Os primeiros funcionários foram amigos e donas de casa da vizinhança que "ajudavam". Hoje, com menos de quarenta anos, o Sr. Mickelson ainda produz essas peças. Ele é presidente e proprietário de 75% de uma companhia de US$ 16 milhões ao ano, e as ações da empresa que ele detém valem cerca de US$ 47 milhões.

Consciência de sucesso pode ser plantada em uma mente já ocupada por um registro de fracassos? Quando você passa a conhecer sua mente e viver sua vida, pode apagar um registro de fracasso tão certamente quanto pode apagar a mensagem em uma fita de gravador, deixando uma fita – ou mente – maravilhosamente receptiva, pronta para receber novas e melhores impressões.

Algumas pessoas conseguiram fazer isso sozinhas. Outras precisam de ajuda. Lembro-me bem de um homem que ajudei a se encontrar. Como você vai ver, dei o primeiro impulso, e, assim que soube para onde ia, ele fez o resto.

Esse homem estava falido e tinha acabado de sair do Exército. Creio que ele usava o Exército como um refúgio, mas acabou voltando para a vida civil e procurava um emprego. A simples menção de "tempos difíceis" foi suficiente para acabar com ele. Estava pobre. Com fome. Disposto a aceitar migalhas, se conseguisse recebê-las.

Ele foi me procurar em busca de emprego. Logo de início, anunciou: "Só quero um lugar para dormir e o suficiente para comer".

Um lugar para dormir e o suficiente para comer – em um homem que pulsa com tantas riquezas!

Alguma coisa me fez perguntar: "Por que se contentar com um vale-refeição? O que acha de se tornar milionário?".

Ele olhou para mim com os olhos vidrados, cambaleando. "Por favor, não brinque comigo."

"Garanto que estou falando sério. Todo homem tem algum tipo de bem, e todo homem pode transformar seus bens em US$ 1 milhão ou muitos milhões de dólares, se usá-los corretamente."

Ele suspirou. "O que chama de bens? Tenho uma moeda no bolso."

"Leve sua mente para o lado positivo", eu disse, "e vai ter o bem mais importante que jamais terá. Vamos trabalhar nisso. Agora, vamos fazer um inventário de suas habilidades. Sente-se, assim conversaremos melhor. O que fez no Exército?"

Ele havia sido cozinheiro. Antes de ir para o Exército, era vendedor da Fuller Brush. Descobri que ele era um bom cozinheiro, mas, obviamente, não tinha sido um bom vendedor. Mesmo assim, ele sabia alguma coisa sobre vender, e, conversando com ele, descobri que ainda queria vender. Logo de início, no entanto, ele duvidou de que poderia se tornar um bom vendedor. A lembrança de fracassos anteriores o inibia, e tive que ajudá-lo a superar esses bloqueios mentais autoimpostos e ver não o que tinha sido, mas o que ele poderia ser.

Conversamos por algum tempo, e, enquanto isso, minha cabeça trabalhava ativamente. Minha mente não estava enfraquecida pela fome e pelo desespero. Houve um tempo em que minha mente havia conhecido o mesmo desespero, mas agora eu estava cheio de consciência de sucesso.

Trabalhando, minha mente desinibida lembrou que utensílios culinários especiais estavam então em desenvolvimento. Um novo tipo de equipamento de grande benefício para a dona de casa, um homem que pudesse pensar em culinária e até demonstrar, um homem que pudesse ser transformado em um bom vendedor, e ali estava a combinação vitoriosa.

"Vamos supor que você fosse representante de uma empresa que faz um novo tipo de utensílio culinário em alumínio", falei. "Esse utensílio oferece muitas vantagens. Deveria ser visto em uso; então, ele se venderia praticamente sozinho. Qualquer dona de casa, por uma pequena compensação – digamos, algumas panelas ou assadeiras gratuitas para usar – teria o prazer de convidar os vizinhos para um jantar de comida caseira. Você prepara esse jantar com o utensílio especial e, depois da refeição, anota os pedidos de conjuntos completos, coordenados. Se houver vinte senhoras presentes, tenho certeza de que você conseguirá convencer a metade a comprar. Algumas se disporiam a oferecer jantares semelhantes na própria casa. O negócio se perpetuaria."

"Parece bom", respondeu meu jovem amigo soldado. "Mas, enquanto isso, onde vou dormir? E onde vou comer? E onde vou arrumar umas camisas limpas e um terno novo? Sem mencionar que preciso de dinheiro ou crédito para começar."

Essas dúvidas são típicas da mente que ainda não se conhece e, por isso, soma todos os obstáculos, em vez de olhar diretamente para o objetivo.

"Coloque-se na disposição mental acertada", eu disse, "e você vai encontrar o que é necessário, ou vai encontrar um jeito de fazer tudo sem os recursos, e ainda chegar ao objetivo. Quando sua mente pode criar de fato um objetivo desejado e sentir a consciência de sucesso, direcionando-a para esse objetivo, você pode alcançá-lo. Vamos deixar de lado todas as outras questões e investigar seu estado mental."

Na verdade, o jovem estava muito próximo de ter a disposição mental positiva desejada. Contudo, esperei até ter certeza de que ele a tinha. Depois disse que ele era um bom risco, permiti que usasse nosso quarto de hóspedes e também garanti suas refeições. Deixei que usasse minha conta na Marshall Field's para poder se vestir bem. E garanti o pagamento da nota de sua primeira compra de utensílios de cozinha.

Na primeira semana, ele lucrou quase cem dólares. Na segunda, dobrou esse valor. Em pouco tempo ele começou a treinar outros homens e mulheres, que supervisionava. Acima de tudo, plantou neles a consciência de sucesso que agora dominava por completo sua mente, e, à medida que eles prosperavam, ele também crescia.

Quatro anos mais tarde, o jovem antes faminto e deprimido tão distante de ser milionário tinha mais de US$ 4 milhões. Além disso, sua mente agora aguçada e eficiente tinha aperfeiçoado um plano de vendas para demonstração doméstica que hoje rende milhões de dólares anualmente para um grande corpo de vendedores.

Quando os sinos do céu repicam alegremente. Quando um homem encontra a própria mente e a preenche com consciência de sucesso, ou quando outro homem o ajuda a chegar a isso, acho que os sinos do céu repicam de alegria. Aí está mais uma alma que rompeu as correntes criadas por sua imaginação medrosa.

Agora você pode entender por que escolhi começar este livro revelando o que significa se apoderar da própria mente, viver sua vida, encontrar seu verdadeiro eu que não tem limitações. Quando faz isso, você tem um bem digno de *quaisquer valores que decida atribuir a ele.*

Pense outra vez no que implica criar uma nação independente. Pense na antiga Índia com seus milhões de habitantes, sob o domínio inglês por gerações e gerações. Pense em Mahatma Gandhi, um homem que não tinha dinheiro, não controlava nenhum exército, não tinha uma casa, não tinha nem uma calça. Mas ele tinha um bem que era maior que todo o poder do Império Britânico – a capacidade de se apoderar da própria mente e direcioná-la para os fins que escolhesse. Ele escolheu libertar a Índia e viveu para ver a realização desse propósito.

Graças à influência de Mahatma Gandhi, minha Ciência da Realização Pessoal agora tem muitos milhões de seguidores na Índia. Seja seu objetivo o dinheiro, o bem-estar de outras pessoas ou uma combinação das duas coisas – como pode ser –, saiba que não há nada inacessível ao poder de uma mente que se conhece e acredita nas próprias capacidades.

As defesas espirituais dentro do castelo de sua mente. Usei deliberadamente a palavra "defesas" a fim de chamar sua atenção para seus diversos significados. A mente que está "na defensiva" não é uma mente aberta. Ela é mais propensa a ser medrosa, cheia de desculpas e evasivas, e praticamente incapaz de elevar os olhos do dono aos horizontes distantes da realização. Ao falar de defesas espirituais, então, não falo de nada que é negativo; em vez disso, falo de certas áreas às quais o indivíduo pode se recolher e assim se tornar mais completamente seu *eu.*

Toda pessoa bem-sucedida que conheci cercou-se dessas defesas espirituais de um jeito ou de outro. Adotei o sistema e descobri que ele é valiosíssimo. É assim que ele funciona.

Considere que sua mente é construída no padrão de alguns castelos medievais. No centro tem uma terra, ou "fortaleza", que é tão inexpugnável quanto pode ser. A partir da fortaleza, em direção ao exterior, você encontra um muro menos formidável; e, continuando para o exterior, chega a outra muralha que serve como primeira linha de defesa.

Uma pessoa que se aproxima do castelo tem que passar primeiro pela muralha externa. Essa muralha de defesa *espiritual* em sua mente não precisa ser muito alta. Qualquer um que tenha uma desculpa legítima para entrar em sua mente com ideias próprias consegue pular esse muro. Se não há uma desculpa legítima, porém, a muralha o desencoraja. Quando você ergue uma muralha como essa, os outros são informados de que ela está ali, e você dá a si mesmo uma valiosa proteção.

Uma pessoa que passa pela primeira linha de defesa confronta agora a segunda linha, que você pode erguer em certas ocasiões e não em outras. Quando sua mente levanta essa muralha, ninguém pode passar por ela, a menos que tenha algo forte em comum com você, ou algo benéfico e importante para compartilhar com você nesse momento.

A proteção mais interna do castelo é a mais importante de todas. É pequena, mal tem tamanho para cercá-lo, mas, quando sua mente se retira para dentro dela, é removida de toda influência externa. Comigo, só o Criador pode penetrar meu castelo espiritual mais interior. Encontre o seu, e terá uma fonte de grande força. É aqui que você pode encontrar seus pensamentos mais íntimos, sem a perturbação de influências externas; e enquanto não encontrar esse castelo você nunca os conhecerá. É aqui que você pode procurar todos os valores de um problema e encontrar a solução que, de outra maneira, pode não ver. Aqui, em especial, é onde sua mente plenamente em seu poder revela *o que pode ser feito* –, e quando você sai de seu retiro sabe que isso será feito e que será você a fazer.

De início você pode sentir necessidade de retirar-se fisicamente do mundo para um quarto silencioso, ou talvez para algum lugar distante de sua empresa e das pessoas que o conhecem. Essa é sempre uma boa ideia, mesmo quando você tem prática para encontrar a privacidade mais interior de sua mente, porque há muitas circunstâncias físicas que invadem o pensamento.

No entanto, depois de se retirar várias vezes para sua fortaleza de paredes grossas, você vai descobrir que pode entrar nela por alguns segundos mesmo com outras pessoas falando à sua volta. Vi muitos homens bem-sucedidos fazerem isso, exibindo, assim, parte do poder a que devem seu sucesso. Esse é um grande renovador do espírito, uma espécie de recarga de capacidade, autoconfiança e fé duradoura.

Tudo que tenho a dizer neste livro se relaciona a um Segredo Supremo.

Esse Segredo foi esboçado ao longo deste capítulo. Você o viu, e ele já começa a penetrar sua mente subconsciente – que nunca esquece.

VERIFICAÇÃO DO CAPÍTULO 1:

Nunca acredite que não tem o que é necessário

Um homem que alcança sucesso na vida precisa saber para onde vai, apoderar-se plenamente de sua mente e acreditar com fé inabalável que *é isso*. Sabendo disso, ele pode neutralizar quaisquer influências externas que possam tentar desencorajá-lo. Nem a "voz da autoridade" falando com uma criança pode prevalecer contra a mente que se conhece. Até uma criança que é um criminoso em potencial pode ser direcionada para uma vida honesta e bem-sucedida quando você mostra a ela seu vasto potencial para fazer o bem.

Adversidade? É um tônico, não um obstáculo

A vida muitas vezes traz dificuldades e desânimo, mas a mente que se conhece ocupa-se de consciência de sucesso que nunca é perdida. Você pode se ajudar determinando um prazo para alcançar grandes objetivos. Nem uma guerra mundial imprevisível foi um obstáculo suficientemente grande para vencer essa poderosa técnica de Realização Pessoal.

A mente consciente de sucesso funciona com rapidez e eficiência

Uma vez que você preenche a mente com sua consciência de sucesso autodirigida, alcança um nível de eficiência mental que não depende de educação formal. Ao ver seu objetivo escolhido à frente, você é maravilhosamente capaz de encontrar meios para conseguir o que quer. Para um pioneiro da era do automóvel ou um pioneiro na construção de peças para o computador moderno, o princípio que faz a mente trabalhar com rapidez e eficiência é sempre o mesmo.

A consciência de sucesso pode ser plantada na mente de outra pessoa?

Até o homem mais desanimado e derrotado pode ter todo o seu potencial para o sucesso revivido quando outra mente, cheia de consciência de sucesso, evoca na dele o mesmo grande poder. A crença no sucesso, não em obstáculos para o sucesso, pode se espalhar de uma mente a outra até milhões compartilharem do mesmo grande objetivo.

As defesas espirituais no interior do castelo de sua mente

Você pode construir no interior de sua mente três muralhas espirituais que são mais fortes que pedra. Dentro dessas muralhas, sua mente pode se conhecer e ser ela mesma – e ainda absorver todas as influências boas e construtivas que você quiser acolher. Você estará protegido contra influências negativas indesejadas, desperdício de tempo e coisas do tipo. No interior de sua muralha mais interna, você terá sempre os meios para renovar o espírito, recarregar sua confiança e fé.

2

FECHE AS PORTAS DO SEU PASSADO

Sempre que encontrar um infortúnio, coloque-o no passado. Mantenha a mente voltada para a realização futura, e vai descobrir que erros do passado muitas vezes funcionam para encher o futuro de boa fortuna. Sua riqueza e paz de espírito são fortemente conectadas entre elas. Até nos empregos dos níveis mais baixos, o sucesso espera no interior de sua mente. Adicione valor ao seu trabalho e você colocará em movimento as forças que fazem os conceitos de sua mente se transformarem nas realidades da vida.

Quando eu ainda era um jovem pobre em Wise County, Virgínia, investi US$ 0,25 em um bilhete de loteria. O prêmio era um cavalo – e eu ganhei! Um cavalo tinha valor considerável para uma família de agricultores naquele tempo, e aquele, todos concordaram, era um bom cavalo. Todo orgulhoso, eu o levei para casa. Que sorte eu tinha!

Ou não? Depois de instalar cuidadosamente meu cavalo no estábulo, alimentei-o com aveia, milho e feno – tudo que ele podia comer. Naquela mesma noite, ele fugiu do estábulo, foi para o rio e bebeu toda a água que quis. Como qualquer conhecedor de cavalos teria previsto, o pobre animal, inchado, afundou e morreu. Tive que pagar US$ 5 para tirá-lo do rio e enterrá-lo. Beleza de boa sorte!

Mas quem pode prever a utilidade do passado? Anos mais tarde, consegui rever esse incidente e entender que *tive* sorte, sim. É que nunca mais me senti tentado a arriscar dinheiro em nenhum tipo de jogo. Certamente, economizei o equivalente a muitos cavalos e preservei minha paz de espírito.

Agora vou contar um incidente mais sério que custou a vida de um homem, ameaçou a minha, impediu-me de aproveitar uma grande oportunidade, parecia um desastre completo – e ainda assim acabou sendo um bem ilimitado para mim e para outras pessoas também.

Naquela época, eu tinha concluído o primeiro rascunho de *The Science of Personal Achievement*, em oito volumes, e precisava de uma editora. O Sr. Don R. Mellett, editor do *Daily News* de Canton, Ohio, tornou-se meu sócio e empresário. Induzimos o juiz Elbert H. Gary, presidente do Conselho da United States Steel Corporation, a fornecer o dinheiro necessário para imprimir a primeira edição. Além disso, o juiz Gary aceitou comprar um conjunto completo dos livros para cada homem-chave empregado pela vasta corporação. O contrato ainda não tinha sido assinado, mas eu estava nas nuvens.

Pois bem, o Sr. Mellett usava seu jornal como instrumento para expor uma aliança muito imprópria entre contrabandistas e a força policial de sua cidade. Três dias antes do encontro marcado com o juiz Gary, um membro da força policial e um gângster atiraram em Don Mellett e o mataram. Como eu tinha me associado a ele, a gangue acreditava que eu também estava envolvido nessa exposição. Não fui assassinado por questão de poucas horas.

Tive que me esconder durante um ano. Finalmente, os assassinos foram pegos, condenados e sentenciados à prisão perpétua. Nesse ínterim, o juiz Gary havia morrido. Todos os meus planos foram prejudicados, eu tinha perdido muito tempo escondido e não tinha um editor. Estava de volta à estaca zero – ou melhor, atrás dela.

Comecei tudo de novo e encontrei um editor para os meus escritos. Essa é uma história completa, mas não é o ponto *desta* história.

Mais tarde, descobri que, se o juiz Gary tivesse se tornado meu patrocinador, e se *The Science of Personal Achievement* houvesse sido distribuído dentro da United States Steel Corporation como planejamos, eu teria sido marcado para sempre como uma ferramenta do Grande Negócio. *The Science of Personal Achievement* teria sido recebido com desconfiança, recusado por muitos dos que agora são por ele servidos. Mais que isso, eu poderia ter sido intimidado para não fazer as declarações que fiz de tempos em tempos contra o Grande Negócio quando ele esquece seu verdadeiro propósito, que é construir um mundo melhor para a humanidade.

Toda adversidade tem em si a semente de um benefício equivalente ou maior. Você se lembra disso? Escreva em um cartão. Carregue o cartão no bolso e leia-o todos os dias! Nessa frase está a chave para a paz de espírito de muitos homens. Não é o Segredo Supremo ao qual me referi, mas mora na mesma rua. Plante esta frase com firmeza em sua consciência: *Cada adversidade tem em si a semente para um benefício equivalente ou maior.*

Portanto, é possível, e muito aconselhável, FECHAR AS PORTAS DO SEU PASSADO em relação a quaisquer pesares ou amarguras até aqui. Você procura riqueza e paz de espírito. O caminho para um ou outro não passa pelo cemitério de experiências desagradáveis vividas há muito tempo.

Quando você alcança a paz de espírito, sua mente rejeita automaticamente todo pensamento e toda reação mental que não são benéficos ao seu bem-estar. Até lá, ajude-se a conquistar esse grande domínio da mente e tudo que ele pode fazer por você. Evite todas as influências mentais negativas e, especialmente, evite aquela sombra de pesar fúnebre que pode banir toda a luz do sol de sua vida – bem como outros brilhos.

O tempo é o grande mágico. Feche a porta para experiências feias, decepções e frustrações! Então, o grande mágico, o Tempo, vai poder transmutar tristezas e erros do passado em recompensas, sucesso e felicidade no presente.

Knut Hamsun, um imigrante norueguês, fracassou em tudo que tentou em seu país. No desespero, ele decidiu escrever a história de suas dificuldades. Seu livro, que ele chamou de *Fome*, ganhou o Prêmio Nobel de Literatura. As terríveis experiências de Hamsun finalmente fizeram dele um homem rico e famoso.

Harry S. Truman fracassou como camiseiro. Se, dali em diante, ele se considerasse um fracasso, certamente não teria encontrado o caminho para a presidência.

Temos também o exemplo de outro homem que se tornou lojista; mas a loja faliu.

Ele tentou a engenharia, e também fracassou. O xerife vendeu seus instrumentos de agrimensura para pagar dívidas.

Ele se alistou em um grupo de soldados em uma guerra na Índia e alcançou a patente de capitão. Seu histórico como soldado era tão ruim que ele foi reduzido ao posto de cabo e dispensado.

Estava tremendamente apaixonado e noivo, de casamento marcado. A moça morreu e o deixou em terrível estado de choque.

Ele abraçou o Direito. Ganhou alguns casos.

Entrou na política, concorreu a um cargo público e foi derrotado.

É impressionante que Abraham Lincoln tenha conseguido chegar à presidência, não é? De certa forma, sim e não. Ele *poderia* ter deixado a mente arrastar fracasso e desânimo por onde fosse, como um prisioneiro arrasta suas correntes. Afinal, isso é o que muitas pessoas fazem, e são, de fato, prisioneiras do passado, incapazes de se libertar da imagem de fracasso que, para elas, significa *eu*.

Mas ele não fez isso. A maneira como ele deixou o passado para trás com determinação não foi nenhum milagre – é um grande privilégio disponível a todo ser humano. O homem que se tornou presidente tinha sido endurecido nos fogos da vida, ou não teria podido ser quem foi, nem teria feito o que fez.

Você não consegue enxergar todo o grande Plano da sua vida. Pode torná-lo pleno e gratificante, no entanto, se tratar cada pesar e obstáculo como um fortalecimento a caminho de experiências maiores e mais ricas que ainda virão.

Eu sugiro:

Mantenha-se consciente das infinitas combinações de circunstâncias da vida.

Você se decepcionou no amor? Seu coração parece estar literalmente partido. Você não consegue ver alegria no mundo. Talvez queira tomar uma overdose de comprimidos para dormir e acabar com tudo. Porém, é provável que agora, em algum lugar do mundo, exista a mulher (ou o homem) que pode ocupar o lugar da pessoa perdida? Um momento de reflexão no interior da fortaleza de sua mente mais profunda vai lhe mostrar que isso é bem possível.

E aconteceu comigo, porque, depois de uma terrível decepção amorosa, encontrei uma combinação de circunstâncias que me levou finalmente à esposa perfeita. Tem um detalhe mais pungente na história. Quando, depois de uma violenta discussão, meu primeiro amor desistiu de mim e se casou com outro homem, pensei que o mundo tinha acabado. Cinco anos depois, o homem com quem ela se casou cometeu suicídio, desequilibrado pelo atrito constante na convivência com a mulher com quem eu tanto queria me casar. Onde eu estaria com o terror de uma mulher que me atormentasse, em vez de me ajudar?

Toda adversidade tem nela a semente de um benefício equivalente ou maior.

Lembre-se de que até *uma condição que o mundo chama de DEFICIÊNCIA você pode chamar de BENEFÍCIO – e realmente transformá-la nisso.*

Já mencionei que Thomas A. Edison teve pouca educação formal. W. Clement Stone, o homem altamente influente da área de seguros, abandonou o colégio. Tantos homens conquistaram sucesso apesar da falta de "aprendizado nos livros" que, sem diminuir a importância da educação, podemos dizer que não precisa ser uma deficiência. Depende do homem.

Mas e quanto à surdez de Edison? Certamente, a redução da capacidade auditiva é uma deficiência. Mais uma vez, depende do homem.

Quando era criança, Edison vendia doces nos trens. Uma vez, um homem o levantou com toda a sua carga de doces e o pôs no trem pelas orelhas – e esse foi o começo do fim de sua audição. Ele poderia ter passado a vida toda se debatendo com essa experiência cruel e prejudicial. Como muitos outros, poderia ter investido a maior parte de sua energia em lamentar seu destino, mas não foi o que fez.

Quando o visitei, ele dependia de um aparelho auditivo – uma coisa primitiva, comparada aos padrões atuais. Ao ter certeza de que nos entendíamos, perguntei se ele não tinha sentido a surdez como um grande obstáculo. Ele respondeu:

"Pelo contrário, a surdez tem sido uma grande ajuda para mim. Ela me salvou de ter que ouvir muita conversa imprestável e me ensinou a *ouvir meu interior.*"

Qualquer pessoa que quer ter paz de espírito deve se lembrar dessas últimas três palavras. Ao transmutar a aflição em benefício, o Sr. Edison aprendeu como sintonizar todo o poder sutil que reside no interior de toda mente. Ele sentiu também que ouvia dentro dele a voz de uma Inteligência Infinita e recebia orientação de uma Fonte infalível.

Toda adversidade tem nela a semente de um benefício equivalente ou maior.

* * *

Quando você fala em fracasso, atrai fracasso. Quando fala em sucesso, atrai sucesso. Uma vez fiz uma pesquisa com mais de trinta mil homens e mulheres para determinar suas qualidades permanentes diante de fracasso ou derrota.

Para a maioria dessas pessoas, foi preciso um – só *um* – percalço para casá-las com a derrota.

Entre os que continuaram com suas aspirações, outra grande porcentagem começou vários projetos, mas desistiu antes mesmo de encontrar a derrota. A derrota surgiu não de circunstâncias, mas da atitude de derrota que eles carregavam do passado. Em vez de fechar a porta do passado, eles corriam de volta através dela em toda oportunidade que tinham. Nem preciso dizer que não havia Fords ou Edisons nesse grupo.

Por outro lado, lembro-me de um homem chamado Arthur Decio, que construiu a carreira a partir de um fracasso familiar que custou todas as economias do pai dele. Era uma empresa de casas móveis que nunca progredia. O pai entregou a empresa ao filho sem nenhuma esperança. O que Decio, então com vinte e poucos anos, poderia fazer com o negócio? Muitos homens o teriam encerrado imediatamente.

Em sua garagem ao lado dos trilhos da ferrovia em Elkhart, Indiana, o Sr. Decio começou projetando uma casa móvel pequena e fácil de transportar, cuja necessidade ele havia confirmado por intermédio de pesquisas. Mais tarde, ele aplicou os métodos da General Motors em uma empresa que não os conhecia. Introduziu frequentes mudanças de modelo. Construiu uma rede de revendedores. Implementou quatro linhas de casas móveis concorrendo umas com as outras. As vendas de sua empresa aumentaram 500% em um ano, e o Sr. Decio fez US$ 5 milhões com uma empresa que estava à beira da falência.

A população atual inclui uma grande proporção de casais jovens e casais aposentados, e esses dois grupos são os principais clientes para casas móveis. É claro que o Sr. Decio sabe disso, porque cada época tem seus caminhos especiais.

Os diversos fracassos que surgiram em minha pesquisa de anos atrás mostraram uma característica do fracasso que faz parte de qualquer época. Essas pessoas não só fracassaram, como também *continuaram vivendo com seu fracasso*. Falavam dele mais do que de outros assuntos. Viviam no passado, revivendo a dor do que tinha acontecido.

Os que alcançaram o sucesso, no entanto, falam no futuro. Seus olhos estão voltados não para o passado – que muitas vezes foi tempo de muitos enganos –, mas sempre para o futuro, para seus grandes objetivos. Esse também foi o caso daqueles mais de quinhentos homens bem-sucedidos que entrevistei a pedido de Andrew Carnegie. Enquanto progrediam, eles falavam sobre "progresso". O fracasso que acontecera no passado ficava no passado – e fora da conversa deles.

Em relação a sucesso e fracasso, observei outra característica que tem muito a ver com paz de espírito.

É óbvio que quem é cheio de maldade e inveja não tem paz de espírito; maldade e inveja azedam a vida. O fracasso muitas vezes odeia até a imagem do sucesso. Ao conversar com homens bem-sucedidos, notei que eles enaltecem outros homens que estão conquistando o sucesso. A atitude deles não é de inveja, mas de disponibilidade para aprender com os outros. O fracasso, por outro lado, não mede esforços para encontrar críticas à pessoa bem-sucedida. Se não consegue encontrar nada duvidoso sobre como a pessoa faz negócios, vai escolher alguma coisa em outra área. Sua malícia é evidente, como o triste fato de que ele não só não tem acesso ao que o dinheiro pode comprar, como também não alcança paz de espírito.

Existe uma conexão definida entre ser rico e ter paz de espírito? Há uma conexão, mas não é absoluta. Certamente, existem pessoas pobres que têm paz de espírito – contudo são mais raras do que o folclore nos faz crer. Você não precisa ser milionário, mas, sem dinheiro suficiente, é privado de muitas coisas que sustentam o espírito. Se você está sempre preocupado com a próxima refeição, sobre quando vai poder mandar arrumar seus sapatos, como vai pagar a conta do dentista, quantos anos sua casa ainda aguenta sem pintura, você não tem paz de espírito. Se sua falta de dinheiro o obriga a viver em um bairro ruim, de forma que você está constantemente preocupado com a influência sobre seus filhos, você não tem paz de espírito. Se não consegue comprar e aproveitar ocasionalmente alguma coisa bonita, se não pode pagar férias que realmente aprecie, se não consegue assistir a um filme no cinema ou peça de teatro que sabe que vale muito a pena, sua mente não tem a chance de satisfazer-se. Dinheiro traz muita coisa boa à sua vida e muitas coisas sem as quais ninguém deveria viver.

Não é surpresa que muitos ricos desfrutam de paz de espírito. Mas há muitos que não a têm. Se o principal propósito de uma fortuna é fazer seu dono se preocupar em mantê-la, a paz de espírito sai pela janela.

Um dos fracassos que iluminaram meu conhecimento e fortaleceram minha alma aconteceu quando eu era bem rico. Simplesmente fiquei pobre – bem pobre. As circunstâncias são reveladoras.

Talvez como uma compensação pelos dias de intensa pobreza de minha juventude, eu me apaixonei por cavalos grandes, carros grandes, propriedades exuberantes e símbolos semelhantes de riqueza.

Talvez estivesse apenas alinhado com meus tempos, que exigiam que um homem que tivesse dinheiro os exibisse. Os milionários de hoje ostentam bem menos.

De qualquer maneira, meus livros vendiam bem, eu tinha construído um nome como treinador de vendedores, outros empreendimentos prosperavam – e por isso parecia indispensável que eu dirigisse um Rolls-Royce. Logo eu tinha dois deles. Pouco depois disso, guardava meus carros em uma grande garagem em uma enorme propriedade nas montanhas Catskill, norte da Cidade de Nova York. Via essa propriedade como um monumento às minhas conquistas.

A propriedade precisava de empregados, uma equipe de manutenção, alguém para supervisionar o trabalho do pessoal de manutenção. Pedia jantares luxuosos cujo custo teria feito John D. Rockefeller gemer. Uma vez, distribuí convites para um churrasco esperando a presença de umas cem pessoas. Apareceram mais de três mil! A rua ficou congestionada, tomada por uma fileira de carros de quatro quilômetros para cada lado, e os agentes de trânsito nunca me perdoaram.

A casa de hóspedes na propriedade podia acomodar quarenta pessoas com conforto, e era raro que não estivesse lotada. Uma vez, o excedente transbordou para meus aposentos privados. Cheguei em casa esperando um pouco de paz de espírito e encontrei um desconhecido dormindo em minha cama. Mais que isso, ele tinha se apropriado do único pijama que eu tinha ali disponível.

Vamos fechar as cortinas da propriedade Hill. Eu a vendi por uma ninharia pouco depois da queda financeira de 1929. Quando superei o choque inicial, que alívio senti! Como ficou tranquila e poderosa a mente antes sobrecarregada de preocupação!

Três dos meus amigos, cujos bens somados eram menos que o valor que perdi quando vendi a propriedade, não acreditavam no princípio de que toda adversidade tem nela a semente de um benefício equivalente. Um deles pulou do alto de um prédio em Wall Street; outro meteu uma bala na cabeça; e o terceiro foi tirado do rio Hudson seis semanas depois de ter pulado nele.

Eu ganhei dinheiro de novo. É claro que sim. Os princípios da Ciência da Realização cuidaram disso. Perdi a propriedade, mas não perdi com ela o conhecimento de que qualquer objetivo estabelecido pela mente humana pode ser alcançado pelo dono dessa mente. Desde então, tenho vivido com conforto, mas sem ostentação. De que serve o dinheiro quando ele se torna um fardo?

Garanta que seu trabalho e seu dinheiro beneficiem alguém além de você. Um dos resultados positivos que surgiram depois de eu ter encerrado definitivamente minhas experiências nas montanhas Catskill foi este: encontrei tempo para escrever mais livros. Esses livros me beneficiaram e têm beneficiado a humanidade – e assim me beneficiaram com mais dinheiro.

Quando Andrew Carnegie decidiu usar essa grande riqueza para fundar bibliotecas gratuitas, ele aumentou muito sua paz de espírito.

Henry Ford era muito rígido sobre não doar dinheiro. Quando finalmente aprendeu que era possível encontrar pessoas que o mereciam e usariam bem, tenho certeza de que sentiu a mesma satisfação silenciosa.

Há outro princípio importante que garante que, à medida que sua riqueza cresce, cresce também sua paz de espírito.

Não prejudique outra pessoa para ter sucesso. Sou grato por ter aprendido isso cedo na vida. Quando um homem se descobre e, com isso, descobre os meios pelos quais pode ganhar muito dinheiro, de vez em quando ele vê um jeito de trazer mais peso para o seu lado da balança. Como a mão do açougueiro que é pesada com o hambúrguer, isso não seria percebido. Eu poderia ter aumentado minha riqueza por meios desonestos em muitas ocasiões, mas teria perdido minha paz de espírito.

Entre os homens que entrevistei depois de ter aceitado a tarefa que Andrew Carnegie propôs, havia vários que eram pouco melhores que piratas no mundo dos negócios (em muitos casos, eu não sabia disso na época). Eventos posteriores frequentemente me mostraram de quanto eles haviam desistido quando roubavam de outras pessoas ou as arruinavam a fim de se beneficiar. Alguns foram para a prisão. Outros ficaram fora dela por detalhes legais, mas quem tem paz de espírito quando nenhum homem honesto olha na sua cara?

Atualmente vivemos os tempos da grande corporação de serviço, muitas vezes com uma equipe administrativa enorme. Um operário é julgado, provavelmente, pelo tipo de trabalho que faz, mas um homem no escritório pode progredir com vários truques de personalidade, papelada, empurrando para terceiros a responsabilidade por seus erros, e assim por diante. Subir na vida usando outro homem como escada é debochar do dinheiro que se ganha. Não há paz de espírito nisso e, muitas vezes, não há riqueza, nem possibilidade de ser feliz, nem harmonia em casa. Você pode ter a possibilidade de comprar o que o dinheiro pode comprar – e um nível de infelicidade ainda maior que o de um mendigo.

Falei com vários homens em minhas turmas de aula que confessaram ter passado por cima de várias questões de honestidade e moralidade nos negócios. Agora queriam poder ter um novo começo – mas seria possível? Quando conquistassem a única riqueza verdadeira, quando ganhassem riqueza honestamente, não seriam ainda infelizes pelas tensões da culpa?

Garanti a eles que não, desde que fechassem a porta para o passado. Que considerassem a desonestidade um erro, até um desastre – mas um desastre passado.

Esse é um ponto importante com muitas ramificações. Não necessariamente desonestidade, mas qualquer outro estado mental negativo mantido no passado pode ser deixado no passado como se deixam circunstâncias físicas.

Mostrei a esses homens que agora eles encontravam um novo *eu*. O passado *não podia* ter importância.

O mundo é cheio de exemplos de homens que aprenderam com a própria consciência, ou mesmo na prisão, que *nenhuma* desonestidade *nunca* compensa. A lição aprendida é a lição aprendida, e para a maioria dos homens há tempo e mundo suficientes para recomeçar e construir um futuro glorioso.

A exceção que menciono é Al Capone. Durante a Grande Depressão, esse famoso gângster criou cozinhas de sopa gratuita para alimentar desempregados. Ele gostava de chamar atenção para essas cozinhas como prova do bem que fazia a seus semelhantes. É claro que não falo desses deboches.

Em vez disso, vamos pensar em homens como O. Henry, que cumpriu pena na cadeia por um crime. Certamente, isso o ajudou, ao menos para se encontrar, porque foi depois disso que ele se tornou conhecido por suas maravilhosas histórias com toda a profunda compreensão da natureza humana.

Feche a porta para o seu passado e a mantenha fechada. Ouvi dizer que nunca se supera realmente a morte de um ente querido. Isso é verdade no sentido de que todas as circunstâncias da sua vida, todas as alegrias e tristezas, têm efeito na construção do que você é. Mas você tem grande controle sobre como isso influencia essa construção – nunca se esqueça disso!

Não sou daqueles que acreditam em eliminar a emoção natural da tristeza quando a morte ocorre. Lágrimas e tristeza são fornecidas pela natureza como uma válvula de segurança para as emoções transbordantes. Mas muitas pessoas demoram demais para fechar a porta do luto, ou nunca a fecham. Dizemos: "Não adianta se preocupar com alguma coisa que você não pode controlar". Mas nos preocupamos com a morte por tempo inconcebível, e o tempo todo sabemos que não podemos controlá-la.

O corpo físico vem do ar e do solo e volta às origens de onde veio. Talvez as porções mental e espiritual e alguma essência misteriosa da vida também voltem às origens que podemos sentir, mas não podemos descobrir. Que seja! Leve com você não a dor que sentiu quando uma pessoa amada morreu, mas as lembranças positivas e fortalecedoras. Como a vida, a morte é um processo natural.

Você acha que é possível ter apenas um grande amor na vida, especialmente se esse amor foi selado pelo casamento? A experiência humana prova que não é assim. Acredito no casamento, mas sei que a palavra "casamento" nem sempre é sinônimo da palavra "felicidade". Você tem o direito de ser feliz, e esta é sua vida. Quando um casamento se mostra um engano, quando pode ser desfeito, mas não é, o engano é perpetuado e encobre o resto de sua vida. Às vezes a porta do passado precisa ser fechada para um casamento a fim de que uma das partes desse casamento, ou as duas, possa encontrar algum tipo de sucesso na vida.

Um trabalho que é passado abre uma nova porta para o futuro. Suponha que você perdeu o emprego sem ter feito nada para isso. Pressuponha, então, que guarde grande ressentimento e um ódio infeccioso de seu antigo empregador, que foi tão injusto com você. Enquanto isso, você anda por aí procurando outro emprego – e alguma coisa está dizendo *Não* a qualquer possível futuro empregador. O que diz *Não*? As qualidades negativas do ódio e do ressentimento que se anunciam de sua mente para a dele. Ele não consegue dizer o que é, mas sente alguma coisa perturbadora em você e não o quer em seu escritório ou em sua loja.

Deixe o percalço temporário para trás, seja como for – saia com a vontade determinada de conseguir um emprego melhor que aquele que perdeu –, e qualquer um que o entreviste vai sentir as qualidades positivas que anunciam um *homem bom*. E se perguntarem sobre seu antigo empregador? Não diga nada de mau sobre ele! O que foi ruim deve sempre ficar no passado e nunca ter permissão para prejudicar o futuro.

Empregos também parecem ser o local favorito para o crescimento de disputas. É claro que você tem seus direitos, e não faz parte do sucesso ou da paz de espírito permitir que o explorem. Muitos pequenos arranhões nas relações humanas, no entanto, não são mais que pequenos arranhões, e não é preciso reagir a eles como se fossem ferimentos profundos.

De que tamanho é você? É preciso ser grande para ter sucesso. Para começar, é preciso ser grande para ver o que é grande, o que merece atenção, em vez de ser um desperdício de energia emocional com questões mesquinhas. Quando você vê como se prejudica guardando ressentimento e rancor, pode deixar os pequenos aborrecimentos no passado assim que eles ocorrem. Às vezes, é aconselhável conversar sobre as coisas, apontar como uma pessoa magoa outras, e recomeçar com tudo esclarecido. Mas um ressentimento alimentado é uma víbora crescendo. É um *negativo* acalentado, e você não só o deixa tirar sua paz de espírito, como também incentiva a formação de úlceras e muitas outras enfermidades que a mente pode impor ao corpo. Feche essa porta!

É maravilhoso e gratificante ver como o hábito de fechar a porta para o passado se torna um dos maiores hábitos fortalecedores. Isso o ajuda a se apoderar de sua mente e a condiciona para alcançar qualquer objetivo que você desejar.

Fazer além do necessário. Sempre me pedem para oferecer a um homem *alguma coisa* que ele possa fazer para deixar o ressentimento para trás – especialmente em relação a emprego e carreira. A melhor atitude possível é: fazer além do necessário.

Preste mais e melhor serviço do que aquele pelo qual é pago. Aprenda sobre sua função e sobre a função acima dela mais do que precisa saber. Trabalhe de um jeito que faça sua função render mais do que é esperado pela organização que o emprega.

Um rapaz era orçamentista em uma grande gráfica. Ele não prestava muita atenção às fontes, deixava os clientes usarem aquelas com que estavam acostumados. Isso facilitava seu trabalho – mas, como disse a ele, não o qualificava como alguém que realmente conhece seu trabalho.

Ele estudou fontes, arranjos dos tipos em uma página e outros aspectos que criavam efeito e até davam um toque de arte a cartazes e brochuras. Quando o chefe recebeu elogios pelo "belo trabalho entregue", percebeu que esse rapaz estava construindo a reputação de sua empresa. O jovem agora é executivo da firma, onde antes mal era notado. Ele também se livrou de um sentimento de amargura que poderia, no fim, tê-lo transformado em um velho com um salário pequeno e uma alma pequena.

Uma balconista que vendia alimentos e produtos variados tinha decidido que seu salário e as pequenas comissões que recebia pagavam pelas tarefas rotineiras de vender o que encontrava nas prateleiras, e ponto-final. Um dia, uma mulher pediu de um jeito agradável e muito positivo que ela fosse procurar um item no fundo do estoque, e ela foi; e quando encontrou o item, ela se sentiu "maior interiormente". Dali em diante, fez questão de sugerir itens que não eram visíveis e de aceitar pedidos especiais, mesmo quando resultavam em pouco benefício para ela.

Logo ela havia construído uma clientela regular. Os clientes se dispunham a esperar na fila para serem atendidos por ela. Mais ainda, seu conhecimento sobre o trabalho fez o empregador confiar em suas decisões. Ela agora trabalha no setor de compras, com uma grande carreira se abrindo diante dela. E diz: "Há dois fatores que podem fazer você ter sucesso: seu trabalho e você mesmo. Você é sempre o fator mais importante".

É claro, você não precisa se sentir cruel, pequeno e pressionado antes de fazer além do necessário!

Um tônico em si mesma, a disponibilidade para fazer mais do que é absolutamente necessário é o que distingue o grande ganhador, o grande líder, a pessoa feliz e íntegra que, dia a dia, constrói valor em sua vida.

Veja-se no próximo degrau da escada, e no próximo degrau acima dele, e muitos degraus gratificantes acima, e a imagem se enraíza em sua mente e o leva adiante. Se encontrar uma situação em que seu esforço extra não seja recompensado, sua mente positiva encontra coragem e recursos, e você deixa o trabalho que não é adequado a você – empurra-o para o passado – e encontra outro em que a imagem se torne real. O ponto de partida nunca é tão importante quanto aquele para onde você vai – e é dentro de sua mente que você primeiro concebe grandiosamente e então começa a *ir*.

O Segredo Supremo mais uma vez foi mencionado de várias maneiras. Talvez você ainda não seja capaz de colocá-lo em palavras, mas ele trabalha mais e mais intensamente a seu favor à medida que você lê os capítulos seguintes deste livro.

VERIFICAÇÃO DO CAPÍTULO 2:

Cada adversidade tem em si as sementes de um benefício equivalente ou maior

Quando você encontra circunstâncias de vida, elas podem parecer adversas e prejudiciais. Mais tarde, você descobre que cada evento chamado infortúnio germina a semente de fortuna maior que está por vir. Para ajudar essa poderosa dinâmica a fazer sua mágica em sua vida, feche a porta para o passado. Leve com você apenas o que é agradável e instrutivo. Deixando tristeza e dor para trás, você pode ver o futuro e se apoderar dele.

Tenha consciência das intermináveis combinações de circunstâncias da vida

Não acredite que uma experiência de amor perdido, ou oportunidade perdida, ou outro infortúnio, acabou com suas chances de conquistar o que acreditava ter perdido. Alguns dos maiores homens do mundo conheceram fracasso atrás de fracasso enquanto seguiam rumo ao sucesso final. Até uma deficiência se torna um benefício quando o homem decide como ela será benéfica a ele.

Quando você fala de fracasso, atrai fracasso; quando fala de sucesso, atrai sucesso

O fracasso trata, tipicamente, do próprio fracasso e o arrasta pela vida como um prisioneiro arrasta suas correntes. Ele também tende a invejar aqueles que têm sucesso, e sua inveja e maldade o privam não só de riqueza, mas também de paz de espírito. Toda época tem suas vantagens especiais. Todo um negócio pode ser rotulado de *fracasso* e, no entanto, ganhar vida e render milhões nas mãos de um homem que vê sucesso e fala apenas de sucesso.

Existe uma conexão definida entre riqueza e paz de espírito?

Existe uma conexão forte, mas não inquebrável. Dinheiro suficiente é necessário para quase todo mundo que quer ter paz de espírito, mas a riqueza pode roubar a felicidade daqueles que a conquistaram de maneira desonesta ou não a utilizam corretamente. Use seu trabalho e sua riqueza para ajudar outras pessoas. Acima de tudo, tenha certeza de que, ao subir a escada do sucesso, você não pisa em ninguém. A desonestidade provoca um sentimento de culpa que pode destruir a felicidade. Mesmo assim, aquele que errou pode deixar o erro no passado, fechar a porta e seguir em frente rumo a grandes realizações.

Faça além do necessário

Especialmente em situações de trabalho, disputas e ressentimentos confundem a capacidade mental de conceber e alcançar. Fazer além do necessário tem efeito tonificante no alívio da mente de obstáculos internos criados por ela. Acrescente ao seu trabalho mais do que aquilo pelo que é pago. Qualifique-se sempre para o próximo degrau acima e para os degraus seguintes. Pessoas bem-sucedidas não são pessoas que guardam ressentimentos e sonegam seu melhor trabalho, mas aquelas que, em todo ato e pensamento, pavimentam seu caminho em direção a coisas maiores.

3

A ATITUDE MENTAL BÁSICA QUE TRAZ RIQUEZA E PAZ DE ESPÍRITO

Uma vida de riquezas apreciada por uma mente em paz é mais comum para homens que mantêm uma atitude mental positiva. Com definição de objetivo, você acrescenta grande poder positivo à sua atitude mental e pode usar motivos definidos para sustentar as ações que o impulsionam em direção ao objetivo. Ao mesmo tempo, pode instalar guardiões espirituais para manter suas atitudes em um alto nível de "Sim", evitar conflitos de motivo, sintonizar-se com outras mentes positivas.

Os computadores que estão começando a administrar nosso mundo são equipamentos complicados. A maioria deles, no entanto, tem um princípio básico muito simples: eles dizem *Sim* ou *Não*. Ou abrem um tipo de portão elétrico, ou o mantêm fechado, e multiplicando esse processo conseguem assimilar e selecionar todos os tipos de informação.

A mente do homem é muito mais maravilhosa que qualquer máquina. Dentro dela, no entanto, parece haver uma válvula de Sim-Não no ponto focal de pensamento. É como se sua consciência de uma circunstância de vida – enviada ao cérebro pela visão, audição ou outros sentidos – se apresentasse no ponto Sim-Não para ser processada. Uma pessoa que mantém uma atitude positiva vai achar todo *Sim* possível e torná-lo parte de sua vida. Uma pessoa que mantém uma atitude mental negativa vai tender para o lado *Não*, perder muito do que é bom, viver com muita coisa que é dolorosa e prejudicial.

Nada além de uma atitude mental? Nada além de uma atitude mental, mas é lá que começa seu sucesso ou fracasso, sua paz de espírito ou tensão nervosa, sua tendência para a boa saúde ou para a doença.

Felizmente, qualquer um pode fazer a mudança do negativismo para o positivismo e assim, basicamente, condicionar o cérebro para trazer tudo que é bom na vida. Além do mais, há certas "alavancas de controle" que o Criador torna disponíveis para nós, e é fácil ver como as pessoas as utilizam com sucesso quando sabem quais são.

Vou revelar algumas aqui e algumas em outros capítulos, de forma a reforçar sua memória. De vez em quando, você vai encontrar repetição de nomes, fatos e métodos neste livro, sempre com a intenção de ajudar o leitor a lembrar-se deles.

Controle sua atitude mental com definição de propósito. Emerson disse: "O mundo abre caminho para um homem que sabe para onde vai".

Pense no que significa saber para onde você está indo! Automaticamente, você se livra de todo tipo de medo e dúvida que poderiam interferir no processo de tomada de decisão. Seu objetivo é definido e – pronto! – todas as forças ilimitadas de sua mente focam esse objetivo e nenhum outro. Quando conhece seu objetivo, você não pode ser desviado por circunstâncias ou palavras que não têm nada a ver com esse objetivo. Onde antes um dia de trabalho poderia ter uma grande porção de movimentos desperdiçados, agora seus esforços são alinhados, de forma que cada movimento mental ou físico ajuda todos os outros movimentos.

Você pode ver a conexão com a construção de riqueza, porque trabalho bem-feito é um construtor de riqueza básico. Agora veja a conexão com paz de espírito. Um homem que trabalha por inteiro em seu emprego não se preocupa com coisas como encontrar erros dos outros, perturbar a própria consciência por não fazer um trabalho bem-feito, olhar para o relógio e assim por diante. Nem será desencorajado por quaisquer obstáculos que possam aparecer; sua atitude mental positiva e focada o mantém em sua melhor posição para lidar com problemas e superá-los.

Esse é um segredo do "gênio"? Mencionei que muitos homens eminentemente bem-sucedidos não têm nenhuma inteligência maior que a maioria dos outros homens. No entanto, suas realizações são tamanhas que podemos ver que esses homens têm "genialidade". Certamente, é a atitude mental positiva desses homens que torna seu poder cerebral não maior, mas mais eficiente e mais disponível, que o de outras pessoas. Quando falei com homens como Henry Ford, Andrew Carnegie e Thomas A. Edison, falei com mentes livres de qualquer medo ou dúvida em relação à sua capacidade de fazer qualquer coisa que quisessem.

Sei que Andrew Carnegie tinha plena consciência da necessidade de uma atitude mental positiva. Antes de assumir a tarefa de me apoiar rumo ao sucesso, ele realmente examinou minha atitude mental.

Olhando para mim com astúcia por cima da mesa, ele disse: "Conversamos durante muito tempo, e apresentei a você a maior oportunidade que um jovem jamais teve de se tornar famoso, rico e útil. Agora, se o escolher entre os outros 240 candidatos para esse emprego, se o apresentar aos homens excepcionalmente bem-sucedidos da América, se o ajudar a conseguir a colaboração deles para encontrar a verdadeira filosofia do sucesso, vai dedicar vinte anos ao trabalho, ganhando seu sustento enquanto isso? Discutimos o suficiente. Quero que você responda – sim ou não".

Comecei a pensar em todos os obstáculos que surgiriam no caminho. Comecei a pensar em todas as barreiras que teria de superar. Comecei a pensar em todo o tempo que teria que dedicar, e o grande trabalho de escrever, e o problema de me sustentar enquanto isso – e assim por diante.

Passei 29 segundos lutando contra uma atitude mental negativa que, se tivesse me dominado, teria me afetado de maneira negativa para sempre a partir de então.

Como sei que foram só 29 segundos? Porque, quando encontrei a atitude mental positiva que tinha perdido temporariamente e disse "Sim!", o Sr. Carnegie me mostrou o cronômetro que segurava embaixo da mesa. Ele tinha me dado apenas um minuto para mostrar meu estado mental positivo – caso contrário, ele sentia, mas não poderia ter confiado que eu o tinha. Eu ainda teria mais 31 segundos e, portanto, agarrei uma oportunidade que mudaria e melhoraria a vida de milhões de pessoas, inclusive a minha.

A mente positiva sintoniza outras mentes positivas. Depois que aceitei a grande tarefa e voltei minha mente para ela com confiança, descobri que meus obstáculos imaginados simplesmente derreteram. É claro que minha atitude mental positiva me ajudou não só a descobrir os segredos do sucesso de cerca de quinhentos dos homens mais ricos da América, como também a fazer muito mais que me sustentar. Eu sou um gênio? Devo dizer que tenho evidências firmes de que não sou!

Ao conhecer muitos homens, descobri um fato muito valioso: a mente positiva obtém automaticamente benefícios de outras mentes positivas.

Você conhece o princípio geral da transmissão de rádio? É este: quando vibrações elétricas de frequência rápida são impressas em um cabo, essas vibrações saltam para o espaço. Outro cabo distante – a antena receptora – pode pegá-las, e assim uma mensagem ou uma foto é transmitida por milhares de quilômetros, ou milhões de quilômetros, na comunicação da era espacial.

Há correntes elétricas no cérebro. Elas fornecem uma estação de transmissão privada pela qual você pode enviar qualquer tipo de vibrações de pensamento que desejar. Mantenha essa estação ocupada enviando pensamentos de natureza positiva, pensamentos que beneficiem outras pessoas, e você vai descobrir que pode receber vibrações de pensamento semelhantes de outras mentes cuja atitude esteja sintonizada à sua.

Quando visitei homens bem-sucedidos como aqueles que mencionei, e muitos outros, como John Wanamaker, Frank A. Vanderlip, Edward Bok e Woodrow Wilson, eles e eu sentimos a sintonia de mente para mente. Caso contrário, eu certamente teria sentido a oposição desses homens em posições elevadas para me cederem seu tempo e experiência. Não só esses homens passaram horas conversando comigo, como também foram meus professores e guias por ano após ano, sem me cobrar nada.

Acredite no que está fazendo e você também vai ver o grande efeito de sua crença sobre aqueles a quem pode pedir ajuda. Duvide de si mesmo, e a parte *Não* de sua mente assume o controle e produz derrota, em vez de vitória.

Isso mal esboça todo o poder abrangente de uma atitude mental positiva. Vamos olhar para algumas outras "alavancas de controle" que se combinam com uma atitude mental positiva para dar a você riqueza e paz de espírito por toda uma vida vitoriosa.

Os nove principais motivos. Não é à toa que os julgamentos nos tribunais sempre tratam de questões de *motivo*. Tudo que você faz é resultado de um ou mais motivos. Usamos nove motivos básicos em várias combinações, sendo sete motivos positivos e dois negativos.

- Os sete motivos positivos são:
  1. A emoção do AMOR
  2. A emoção SEXUAL
  3. O desejo de GANHO MATERIAL
  4. O desejo de AUTOPRESERVAÇÃO
  5. O desejo de LIBERDADE DE CORPO E MENTE
  6. O desejo de AUTOEXPRESSÃO
  7. O desejo de PERPETUAÇÃO DA VIDA APÓS A MORTE
- Os dois motivos negativos são:
  1. A emoção de RAIVA E VINGANÇA
  2. A emoção do MEDO

Nesses nove motivos você pode encontrar as raízes de tudo que faz ou deixa de fazer. *Paz de espírito se alcança pelo exercício dos sete motivos positivos como um padrão geral de vida.* Raramente uma pessoa que tem paz de espírito exerce os dois motivos ou emoções negativas, se é que exerce. Você não pode ter paz de espírito enquanto teme alguma coisa ou alguém. Não pode ter paz de espírito enquanto acolhe o tipo de raiva que o leva a um desejo de vingança ou de prejudicar outra pessoa, qualquer que possa ser a justificativa.

Grandes homens não têm tempo a perder com desejo de prejudicar outras pessoas. Se tivessem, não seriam grandes homens. Grandes homens não são imunes ao medo, mas o deles não é o tipo de medo que se impõe constantemente e domina toda a vida. Olhe para homens pequenos, mesquinhos, e vai ver padrões vitalícios de medo e raiva. A mente desses homens é tão cheia dessas influências negativas que eles não conseguem encontrar o poder de criar as circunstâncias que desejam.

Recentemente, ouvi falar sobre um homem, agora com setenta anos, que há quinze perdeu todo o seu dinheiro em um empreendimento imobiliário. Aconselhado por um amigo, ele fez um empréstimo vultoso para investir em pantanais desertos antecipando que, em dois anos, haveria grande demanda dos terrenos para construção. Isso não aconteceu, os empréstimos do homem venceram, e ele teve que vender sua loja de sapatos.

O amigo que deu o péssimo conselho também perdeu dinheiro. Mesmo assim, esse homem se encheu de ódio pelo amigo e prometeu se vingar, "nem que fosse a última coisa que fizesse". E quase foi. Cinco anos de ódio o deixaram incapaz até de fazer negócios. Enquanto isso, o amigo prosperava e parecia fora do alcance de qualquer vingança insignificante. O homem que tinha perdido seu dinheiro finalmente perdeu o equilíbrio mental e teve que passar seis meses em um lugar tranquilo no campo, cercado por um muro alto.

No último mês de confinamento, porém, ele estava suficientemente recuperado para ouvir um conselheiro que disse que o ódio e o desejo de vingança haviam causado um mal muito maior do que perder o dinheiro. Ele foi convencido a perdoar o amigo que o havia induzido a entrar no ramo imobiliário. Ele até escreveu para esse homem, contando sobre sua mudança de disposição.

Quando retomou os negócios, foi com amor por seus semelhantes e a determinação de manter a cabeça cheia de motivos positivos, construtivos. Aos sessenta anos, ele construiu uma nova carreira. Agora, aos setenta, está em muito boa situação e, acima de tudo, tem paz de espírito, a única forma de riqueza que é indispensável.

Eu mesmo sofri com os efeitos de motivos negativos de vez em quando. Quando me escondi, como foi discutido no último capítulo, agi, em primeiro lugar, com base em um motivo muito sábio de autopreservação. Porém, logo isso se transformou em medo, e com o medo veio a infelicidade. Felizmente, vi em tempo o que estava acontecendo comigo. Não pode acontecer de novo.

Você pode invocar os Dez Príncipes da Orientação para guardarem as portas de sua mente. Você pode se fazer consciente de certos princípios de orientação e proteção pessoal; e para tornar esses princípios reais e memoráveis, pode personalizá-los – vê-los como muitos Príncipes em armaduras que guardam as portas de sua mente. Esses Príncipes desafiam toda vibração de pensamento que tenta entrar. Eles mantêm sua mente positiva, eficiente e livre de discórdia. Vou citar meus Príncipes, uma lista que você talvez queira modificar para ajustá-la aos seus requisitos de vida.

O Príncipe da Paz de Espírito. Ele fica na porta mais externa e pergunta a todos os solicitantes se vêm em paz para compartilhar minha paz. Senão, eles são expulsos.

O Príncipe da Esperança e da Fé. Ele admite apenas as influências que mantêm minha mente alerta com a crença em minha missão na vida.

O Príncipe do Amor e Romance. Ele traz à mente apenas influências que mantêm o amor eternamente fresco em meu coração.

O Príncipe da Boa Saúde Física. Ele conhece o tipo de influência mental que pode destruir a saúde, e admite apenas os estados mentais que ajudam o corpo a manter seu vigor.

O Príncipe da Segurança Financeira. Quando o quero em guarda, ele não admite pensamentos que não sejam aqueles que me trazem benefício financeiro válido.

O Príncipe da Sabedoria Geral. Ele é encarregado de transmitir certos pensamentos passageiros ao meu estoque de conhecimento quando vê que me beneficiarão ou me ajudarão a beneficiar outras pessoas.

O Príncipe da Paciência. Ele mantém afastados todos os impulsos para correr, abordar tarefas mal preparadas, estar de alguma forma impaciente com o poder do tempo.

O Príncipe de Normhill. "Normhill" é uma palavra muito pessoal que inventei para uso próprio. Combinação de certos nomes, ela significa para mim o que não pode significar para nenhuma outra pessoa. Então, crie um nome para seu Príncipe pessoal. Esse Príncipe fica de guarda com os outros. De tempos em tempos, os outros podem ter folga; por exemplo, não se pode desejar manter continuamente fora da cabeça todos os pensamentos que não estejam relacionados a segurança financeira. Seu Príncipe pessoal especial está *sempre* ali, representando todas as influências pessoais especiais em sua vida. Normhill é meu embaixador, o que executa serviços não designados a outros membros da minha família invisível de guias.

Depois que você se torna bem consciente de seu corpo de Príncipes espirituais, eles servem para mobilizar todas as suas forças para resolver qualquer problema ou para montar linhas especiais de defesa.

Às vezes me pego conversando com alguém cuja atitude antagônica começa a invadir minha paz de espírito. Muito bem – mando um alerta especial ao Príncipe da Paz de Espírito. Imediatamente, ele assume o comando das muralhas com força dobrada, e eu fico calmo e retomo o comando de minha mente.

Ou, digamos, sinto alguma dor ou um desconforto físico. Invoco o Príncipe da Boa Saúde Física para examinar a causa, e tenho bons resultados. Acredito que recebi benefícios de cura que vão além do que o poder da ciência médica comum pode explicar.

Meus Príncipes da Orientação recebem certa compensação por seus serviços. Seu "pagamento" é minha eterna gratidão. Diariamente, expresso essa gratidão, primeiro a cada Príncipe de forma individual, depois a todos eles em seu grupo poderoso. Você vai descobrir que essa expressão de gratidão é muito útil para manter sua mente alerta para os próprios poderes. Sei que, se em algum momento a negligencio, sinto uma negligência por parte dos meus Príncipes. Quando volto a ter consciência diária de que tenho grandes forças espirituais ao meu dispor, lá estão elas novamente, fortes como sempre.

Não deixe o motivo do ganho material entrar em conflito com o motivo da liberdade. Liberdade de corpo é fácil de ver e entender; mas liberdade da mente é uma questão mais sutil. Medo e raiva colocam a mente atrás de grades. Culpa envolve a mente em correntes. Para dar um pouco de leveza a uma questão séria: era uma vez um homem que foi encorajado a *se conhecer*. Imediatamente, ele se algemou à própria cama, para não se levantar e vasculhar seus bolsos durante a noite.

Com muita frequência, o motivo do *ganho material* – excelente em si mesmo – entra em conflito com o excelente motivo da *liberdade de corpo e mente*, porque, para ganhar o que é material, abrimos mão da liberdade da mente; enchemos a mente de culpa e medo, porque não agimos com honestidade.

Além disso, quem ganha dinheiro tirando proveito de maneira desonesta de seus semelhantes roubou de si mesmo a alegria autêntica que deriva do sucesso honesto. Quando você obedece às regras de um jogo e vence, pode ter feito alguma coisa por sua alma. Quando você trapaceia e vence, só chama isso de vitória, mas a verdade é que você perdeu.

Acredito que tive a sorte de começar minha carreira muito cedo, pois assim aprendi lições da vida ainda muito jovem. Vou contar uma experiência que tive em meu primeiro emprego. Eu havia acabado de sair da faculdade de administração e era inexperiente nas questões da vida e do caráter dos homens.

Meu empregador era dono de vários bancos. Tinha empregado o filho como caixa em um deles, em uma cidade distante. Certa noite, o gerente de um hotel nessa cidade telefonou para mim e disse que o filho do meu empregador estava com um problema sério. Ele não conseguia entrar em contato com meu empregador. Imediatamente, peguei o trem e cheguei àquela cidade na manhã seguinte.

Quando fui ao banco, encontrei a porta fechada, mas destrancada. Lá dentro, descobri que o cofre tinha sido deixado aberto, e havia lindas notas de dólar espalhadas sobre o balcão do caixa.

Fechei a porta e peguei o telefone. Consegui falar com meu empregador e explicar a ele por que tinha ido à cidade e o que havia encontrado ao chegar. Muito nervoso, ele disse: "Conte o dinheiro. Faça a contabilidade. Quero um relatório da diferença, se houver".

Sentei para contar o dinheiro. Para minha grande surpresa, não faltava um centavo sequer.

Fiquei ali sentado olhando para aquelas pilhas de notas verdes. Minha juventude havia sido trágica, turbulenta e pobre. Meu estado atual era pouco melhor, apenas pagava as contas. Estava ali olhando para quase US$ 50 mil em dinheiro, sabendo que poderia embolsar pelo menos metade dele, e ninguém nunca saberia. O filho do meu empregador dava sinais claros de instabilidade mental. Todo mundo pensaria que ele havia tirado o dinheiro. O rapaz tinha até se comportado como se houvesse enchido os bolsos – e eu era o único que sabia que isso não havia acontecido.

O motivo do ganho material me provocava. Mas o motivo da liberdade disse: *não faça isso.* Ou melhor, foi "alguma coisa" que me manteve honesto, porque naquele tempo eu não poderia ter dado nome aos motivos principais. Talvez essa "alguma coisa" fosse resultado de certas sessões que tinha tido com minha madrasta antes de sair de casa, nas quais ela me havia mostrado que eu estava no controle da minha mente e que teria de conviver sempre comigo.

Tranquei o dinheiro no cofre imediatamente, depois telefonei para meu empregador e disse a ele que não havia diferença a compensar; não faltava nem um centavo. Saí do banco com a mente em paz, livre e alegremente positiva.

Depois disso, coloquei o motivo da *liberdade* sempre à frente do motivo do *ganho material*. Consegui ter todo o dinheiro de que preciso sem prejudicar minha liberdade interna ou externa.

O episódio foi um de vários que me levaram diretamente a Andrew Carnegie e à percepção de meu objetivo na vida. Meu empregador ficou agradecido pelo modo como eu tinha protegido a reputação de seu filho da melhor maneira possível. Mais tarde, ele foi responsável por meu ingresso na Escola de Direito da Universidade Georgetown. Isso levou a uma cadeia de circunstâncias até minha designação para entrevistar o Sr. Carnegie. Se eu tivesse cedido ao motivo do *ganho material* naquele dia no banco, a Ciência da Realização Pessoal poderia nunca ter existido.

Sim, como Emerson sugeriu, existe um parceiro silencioso em todas as nossas transações, e infeliz é o homem que tenta barganhar com a vida.

A vida reflete seus pensamentos para você. Pensamentos são coisas, disse um poeta, e realmente eles têm existência própria, de forma que uma maldição volta para amaldiçoá-lo, e uma bênção volta para abençoá-lo, refletidas pelo poderoso espelho da vida. Outro poeta disse: "Sou o mestre de meu destino, o capitão de minha alma". Isso também é verdade, e as duas verdades se harmonizam. Mande pensamentos positivos a partir de uma alma positivamente orientada, e o mundo vai refletir influências positivas muito maiores para ajudá-lo.

Volte e leia a lista de nove motivos básicos. Concentre-se nos sete motivos positivos. Lembre-se de que é possível esses motivos entrarem em conflito, como vimos; mas, de maneira geral, eles vão em sentido único e, com uma atitude mental positiva, levam-no na direção em que você quer ir. Não devemos dar adeus aos motivos até terminarmos este livro; mas, por enquanto, vamos nos despedir temporariamente.

Amor tem escopo ilimitado. Aborde-o com reverência, porque ele é sintonizado com o Eterno. Distribua-o gratuitamente e vai atrair tanto quanto der, ou mais; pare de dar amor e você vai parar de recebê-lo. O espelho da vida não é tão evidente com nenhum outro motivo, desejo ou emoção.

Sexo é a grande força criativa do universo. Em seu plano mais elevado, ele se mistura ao amor; mas é possível existir amor sem ser sexual. O poder do sexo pode ser transmutado em ação para a realização de objetivo profundo, e essa é uma questão tão importante que mais tarde dedicaremos um capítulo inteiro a ela. Por outro lado, sexo pode ser pervertido e desvirtuado, e é sob esse aspecto que traz pesar e problemas à humanidade, conquistando para si mesmo uma reputação ruim.

Autopreservação pode se tornar uma força negativa quando é buscada sem consideração aos direitos de outras pessoas. Ela é induzida pela natureza para nos ajudar a permanecer vivos. Mesmo assim, o ser humano assume a prerrogativa de ser maior que ela. Quando um navio está afundando, a ordem é *mulheres e crianças primeiro*, e há muitos exemplos paralelos que invocam a nobreza da natureza humana.

Autoexpressão é parte de encontrar o verdadeiro eu. É parte da liberdade de ser quem é. Portanto, é positiva, construtiva e infinitamente valiosa. Tenha certeza apenas de que seus meios de autoexpressão não diminuem nem prejudicam os de outras pessoas.

Perpetuação da vida após a morte está entre os mais antigos motivos e crenças da humanidade. Ela deve ser ancorada pelo senso comum e por uma verdadeira compreensão do relacionamento que se tem com a mudança que chamamos de morte. Quando envolto em superstição e medo, esse motivo leva apenas à destruição. Pode transformar a vida em uma preparação para a morte e prejudicar toda uma civilização.

O jeito mais certo de encontrar paz de espírito. O jeito mais certo de encontrar paz de espírito é aquele que ajuda o maior número de pessoas a encontrá-la.

Que este seja seu guia para o uso das grandes forças motivadoras; então, você saberá que as está usando corretamente, não as corrompendo.

Existe paz de espírito na oração? Pode existir. *Deve* existir. Mas perceba quantas pessoas recorrem à oração apenas na hora do infortúnio, quando o motivo do *medo* domina a mente. A abordagem deve ser negativa nesse caso, e assim, em termos de paz de espírito, os resultados também devem ser negativos.

Orações que trazem paz de espírito procedem de uma mente que projeta uma mensagem de confiança, embora esteja aflita por problemas e tristeza. Orações que libertam grandes forças para resolver problemas nascem em mentes que sabem que os problemas podem ser resolvidos, uma vez encontradas as forças – e têm perfeita confiança na existência dessas forças.

Como tantos outros, vejo evidências de uma Inteligência além da do homem. Acredito que a mente positivamente condicionada pode, às vezes, sintonizar essa Inteligência. Porém, o condicionamento da mente pela oração ou resolução é algo que um indivíduo deve alcançar por si mesmo. Quando o Criador fez os homens livres para encontrarem o próprio destino e escolher entre o bem e o mal, ele deu ao homem também essa prerrogativa. Cada grande realização de qualquer homem em qualquer tempo deve existir como um pensamento antes de poder existir como realidade.

Reconheceu o Segredo Supremo?

VERIFICAÇÃO DO CAPÍTULO 3:

A vida diz Sim quando você mantém uma atitude mental positiva

A mente de um homem é mais maravilhosa que qualquer computador. Como um computador, no entanto, ela parece processar muito o pensamento em um portão de *Sim* ou *Não*. Uma atitude mental positiva o ajuda a encontrar todo *Sim* possível em cada circunstância de vida. Mesmo que sua atitude atual seja negativa, você pode mudá-la para positiva e abrir sua vida para tudo que é rico e gratificante.

Controle sua atitude mental com definição de objetivo

Homens famosos e bem-sucedidos nunca mostram nenhuma dúvida quanto à própria capacidade de fazer o que querem fazer. Qualquer um em qualquer estágio da vida pode alcançar os benefícios desse método de transformação mental. Foque a mente em um único objetivo e você parece adquirir poderes de "gênio", porque sua mente trabalha com muito mais eficiência. Agora você encontra maneiras de lidar com problemas que antes o bloqueavam, e de afastar os obstáculos. A mente positiva sintoniza outras mentes positivas. Por meio dessa transmissão mental, você troca informação e orientação de valor inestimável.

Controle os principais motivos que controlam sua vida

Sete motivos principais e dois motivos negativos estão por trás de tudo que você faz. Homens pequenos permitem que duas emoções negativas, raiva e medo, roubem sua paz de espírito e impeçam a mente de conceber e conquistar grandiosamente. Homens grandes usam os sete motivos positivos para construir o tipo de vida que querem ter. Você pode formar Príncipes de Orientação para permanecerem nas portas de sua mente e impedirem a entrada de influências negativas. Quando usa esses Príncipes espirituais, eles estão sempre prontos para cuidar de qualquer situação de emergência, como uma ameaça à saúde, bem como de suas necessidades do dia a dia.

Você pode impedir seus motivos de entrarem em conflito entre si

O desejo de ganho material pode entrar em conflito com o desejo de liberdade – mas liberdade de mente e corpo é a mais importante. A emoção do amor é sua enquanto você der amor aos outros. Sexo é uma força criativa que não deve ser pervertida ou desvirtuada. A crença em uma vida após a morte deve ser livre de superstição e medo. Autoexpressão e autopreservação são grandes direitos humanos que beneficiam você, quando não prejudicam outras pessoas. Todos os motivos positivos o guiarão, e os motivos negativos, se o tocarem, não o prejudicarão, se você lembrar-se de que: o jeito mais seguro para encontrar paz de espírito é aquele que ajuda o maior número de pessoas a encontrá-la.

4

QUANDO VOCÊ SE LIVRA DO MEDO, FICA LIVRE PARA VIVER

Livre-se do medo, e você se livra de um demônio criado pelo homem. Os sete principais medos se reforçam: o medo da pobreza, o medo da crítica, o medo da doença, o medo da perda do amor, o medo da perda da liberdade, o medo da velhice, o medo da morte. Separe os medos criados por você daqueles que são necessários para a autopreservação. Abra caminho para a fé em você mesmo, ingrediente indispensável para uma vida digna de ser vivida.

Quando você teme alguma coisa, aumenta a probabilidade de essa coisa encontrá-lo e prejudicá-lo.

Quando encara uma ameaça e *sabe* que vai superá-la, é aí que os grandes poderes aparecem em seu socorro.

Medo, a mais poderosa das emoções negativas, é como uma oração ao contrário. Em vez de apelar para as forças construtivas que nos cercam, ele apela para as forças da destruição. Torna-se um deus em si mesmo, exigindo infinitos sacrifícios dolorosos. As pessoas raramente admitem que a vida de amarga privação pode se basear em nada mais que medo constante – mas você pode ver isso acontecer à sua volta.

O primeiro medo que menciono é um medo terrivelmente "magnético". Quanto mais você tiver, maior será a probabilidade de atrair o que teme.

1. O medo da pobreza. De vez em quando, tenho a oportunidade de encontrar pessoas que conheci em minha juventude marcada pela pobreza. Recentemente, tenho encontrado os filhos agora adultos dessas pessoas. Quando já conheço pai e filho, é comum conseguir rastrear a persistência de um tipo de apreço familiar pela pobreza. Temendo a pobreza com um bom motivo ao serem impedidos por ela – odiando-a e protestando contra ela –, essas famílias permitiram que suas emoções negativas adormecessem sua vontade e cancelassem sua coragem.

Na maior nação do mundo, uma nação que pulsa com oportunidades, elas se resignam com a vida de carência. Alguns membros da família podem fazer algum gesto assinalando a intenção de romper esse padrão, mas sempre acaba sendo um gesto fraco que não os leva adiante. Talvez aplaque a consciência ter esse gesto para apontar pelo resto da vida. Pior ainda, famílias inteiras são criadas na crença de que Deus quis que fossem pobres! Certamente, deve ser a nota final do medo que iguala Deus à ideia de perseguição.

Ser pobre e não gostar de ser pobre é um bom passo na direção de se tornar rico. Mas deixe de lado seu *medo* da pobreza. Veja-o apenas como ponto de partida. Deixe seu conhecimento interno da condição indesejada tornar-se a força de sustentação enquanto se dirige à condição que deseja – prosperidade, até opulência.

Deixe a necessidade presente de contar centavos despertar sua consciência para o poder do dinheiro. Deixe a falta de capital despertar sua consciência para as muitas maneiras de usar o dinheiro de outras pessoas pagando a elas apenas uma tarifa justa pelo aluguel de seu dinheiro.

Saiba que há muita educação gratuita, que a autoeducação em muitas áreas pode ser melhor que a educação formal na escola, que vastos estoques de informação podem ser usados gratuitamente, que indústria e comércio estão de braços abertos para receber o trabalhador disposto. Saiba que nossa economia é tão vasta e variada que qualquer talento especial pode encontrar o lugar onde precisam dele; e nossa economia está cheia de necessidades não atendidas que *você* pode atender.

Evito fornecer uma lista de homens conhecidos que começaram a vida na pobreza. Encontramos muitos deles e conheceremos outros. *Elimine o medo da pobreza e siga em frente.*

2. O medo da crítica. Sua mente tem poder ilimitado para tornar um sonho realidade – desde que você a deixe trabalhar livre de obstáculos. Poucos medos freiam a mente tão rapidamente quanto o medo da crítica. Ele pode fazer você parar antes de começar. No entanto, ele não é mais que a influência de outra mente ou outras mentes – uma influência negativa que muitas vezes é apenas imaginada. Uma pessoa cheia de medo da crítica muitas vezes deixa de expor suas ideias para não ser refutada, e assim perde os grandes dons da imaginação e da autoconfiança.

Podemos examinar a carreira de homens que fizeram descobertas importantes em suas áreas, e podemos ficar fascinados com o modo como eles encontraram suas habilidades e as colocaram em uso de maneira eficiente. Ao mesmo tempo, podemos ver muitos obstáculos que eles tiveram de superar. Raramente, porém, sabemos sobre as críticas adversas que muitos desses homens enfrentaram. Se tivessem medo dessas críticas e as deixassem criar raízes em sua mente, toda a sua capacidade de conceber e realizar poderia ter sido prejudicada.

Em vez disso, eles podem nunca ter sentido esse medo, ou não teriam a mente livre que segue adiante.

O automóvel, é claro, "não funcionaria". Nem o avião. Nem a viagem espacial. Quando Henry Ford estava pronto para a produção em massa, o automóvel obviamente havia funcionado, mas produzir em massa esses objetos tão complexos era algo que provocava dúvidas. O automóvel era uma curiosidade de laboratório. Ninguém poderia fornecer gasolina necessária, nem borracha, nem garantir que essas necessidades estariam disponíveis em qualquer lugar para onde um motorista pudesse ir. Além disso, disseram os banqueiros com quem Henry Ford preferia não fazer negócios, as pessoas simplesmente não comprariam um produto tão caro em quantidade suficiente. Quase todo mundo que conhecia os planos de Ford os condenava por um ou outro motivo. Por certo, o poder substancial do amor ajudou Ford a conhecer as próprias ideias, porque a Sra. Ford disse apenas: "Siga em frente, independentemente de quem critica".

Mais recentemente, um homem chamado Henry Land tirou uma foto da filha. Ela quis ver a foto imediatamente. Ele explicou que primeiro o rolo de papel fotográfico precisava ser retirado da câmera e revelado em um quarto escuro com a ajuda de alguns produtos químicos. Assim que os negativos fossem obtidos, eles teriam que ser impressos por intermédio de luz intensa em outro tipo de papel, que também precisava de tratamento químico; e então, finalmente, a foto apareceria.

A essa altura, sua mente livre de obstáculos assumiu o comando. Por que não construir uma câmera que produzisse fotos prontas? Qualquer um que soubesse qualquer coisa sobre fotografia poderia ter dado a ele dezenas de motivos para explicar que não, mas a crítica não impediu o desenvolvimento da câmera Land-Polaroid que faz exatamente o que a Srta. Land pediu.

A crítica também é um obstáculo no reino das ideias puras. Quando me dispus a organizar a Ciência da Realização Pessoal, quase fui soterrado pelas críticas despejadas sobre minha cabeça. A maioria vinha de meus parentes mais próximos, e essas são difíceis de enfrentar. Na época, eu não podia traduzir em palavras o poder que me fez seguir em frente – mas tinha tomado uma decisão sobre meu objetivo, não sobre obstáculos, e segui em frente. Essa primeira Ciência da Realização Pessoal rendeu mais dinheiro para seus usuários do que toda a fortuna de Andrew Carnegie – e ele era, provavelmente, o homem mais rico do mundo.

Uma coisa é ouvir os conselhos de uma pessoa qualificada para aconselhar. Outra coisa bem diferente é permitir que a crítica adversa deixe cega a lâmina afiada de sua mente conquistadora. Perceba quanto dessa crítica vem de pessoas que criticam tudo – em particular, de pessoas que criticam todo mundo que tenta ter sucesso. Fracasso, como outras formas de infelicidade, adora companhia. *Elimine o medo da crítica e siga em frente.*

3. O medo da doença. Provavelmente, você conhece alguém cujo assunto principal é saúde – ou melhor, a falta dela.

Essas pessoas preferem descrever suas cirurgias a falar sobre o benefício que extraíram delas – se é que precisavam mesmo das cirurgias. Elas começam cada dia procurando sintomas, primeiro da cabeça para baixo, depois dos pés para cima, e encontram muitos "sinais certos" de doença com os quais incomodar seus amigos. Compram todo remédio milagroso que aparece, seguem cada modismo saudável que, um ano depois, passa a ser algo a evitar por ser prejudicial à saúde. São hipocondríacos; imaginam doença, temem a doença e, literalmente, atraem a doença – porque é grande o *poder negativo* da mente.

Em meus sessenta e tantos anos de vida adulta, tive a satisfação de ver que os médicos dão atenção cada vez maior à doença psicossomática, ou doença física cuja origem é mental. Desde o início da história do homem, no entanto, é óbvio que quase todas as nossas enfermidades são causadas por falta de paz de espírito. Aqui vai uma lista bem parcial de sintomas que podem surgir de conflitos mentais, medos e tensões:

Dor de cabeça
Indigestão
Úlceras
Dores artríticas
Fadiga constante
Insônia
Lenta cicatrização de feridas
Problemas renais
Problemas circulatórios
Frigidez
Impotência
Urticárias, entre outras aflições cutâneas
Infecção bucal
Transtornos retais
Cãibras musculares
... e mais ... e mais

E existem os diversos transtornos mentais, que variam desde extrema tensão nervosa até franca insanidade, e que frequentemente são causados ou agravados pela mente que se inquieta. A lista de doenças a que corpo e mente podem sucumbir é quase interminável, então, que seu primeiro passo em direção à boa saúde seja este: não lidar com a imagem da doença. A mente tende a transmutar *todas* as crenças em seu equivalente físico. Por que, então, ver-se como qualquer coisa que não seja uma pessoa que desfruta de boa saúde da cabeça aos pés e dos pés à cabeça?

Mesmo que você contraia alguma doença ou lesão, mantenha o conhecimento tranquilo de que isso é apenas um incidente adverso da vida que, é claro, você vai superar. Além disso, a mente cheia de fé e confiança pode ver melhor além de uma deficiência, para uma condição curada, a condição *Sim* – e isso, acima de tudo, é um tratamento curativo que não pode ser fornecido pela medicina. Ele é *concebido*, e é, portanto, ilimitadamente poderoso.

FÉ é a maior de todas as curas. FÉ é o grande remédio universal que impede doença, cura doença, constrói resistência a possíveis doenças, cura e sustenta. Tenha FÉ em sua saúde, e é como se a doença morresse de inanição. Mantenha a doença longe da sua conversa. Mantenha a doença fora da sua cabeça. Reflita sua fé na imagem de Príncipe da Boa Saúde Física, e esse Príncipe se mantém quase invencível.

Então, para provar de maneira conclusiva que parou de acreditar na doença, esvazie seu armário de remédios e jogue tudo fora. *Elimine o medo da doença e siga em frente.*

4. Medo da perda do amor. O amor anda de mãos dadas com a paz de espírito. Um casal que realmente se ama muitas vezes reflete esse amor no mundo como um farol de felicidade. Eles "nasceram um para o outro", dizemos, e em muitos sentidos é verdade. Mas olhe além desse comentário banal e você vai ver que ele não tem nenhuma relação com *posse*. Quem ama de verdade não mantém o parceiro em correntes de ciúme, porque isso é medo, medo de perder o amor. O verdadeiro amor não conhece o medo. Além disso, amor não pode ser *exigido*; tem que ser *dado*. Se deixar de ser dado, não existe mais.

O fim do amor não é agradável. Nenhuma circunstância adversa é agradável quando ocorre. Porém, ter medo dela com antecedência, como acontece com tantas pessoas, é tão prejudicial quanto se imaginar morto antes de morrer.

O amor de uma pessoa específica pode ser perdido, mas o amor propriamente dito nunca é. A capacidade de amar pulsa com o coração. Ela procura o outro, e o amor por uma pessoa sempre pode ser transmutado em amor por outra.

Saiba que existe outro. Saiba também que o amor também se transmuta em grande realização e grande serviço. O primeiro amor de Charles Dickens quase terminou em tragédia quando ele descobriu que não era correspondido. Ele transmutou esse amor em sua escrita, e seu livro mais popular, *David Copperfield*, nasceu de um coração que *parecia* estar quebrado.

Ame generosamente. Ame plenamente. Ame fielmente. Amor é um grande poder para o bem quando você o tem, mas pode destruir quando ele tem você. Acha que sou cínico por falar dessa maneira da mais sublime de todas as emoções? Não, estou seguindo o propósito deste livro e mostrando as lições da vida. Qualquer medo o impede de seguir em frente e o prejudica. *Elimine o medo da perda do amor e siga adiante.*

5. Medo da perda da liberdade. Li recentemente sobre um homem que havia cumprido pena na penitenciária e sido libertado. Ele enfrentava dificuldade para arrumar emprego, porque era honesto o bastante para dizer que era ex-presidiário. Durante um tempo, ele não pôde voltar para casa e para a família, porque não confiavam nele. Mas ele sabia que era um homem mudado, e, com persistência silenciosa, reconquistou um lugar no mundo das pessoas honestas.

Ele expressou sua gratidão por ter recuperado os privilégios de trabalhar pelo sustento, planejar uma carreira, ter uma família e um lar. "Mas todas essas bênçãos se baseiam em uma bênção maior", disse. "Tenho minha liberdade."

Milhões aprenderam o que acontece quando uma nação inteira perde a liberdade. As necessidades da vida podem estar todas presentes, e muitos luxos também, mas, sem liberdade para falar o que se pensa e viver a própria vida, todo o resto parece um deboche. Lembro-me de um grupo de homens e mulheres que atravessou o oceano em barquinho precário e quase se afogou várias vezes na tentativa de chegar à terra da liberdade. Essa embarcação começou a viagem com dois mastros, e em um porto eles venderam um dos mastros para comprar provisões – e ainda assim persistiram no esforço para encontrar a liberdade.

E conheço muita gente que desistiu de tantas liberdades de corpo e mente que poderia estar na prisão ou vivendo sob o domínio de um ditador. Também conheço muitos outros que temem tão constantemente a perda da liberdade que o medo se torna uma corrente para a alma – como acontece com qualquer tipo de medo.

Quando falo em liberdade de mente e corpo, falo de uma liberdade básica, pessoal. Não é uma liberdade fisicamente absoluta. Se cada um de nós fosse absolutamente livre para fazer o que quisesse, teríamos o caos em vez de civilização. Paz de espírito inclui acatar as leis e os costumes de nosso tempo e nossa sociedade. Também inclui uma visão equilibrada de qualquer perda temporária de liberdade.

Há pouco tempo, sofri uma perda temporária de liberdade de movimento. Um caso leve de gripe conseguiu passar por meu Príncipe da Boa Saúde Física e me prendeu à cama por três dias. Eu poderia ter me inquietado por ter sido forçado a cancelar compromissos; mas, nesse caso, minha mente teria perdido a liberdade. Em vez disso, dediquei o tempo a projetar este livro com tranquilidade, sem pressa. Era uma tarefa que eu adiava havia algum tempo. Mais uma vez, comprovei a solidez do princípio de que *toda adversidade carrega em si a semente de um benefício equivalente ou maior.*

O conceito de "tempo" é aliado de maneira próxima ao de "liberdade". Tempo é riqueza, e, diferentemente de dinheiro, não é possível substituí-lo, uma vez perdido. Muitos homens que chegam pontualmente a um compromisso e são forçados a esperar – ou ficam presos em um congestionamento – se enfurecem com essa invasão ao seu direito de usar o próprio tempo como quiserem. Tenho mostrado a vendedores que o tempo passado em uma antessala pode ser usado para revisar os indicadores de vendas e, assim, estar mais bem preparado para vender – ou, em muitos casos, o tempo pode ser usado para observar e ouvir, de forma a colher informações úteis sobre as necessidades do cliente. Para um vendedor ou qualquer outra pessoa, o tempo de espera imposto pode ser transmutado em um tempo de relaxamento que restaura a força da mente e do corpo. Até um motorista preso em um engarrafamento pode manter a mente tranquila e pensativa, e é nessas ocasiões, com frequência, enquanto se está alerta, mas não intensamente concentrado, que o subconsciente devolve as respostas para perguntas e problemas que podem estar dentro dele há muito tempo.

Paz de espírito é uma coisa maravilhosa. Agora, relacione-a à afirmação que você leu um momento atrás: *Tempo é riqueza, e, diferentemente de dinheiro, não é possível substituí-lo, uma vez perdido.* No entanto, paz de espírito é tão benéfica a todo o nosso bem-estar que quase certamente prolonga sua vida e o ajuda a se manter ativo e produtivo até uma idade muito avançada – de forma que o tempo "perdido" pode, de certo modo, ser substituído, e em um período muito valioso.

Liberdade inclui paz de espírito; paz de espírito é uma liberdade básica. Temos muitos escravos do relógio, muitos escravos do extrato bancário, muitos escravos da convenção e do constrangimento. Antes de dizer "sou livre", veja se responde "sim" às seguintes perguntas:

Quando as circunstâncias exigem que eu use meu tempo de um jeito diferente do que planejava, eu, nesse tempo, conheço minha mente e a uso de maneira benéfica?

Organizei minha agenda de trabalho de um jeito que não me faz viver com medo de sobrecarga e de perder minhas horas de descanso?

Quando encontro um jeito de me expressar, e sei que é socialmente aceitável, continuo me expressando assim, embora outras pessoas possam achar estranho?

Libertei-me de qualquer costume familiar, regional ou cultural que tenha prejudicado minha carreira ou vida pessoal?

Estou disposto a questionar a maneira como outras pessoas fazem as coisas, e nunca usar como guia absoluto o "É assim que se faz"?

Percebo que estou trabalhando não por dinheiro, mas por aquilo que o dinheiro pode comprar?

Se você respondeu honestamente "sim" a todas essas perguntas, você é, em essência, uma pessoa livre e não teme a perda da liberdade; sabe que a liberdade não pode ser tirada de sua alma.

Perceba especialmente a última pergunta. Quando tomo consciência dos motivos que permitem aos homens construírem grandes fortunas, também me torno consciente de que alguns homens ricos não têm paz de espírito. Apreciar o dinheiro é muito diferente de idolatrar o dinheiro, o que, no fim, destrói a felicidade. Lembre-se, este livro mostra a você como enriquecer *e* ter paz de espírito.

Liberdade se estende em muitas direções. Aqueles que temem a escravidão são os que se fizeram escravos, porque se condicionaram a isso e sabem o quão indefesos se tornaram. *Elimine o medo da perda de liberdade e siga adiante.*

6. Medo da velhice. "Eu era um bom jogador de beisebol amador", lamenta um homem de 75 anos, "e agora não conseguiria parar uma bola a mais de um quilômetro por hora".

Esses comentários são típicos de quem teme a velhice e por isso não consegue ter paz de espírito nos anos que deveriam ser os mais gratificantes. Velhice é um prejuízo, sim, mas só em relação a certos tipos de movimento físico. A natureza nunca tira nada sem substituir por alguma coisa de igual valor potencial. Quando a natureza tira a juventude, ela a substitui por sabedoria. É impossível um jovem ter a sabedoria e a experiência acumuladas de uma pessoa madura. Pense nisso antes de dizer que a velhice é uma desvantagem!

É patético ver pessoas assumirem deficiências extras porque passaram dos quarenta, cinquenta ou mesmo setenta anos, quando essas deficiências só existem na cabeça delas. Essas pessoas exibem um complexo de inferioridade, deixam que os mais jovens subjuguem seu pensamento baseado em maturidade e experiência.

Elas se desculpam por serem velhas, como se viver além da juventude fosse uma desgraça. Não *esperam* sentir os impulsos de iniciativa, imaginação e autossuficiência – e assim, é claro, não sentem as chamadas qualidades "jovens". Agem como se perder os músculos firmes da juventude significasse obrigatoriamente a perda do poder mental. Isso só acontece se você quiser – só se *temer* a velhice.

Recentemente, abri uma série de escolas novas em várias cidades, onde homens de todas as idades podem aprender a arte do pensamento positivo e como usá-lo para alcançar o sucesso. É "estranho" que um homem da minha idade embarque em uma empreitada como essa? Só para uma mente temerosa e anulada. Permaneço na direção e posso contratar homens mais jovens, mais ativos, para o "trabalho pesado". Na verdade, posso fazer um trabalho melhor na direção do que teria feito há quarenta anos. Tenho muito mais experiência. Além disso, tenho paz de espírito *profunda*, como não tinha há quarenta anos, quando ainda não via completamente as forças que fazem dos homens o que são.

Parte do medo da velhice surge, para muita gente, do sentimento de que uma pessoa idosa perde muita coisa, inevitavelmente. Não se pode participar de muito do que está acontecendo. Por causa disso, algumas pessoas mais velhas tentam se passar por jovens – e só conseguem ser ridículas.

Não é necessário participar fisicamente do mundo inteiro à sua volta, desde que você se mantenha em contato com esse mundo. A cada período de alguns poucos anos, vemos um avanço nos meios de comunicação, de forma que os assuntos do mundo podem ser trazidos para a sala de estar. Certamente, os vizinhos da minha juventude teriam sido menos ignorantes e supersticiosos se tivessem as oportunidades de hoje para saber o que está acontecendo.

Para manter-se sintonizado com estados mentais da juventude, no entanto, eu o convido a adotar um procedimento que descobri ser muito útil. Todo ano *subtraio* um ano no meu aniversário. Então, presto atenção aos aspectos do mundo que interessam a uma pessoa da minha idade. Agora estou em meus vinte e poucos anos, renovando o conhecimento do meu estado mental daquele tempo, e também com muita coisa que é única da geração atual de vinte e poucos anos. Vendo tudo isso do ponto de vista vantajoso da experiência, tenho diversão dobrada; e, ao mesmo tempo, adquiro a perspectiva de mim mesmo como uma pessoa mais jovem poderia me ver. A experiência é valiosa e deliciosa.

Olhe profundamente dentro de sua vasta experiência – renove seu profundo conhecimento da natureza humana –, descubra e sinta as forças positivas que *nunca* estão fora do alcance. A velhice pode ser o melhor tempo de sua vida. *Elimine o medo da velhice e siga adiante.*

7. Medo da morte. Meu pai tentou me encher de medo do fogo e do enxofre, que seriam meu quinhão depois da morte. Na verdade, ele tentou plantar o medo em mim me batendo. Felizmente, nunca deu certo, embora essa crença desanimadora fosse promovida por nossa igreja.

Se você tiver que se distanciar de sua religião a fim de superar o medo da morte, distancie-se. Ninguém tem o direito de lhe dizer que o jeito *dele* é o jeito certo de viver depois da morte. Você só precisa olhar para a rua, onde outro grupo de pessoas é convencido de que outro jeito é o único jeito. Você pode acreditar, como eu acredito, que nada do que faz em seu tempo de vida tem algum efeito sobre o que o espírito vivo vai enfrentar ou para onde pode ir depois da morte – e ainda é só uma crença, nada mais.

No entanto, é uma crença que o ajuda consideravelmente a viver uma vida boa, útil, saudável, feliz *agora*, e desfrutando de cada parte dela. Quanto a ser honesto e útil com seus semelhantes, de forma que eles também apreciem a vida – isso é parte de sua paz de espírito, parte de seu sucesso na vida.

Durante toda a minha vida, nunca pedi a opinião de ninguém sobre nada, a menos que tivesse uma razão para acreditar que outra pessoa sabia mais que eu sobre um assunto. Encontrei muitas *opiniões* sobre o que acontece depois da morte, mas nunca encontrei ninguém que *soubesse* alguma coisa sobre o assunto. Devo temer a morte, então, apenas por ser desconhecida?

Não, devo me lembrar de que há dois tipos de circunstâncias. O tipo um é o tipo de circunstância que se pode controlar, modificar ou evitar; esse tipo merece a atenção do indivíduo. O tipo dois consiste em circunstâncias que não se podem controlar, das quais a morte é o principal exemplo. Devo fazer o que posso, portanto, para manter a boa saúde e a boa disposição, evitar ameaças óbvias à vida e usar de maneira lógica o motivo da autopreservação. Mas, quanto a pensar duas vezes na morte propriamente dita, por que se preocupar com o que é incontrolável?

Você quer providenciar para que seu dinheiro ou sua propriedade passem para as mãos de seus entes queridos depois de sua morte? Muito bem, isso é controlável. Não nos iludimos pensando que não vamos morrer. Mas, ao dominar a filosofia que aceita a morte como inevitável e não faz falsas tentativas de enxergar o que existe além do véu que não podemos penetrar, você não terá medo de nada. Sua mente se voltará da morte para a vida – do *Não* para o *Sim* –, dos palpites para as realidades. *Elimine o medo da morte e siga adiante.*

O homem foi feito para viver em plena posse de si mesmo. Quem criou o homem deu a essa maravilhosa nova criatura uma posse que não é compartilhada por nenhuma outra criatura – a posse de sua mente. Além disso, o Criador desconhecido garantiu que o homem pudesse sentir medo, porque o medo justificado é uma parte da autopreservação. Quem encontra um tigre em uma trilha na selva e não está armado faz bem em temer e tomar providências imediatas de autopreservação.

Da mesma maneira, exercitamos cautela em qualquer circunstância de perigo iminente. O motorista, espera-se, dirige com atenção às regras de segurança. A criança é ensinada a olhar para os dois lados antes de atravessar a rua. Medos imaginados, porém, são outra história. Aparentemente, a mente do homem também deve ser capaz de produzir o medo imaginado, ou ele não teria sua grande gama de criatividade. Porém, tanto pelo estudo da psicologia quanto pela observação do senso comum, vemos que os medos imaginados são doentios e prejudiciais.

Estando em pleno poder da própria mente, você *pode* se libertar desse tipo de medo. Quando se relaciona adequadamente com a vida, você não precisa desses medos nem tem motivo para sofrer com eles. Repito: se tiver que se distanciar de sua religião para livrar-se do medo, vá em frente. E, também, se tiver que se tornar maior que as pessoas de sua região para se livrar do medo, vá em frente. Se tiver que se livrar da companhia de certas pessoas para superar seus medos, vá em frente e livre-se dessas companhias, o mundo é cheio de pessoas que são melhores empregadores, melhores clientes ou melhores amigos para você. Você tomaria todas as medidas drásticas para se livrar de qualquer veneno que contaminasse sua comida. Pois faça o mesmo com o medo, o veneno da mente.

Medo é a ferramenta do diabo criada pelo homem.

Autoconfiança é tanto a arma criada pelo homem que derrota esse mal quanto a ferramenta criada pelo homem que constrói uma vida triunfante. E é mais que isso. É uma ligação com as forças irresistíveis do universo que apoiam um homem que não acredita em fracasso e derrota como nada além do que experiências temporárias.

Mais uma vez, o Segredo Supremo acenou para você. Quando eu finalmente entregá-lo a você, sem dúvida, você não vai ficar surpreso.

VERIFICAÇÃO DO CAPÍTULO 4:

Medo é como uma oração ao contrário

Com a oração positiva, apelamos às forças positivas e úteis além de nós; com o medo, apelamos para as forças negativas, destrutivas. Qualquer coisa que você tema tem muito mais probabilidade de prejudicá-lo do que seria possível se não a temesse. Isso é notavelmente verdadeiro para o medo da pobreza, que cancela a coragem necessária para deixar a pobreza para trás, independentemente de quantas gerações de sua família tenham sido pobres.

Sua mente tem poder ilimitado para fazer um desejo se realizar

Para fazer um desejo benéfico se realizar, sua mente deve trabalhar sem empecilhos. O medo da crítica pode aleijar até a mente altamente inteligente. Muitos homens bem-sucedidos tiveram que superar obstáculos que conhecemos, mas também tiveram que superar a crítica. Dos desejos prejudiciais que se realizam, o mais prevalente é o desejo que geralmente negamos ter – o desejo de doença que em geral se baseia no medo da doença. Uma longa lista de enfermidades surge da mente temerosa que luta contra ela mesma. Fé é o que mais sustenta a saúde e o maior curador.

Só o medo pode privá-lo de amor e liberdade

O amor verdadeiro não é possessivo. A capacidade de amar persiste mesmo quando o amor é negado, e o medo não deve impedir a expressão do seu amor ao ser transferido para outra pessoa – porque amor não pode ser exigido, deve ser dado. Liberdade também vive no coração, apesar das circunstâncias externas. A perda da liberdade também pode ocorrer dentro do coração mesmo quando circunstâncias externas indicam que se é "livre". Liberdade é algo maravilhoso, e você deve analisar sua vida para descobrir onde pode tê-la perdido e se submetido à escravidão do medo.

Os anos depois da juventude podem ser os melhores anos de sua vida

A natureza sempre fornece uma compensação para qualquer coisa que tira. Ao perdermos o intenso vigor físico da juventude, adquirimos sabedoria e experiência que só a idade pode trazer. Equipamentos modernos nos ajudam a manter contato com o mundo. Reduzir um ano de sua idade em cada aniversário dá perspectiva da juventude e da velhice. A morte é um fato que não precisa ser negado, mas ninguém sabe o que existe além da cortina impenetrável da morte, portanto, não há nada a temer de uma circunstância que não podemos controlar. Seja qual for sua idade, você pode se manter tão ocupado vivendo que o medo da morte não encontrará lugar em sua mente.

5

VOCÊ VAI DOMINAR O DINHEIRO, OU ELE VAI DOMINAR VOCÊ?

Qualquer coisa que roube sua paz de espírito rouba a maior riqueza de sua vida. Você pode perder paz de espírito perseguindo o dinheiro com ansiedade excessiva, ou tentando adquirir mais dinheiro do que pode gastar com sabedoria. O dinheiro que você ganha por meio de trabalho construtivo é o dinheiro com maior probabilidade de beneficiá-lo. É um erro privar os jovens da necessidade de conhecer a vida por meio do trabalho. Qualquer um pode economizar, e o esforço que você faz para guardar uma porcentagem do que ganha dá um entendimento real do valor do dinheiro. Economizar também o prepara para lidar com muitas oportunidades que, caso contrário, poderiam escapar.

Ao explorar os pontos de vista de pessoas jovens, raras vezes encontro uma grande apreciação por dinheiro, mais especificamente quando ainda estão por ganhar uma grande quantia. Isso é bem apropriado. A falta de dinheiro torna a vida tão difícil que é bem provável que destrua a paz de espírito.

Então, o jovem vai atrás do dinheiro. Durante boa parte da vida, é provável que ele não tenha dificuldade para gastar tudo que ganha. Se tem familiares, eles o ajudam a gastar. Um homem bem-sucedido, no entanto, não é muito velho quando começa a acumular dinheiro além de suas necessidades imediatas e de suas despesas domésticas. Esse dinheiro vai, provavelmente, para investimentos, imóveis e coisas do tipo.

Se ele é um homem de mente realmente positiva, logo terá valores consideráveis em bens e dinheiro. E em algum ponto do caminho terá ultrapassado uma barreira invisível. Ele agora é rico no sentido de ter um considerável excedente em relação às suas necessidades. Sem dúvida, pode atender a qualquer vontade razoável. E assim, embora os registros financeiros mostrem que ele é rico, seu registro interno e muito particular deve mostrar que ele tem paz de espírito.

Ele terá paz de espírito se tiver dominado o dinheiro. Não terá se o dinheiro o dominou.

Um homem que espalha muita água pode ter caído do barco. "Espalhar água" é o grande espetáculo de riqueza material. Admiti com sinceridade minha fraqueza, disse que espalhei muita água nos tempos da propriedade em Catskill – que tive a sorte de perder antes de ser prejudicado permanentemente. Nem todo homem corre perigo por exibir grandiosamente sua riqueza, e alguns tentam prosperar com isso. Outros se exibem de tal maneira que obviamente caíram do barco – a alma está se afogando em seu mar de dólares.

Alguns anos atrás, um homem que ganhara muitos milhões de dólares faliu de repente. Quando os advogados avaliaram seus bens, encontraram um grande depósito cheio de móveis antigos, pinturas magníficas e coisas assim. Todas essas coisas pertenciam ao homem que estava falido, e ele tinha comprado tudo com dinheiro vivo. Mas tinha desfrutado daquelas coisas? A maioria daqueles itens preciosos nunca foi desembalada! Mas ele gostava de falar sobre seus tesouros, e dava a impressão de ser um verdadeiro Creso. Essa mania de acumular está no polo oposto da mente que conhece paz.

"Eles vão tirar isso de mim!" O medo da pobreza tem um primo estranho e feio. É o medo do homem rico de que seu dinheiro seja tirado dele, ou de não poder multiplicar seu dinheiro por dez, vinte, trinta vezes a quantia que ele poderia usar!

Conheci um acionista majoritário da grande Coca-Cola Company. Ele acumulara dinheiro de muitas maneiras, e tinha o equivalente a US$ 25 milhões. Esse homem tinha paz de espírito? Tinha a mente cheia de ódio e desconfiança. Seu pior ódio era do governo. Embora tivesse então seus oitenta e tantos anos, sempre profetizava que o governo o faria morrer pobre.

Na última vez que o vi, ele me fez uma pergunta muito significativa: "Se estivesse no meu lugar, o que faria para proteger sua paz de espírito e guardar seu dinheiro?".

Eu havia decidido que, pela minha paz de espírito, nunca começaria uma discussão com esse homem; mas, se ele me fizesse uma pergunta direta, teria uma resposta direta. Mesmo assim, ainda perguntei se ele queria minha opinião honesta. "Sim!", ele disse. "Naturalmente!"

"Bem", falei, "se estivesse em seu lugar e quisesse paz de espírito, eu não guardaria meu dinheiro. Sua paz de espírito e seu dinheiro se tornaram inimigos que não podem conviver. Se fosse você, primeiro transformaria todo o meu dinheiro em títulos de poupança dos Estados Unidos, de forma que ele trabalhasse pelo benefício de todo o povo. Depois empilharia todos esses títulos na minha lareira e poria fogo neles. E ao ver meu dinheiro subir pela chaminé, eu veria boa parte da minha infelicidade desaparecer na fumaça".

Meu amigo se irritou: "Não seja debochado!".

"Nunca falei mais sério em toda a minha vida", respondi. "Se tivesse a *sua* fortuna e ela me privasse de paz de espírito, primeiro eu poria meu dinheiro onde pudesse ser bem distribuído, depois queimaria todos os símbolos da dívida do meu governo comigo. Então iria para a cama, dormiria como uma criança e acordaria me sentindo tranquilo e livre."

Eu não esperava que esse homem seguisse meu conselho. Ele viveu com medo e amargurado até o dia de sua morte, e acredito que a doença e a fraqueza que o acometeram muito antes disso tinham raízes em seu amor – não pela humanidade, mas pelo dinheiro.

Há bem poucas pessoas para as quais o conselho de queimar seu dinheiro seria bom. O *princípio* é o que permanece para cada um de nós. Nada, absolutamente nada, é tão precioso quanto sua paz de espírito. Poucos jovens enxergam isso. Algumas pessoas enxergam à medida que adquirem mais experiência. Muitos nunca enxergam. Lembre-se, você pode ser rico com paz de espírito, mas, se o dinheiro ou qualquer outra coisa tirar sua paz, escolha a paz e abra mão da outra coisa.

Perceba que não tentei avaliar a queixa de meu amigo contra o governo. Sua reclamação poderia, em alguns aspectos, ser justificada. Foi a atitude dele que abordei – uma atitude de medo e desconfiança enquanto tinha US$ 25 milhões, pelo menos, e podia ter feito tanto pela felicidade dele mesmo e de outras pessoas.

De quanto dinheiro um homem precisa? Andrew Carnegie certamente dominava com firmeza os métodos para ganhar dinheiro. Em seus últimos anos, seu desejo sincero era transmitir esse "*know-how*" ao homem comum. O Sr. Carnegie foi um dos primeiros industriais esclarecidos que enxergaram como era importante uma nação distribuir sua riqueza.

Ele viu que milhões poderiam ser ricos no sentido de ter o bastante. Também viu que, na natureza das coisas, o homem que tem milhões será sempre uma exceção. Ele viu que um objetivo de "milhões", ou mesmo "um milhão", não é o objetivo certo para a maioria dos homens. Para muitos, esse objetivo cria amarras que negam a paz de espírito. Essas pessoas podem abrir mão de muito do que é necessário à sua personalidade e, assim, acabar sem nada. Ele me advertiu várias vezes para que deixasse isso claro, e fiz o melhor para isso.

De quanto dinheiro, então, um homem precisa?

Tanto quanto garanta o conforto dele e das pessoas que ama, com algum luxo, para que ele possa sentir que saboreou as delícias da vida.

Buscando esse objetivo, e sempre mantendo sua paz de espírito, ele se condiciona para usar plenamente sua autoconfiança. E aí está! A partir desse condicionamento, ele sempre encontra um poder para ganhar dinheiro que vai além de seus sonhos. Para esse homem, dinheiro em excesso nunca será uma maldição. Ele sabe viver, portanto, sabe como ampliar a vida. Nunca tentou enganar os outros, então, sabe como ajudá-los.

O homem que queria cem bilhões de dólares. Um dos meus alunos certa vez veio da Índia para falar comigo. Primeiro ele enviou uma carta contando que seu objetivo principal na vida era acumular cem vezes a riqueza que Henry Ford havia acumulado, ou cerca de US$ 100 bilhões. Ele queria ser cem mil vezes milionário.

Quando finalmente nos sentamos em meu escritório, perguntei o que ele faria com essa modesta quantia.

Depois de alguma hesitação, ele admitiu: "Honestamente, não sei".

"Bem", respondi, "cem bilhões de dólares nas mãos de um indivíduo representam uma ameaça para o mundo. Mas vamos deixar isso de lado. Se quisesse gastar o valor ajudando o povo da Índia a superar as superstições e os costumes ultrapassados que os mantêm cativos há séculos, eu teria alguma solidariedade por você. Mas me parece que só quer o dinheiro para superar Henry Ford."

Ele pensou um pouco e admitiu que era isso. Eu o ajudei a se analisar, e ele viu que, ao usar a Ciência da Realização Pessoal, ele havia "tomado a rédea nos dentes" e galopava sem controle. O que a mente constrói na imaginação, a mente pode, de fato, construir na realidade; mas falamos de uma mente equilibrada. Discutindo seus assuntos, ele chegou à conclusão de que um quarto de milhão de dólares compraria o que ele realmente queria. Com essa constatação, o empresário tenso – ele era importador – relaxou e disse que se sentia muito melhor.

A sequência dessa história envolve outra daquelas "coincidências" que não acredito que sejam realmente coincidências. Antes de esse homem voltar à Índia, eu o ajudei a assinar diversos contratos para a venda, em seu país, de produtos produzidos na América. O lucro acabou ultrapassando um pouco um quarto de milhão de dólares.

Dinheiro que o beneficia muito frequentemente vem de trabalho que o beneficia. No último capítulo, plantei a ideia de que se pode garantir que seu dinheiro e propriedade vão para pessoas de sua escolha depois que você morrer. Diferentemente da própria morte, a distribuição de bens é uma circunstância controlável.

Você vai ganhar dinheiro; e quando ganhar, tenha cuidado para que essa distribuição não prive um herdeiro de sua paz de espírito.

Já foi dito, com razão, que o filho de um homem rico muitas vezes não demonstra a habilidade que o pai tinha. Acredito que muitos filhos de homens ricos são privados de sua habilidade porque herdam o dinheiro dos pais. De maneira geral, o "velho" trabalhou para ganhar seu dinheiro. Esse dinheiro chegou acompanhado pela ampliação de seu *insight*, de sua habilidade, do conhecimento das pessoas e do mundo. Ele não ganhou riquezas do pai; ele ganhou riquezas de seu trabalho.

Agora vamos olhar para o filho. Durante toda a vida, ele esteve no meio de dinheiro e dos muitos confortos que o dinheiro compra. Sabe que vai herdar grandes quantias. Presumindo que ele tenha a disposição inerente para trabalhar duro, o que acontece com essa disposição? Em muitos casos, ela é substituída pela disposição para ter alguma coisa em troca de nada, e assim ele nunca aprende uma das lições básicas da vida.

Grandes ou pequenas fortunas são uma bênção apenas quando são usadas, em boa parte, para beneficiar outras pessoas. Um pai não beneficia seu filho ao tirar dele a iniciativa. Nenhum testador favorece um beneficiário ao tornar o trabalho desnecessário para ele. Você pode querer proteger seus herdeiros da crueldade da pobreza. Muito bem! Mas não os proteja da vida com uma muralha de dinheiro. Deixe-os ter a oportunidade impagável de construir vidas melhores com a sabedoria ensinada pela vida e seu trabalho construtivo.

Na juventude, trabalhei como secretário de um rico advogado que tinha dois filhos um pouco mais velhos que eu. Esses jovens frequentavam a Universidade da Virgínia. Era meu dever preencher um cheque mensal para cada um deles no valor de US$ 100 para suas despesas. Naqueles dias, US$ 100 valiam três ou quatro vezes o que valem hoje. Como eu invejava aqueles garotos!

Quando estive na faculdade de administração aprendendo a ganhar meu sustento, muitas vezes fiquei com fome, porque não tinha um centavo no bolso, literalmente. Lembro nitidamente de parar diante de uma loja e desejar maçãs que custavam dez centavos a meia dúzia. Finalmente, entrei e vendi ao dono da loja a ideia de confiar em mim e me vender as maçãs, que eu pagaria quando terminasse o curso e começasse a ganhar dinheiro. Eram essas as lembranças que eu tinha quando preenchia aqueles magníficos cheques mensais.

Depois de um tempo, os filhos do meu empregador voltaram para casa com seus diplomas. Eles também voltaram para casa condicionados à vida fácil e com pouca ideia do que significava trabalhar. Eles eram inerentemente capazes como o pai? Nunca saberemos. Um deles foi posto em um bom emprego em um banco que pertencia ao pai, e o outro foi trabalhar como gerente de uma das minas de carvão do pai.

Dez anos mais tarde, eles haviam dilapidado completamente a fortuna do pai – e também a saúde dele.

Não tenho mais inveja de ninguém, porque inveja não combina com paz de espírito. Quando olho para trás, sinto gratidão por ter sido forçado a passar por aquelas experiências, como negociar um crédito de dez centavos em longo prazo. E sou grato porque, quando comecei a ganhar dinheiro, o poder de ganhá-lo tornou-se parte de minha satisfação pessoal. Sou feliz até por não ter tido pai rico para me ajudar quando cometi erros e perdi dinheiro, porque encontrei na adversidade uma excelente professora.

Meu livro *Quem pensa enriquece* foi lido por uns sete milhões de homens e mulheres. Nos vinte anos desde que foi publicado, consegui falar com algumas dessas pessoas, e vejo que algumas usaram o livro para se tornar realmente ricas. Mas outras o usaram para enriquecer apenas de dinheiro. É hora de estabelecer mais uma vez as doze grandes riquezas da vida:

1. Uma atitude mental positiva
2. Boa saúde física
3. Harmonia nas relações humanas
4. Livramento de todas as formas de medo
5. Esperança de realização futura
6. Capacidade de ter fé
7. Disposição para compartilhar suas bênçãos
8. Trabalhar com o que ama
9. Mente aberta em relação a todos os assuntos
10. Autodisciplina em todas as circunstâncias
11. Capacidade de entender outras pessoas
12. Dinheiro suficiente

Essas são as riquezas que podemos e devemos associar com paz de espírito. Perceba que relacionei o dinheiro em último lugar, apesar de insistir na grande dificuldade de ter paz de espírito sem dinheiro suficiente. Eu o coloquei nessa posição porque você mesmo vai, sem minha ajuda, colocar a ênfase no dinheiro. De vez em quando, portanto, preciso lembrá-lo de remover essa ênfase e se lembrar disto: dinheiro compra muita coisa, mas não compra paz de espírito – só ajuda a encontrá-la. Mas nem dinheiro, nem qualquer outra coisa, pode ajudá-lo a encontrar paz de espírito, a menos que comece a jornada dentro de si mesmo.

Passos básicos na construção de sua renda. Já me disseram que não é uma boa lógica alertar as pessoas para os perigos do mau uso do dinheiro quando elas, provavelmente, não têm dinheiro suficiente para se preocupar com mau uso. Eu seguiria esse conselho se estivesse escrevendo um livro apenas sobre como ganhar dinheiro. Este livro também pretende mostrar para onde você está indo e como o mundo vai parecer quando chegar lá. Ele o ajuda a construir as atitudes corretas desde o início.

Mas, como já apontamos com firmeza essas atitudes – e como as apontaremos novamente –, vou estabelecer algumas maneiras práticas pelas quais uma pessoa que tem pouco ou nenhum capital pode começar a construir sua riqueza. Cada uma dessas maneiras é específica em si mesa, digamos assim, mas é capaz de modificações quase infinitas. Cabe a você fazer pausas na leitura e aplicar esses procedimentos a si mesmo, seus talentos, seu ambiente e, acima de tudo, seus objetivos.

1. Faça outras pessoas se ajudarem ajudando você. Um jovem vendedor de seguros de vida enfrentava problemas para vender apólices para chefes de família. Usando essa adversidade como trampolim, ele se perguntou por que não podia vender seguros para esses mesmos homens, não no papel de chefes de família, mas no de empresários.

Afinal, dinheiro retirado do orçamento familiar é dinheiro a menos; mas uma despesa da empresa oferece uma oportunidade de recuperar muitas vezes o valor gasto.

Ele começou pelo dono de um importante restaurante em sua cidade. Disse a esse homem que ele poderia muito bem anunciar que a comida que servia era tão saudável e nutritiva que as pessoas que comiam em seu restaurante viveriam mais tempo, provavelmente. O dono do restaurante disse que era assim mesmo, e que pretendia garantir que sempre fosse. "Ótimo", disse o vendedor de seguros, e explicou o resto do plano. O comerciante deveria oferecer um seguro de vida a cada cliente regular, por mil dólares. Os detalhes foram arranjados, e a oferta fez os negócios do dono desse restaurante prosperarem. E, é claro, também ajudou o jovem vendedor de seguros.

Ele estendeu a ideia para um grupo de postos de abastecimento, um grande supermercado e outros negócios. Não tenho certeza de que foi esse homem que deu origem à ideia de anexar apólices de seguro de vida a hipotecas para garantir o pagamento caso o comprador falecesse, mas ele certamente fez bom uso dessa oportunidade também.

Agora pare e pense: como você pode fazer outras pessoas ajudarem o próprio empreendimento ajudando o seu?

2. Mostre a alguém como obter mais por seu dinheiro. Aqui não estamos falando sobre atuar como conselheiro de negócios, de forma que as pessoas o procurem para aprender como obter mais pelo dinheiro delas. Presumimos que a iniciativa deve ser sua.

Foi assim que um homem fez:

Trabalhando por um salário baixo em uma distribuidora de revistas, ele notou muitos tipos diferentes de impressão. Como outro homem que mencionei neste livro, ele notou que muitos trabalhos de impressão poderiam ter sido feitos com mais bom gosto e estilo.

Pois bem, esse jovem estava descobrindo que muitos serviços desse tipo não eram feitos com a qualidade que deveriam ter. Preste atenção nisso, porque uma fortuna pode ser feita a partir de uma ideia.

O jovem aprendeu mais sobre impressão, depois procurou uma grande empresa do ramo. Ele se ofereceu para levar serviços de impressão por uma comissão de 10%. Depois procurou grandes usuários de produtos impressos e recolheu muitas amostras, que levou para casa e estudou.

Depois de escolher dois ou três catálogos que obviamente precisavam de melhorias, ele entrou em contato com um artista comercial *freelancer* para a preparação de uma amostra de *layout* para cada um, prometendo a ele uma tarifa justa se o serviço fosse aprovado. Um redator publicitário que tinha tempo livre contribuiu com seu talento nas mesmas condições. Munido então de um bom "esboço" de serviço melhorado, o jovem levou os catálogos às empresas que os haviam distribuído e simplesmente mostrou quão melhores eles poderiam ser.

Agora vamos dar uma olhada na psicologia prática em ação aqui.

Para começar, alguém ou uma empresa pode funcionar quase eternamente com alguma condição, um processo ou produto que "baste". E pode não perceber que está apenas bastando; ou, se percebe, é ocupado ou preguiçoso demais para fazer alguma coisa sobre isso.

Então aparece alguém que o deixa insatisfeito com o que tem e, ao mesmo tempo, mostra a ele como fazer melhor. Além disso, o trabalho é todo feito por ele. Por que não tirar proveito disso?

Agora pare e pense: como você pode mostrar a alguém como obter mais por seu dinheiro? Amplie isso: como você pode ajudar alguém a obter mais por seu dinheiro de tal maneira que, a partir de então, essa pessoa dependa de você para ajudar de novo, e de novo?

3. Reúna produtor e consumidor. O agricultor tinha muita dificuldade para levar seus produtos ao mercado. Imagine uma fazenda isolada em um território montanhoso, com uma estrada em grande parte lamacenta, e tendo cavalos e carroça como único meio de transporte. Mesmo assim, o fazendeiro precisava levar seus produtos à cidade e levava, de um jeito ou de outro.

Tudo em nossa economia se entrelaça com todo o resto. Quando o automóvel apareceu, estradas tiveram que ser melhoradas, e foram. Então, o fazendeiro passou a poder transportar seus produtos por cinco a dez vezes a distância que estava acostumado, e ainda voltar para casa na mesma noite. Logo alguém descobriu que podia instalar centros de comércio entre as cidades e aproveitar o crescente tráfego de automóveis para aumentar a clientela, enquanto os fazendeiros se contentavam com ser uma constante fonte de fornecimento.

Os fazendeiros antes dependiam de vendedores ambulantes que apareciam duas vezes por ano, talvez, às vezes a pé, com grandes sacos nas costas. O vendedor ambulante abria esse saco sobre a mesa da cozinha e fornecia agulhas e coisas do tipo à esposa do fazendeiro, tabaco e anzóis ao próprio fazendeiro e, acima de tudo, fornecia notícias. Como as pessoas eram ávidas por notícias! Os ambulantes tinham mais dinheiro que os fazendeiros, invariavelmente, porque desempenhavam a valiosa função de reunir produtor e consumidor.

Quando o fazendeiro queria vender ou comprar um cavalo, era auxiliado por um corretor que ajudava as duas partes a chegarem a um acordo sobre o preço, depois fechava o negócio orientando os dois a trocarem um aperto de mão. O corretor também ganhava mais dinheiro que os fazendeiros, geralmente, porque reunia produtor e consumidor.

Recentemente, li sobre queixas de compradores na União Soviética. Parece que eles passam horas intermináveis em uma fila diante de lojas de alimentos separadas, especializadas. Em algum momento podem acabar adotando a ideia americana de reunir muitos produtores e muitos consumidores em convenientes supermercados.

Fortunas foram feitas nessa revolução no comércio, especialmente quando supermercados – e seus estacionamentos enormes – se mudaram para os bairros e até para mais longe, para o interior. Benefícios secundários surgiram para muitos empreendedores que viram como pegar carona nessa tendência.

Uma mulher vivia sozinha em vinte acres pobres tomados basicamente por pinheiros. Finalmente, ela decidiu vender a velha propriedade. Vizinhos comentaram suspirando que ela nunca conseguiria um bom preço pelo local. Um corretor de imóveis fez uma oferta patética.

Mas essa mulher era uma dessas pessoas antigas (em anos) que nunca viram motivo nenhum para a mente deixar de permanecer alerta. Ela disse a si mesma que a fazenda tinha que ser boa para alguma coisa. Decidiu passar trinta dias investigando de maneira intensiva para que servem fazendas dilapidadas. Antes do fim daqueles trinta dias, ela descobriu que poderia vender a propriedade como base para um haras, com pasto e agradáveis trilhas para cavalgada, pelo dobro do que havia oferecido o corretor de imóveis.

Mas ela também havia estudado vários supermercados na área e concluído que a fazenda seria um bom ponto para um desses estabelecimentos. Finalmente, ela vendeu a fazenda para um supermercado por cinco vezes o valor que o corretor tinha oferecido.

Quando estradas foram pavimentadas e o transporte por automóvel tornou-se mais fácil, previu-se que a venda por remessa postal desapareceria. Afinal, por que uma pessoa compraria de um catálogo, quando podia ir à loja? Mas empresas como Sears, Roebuck e Montgomery Ward continuaram prosperando.

Apesar dos constantes aumentos das tarifas postais, milhares de empresas de vendas por catálogo prosperam vendendo de tudo, de balanças postais com as novas tarifas impressas até livro, produtos para decoração, alimentos frescos e em conserva, vitaminas, equipamento para *hobbies*, suprimentos para barcos... a lista é quase infinita.

Por que isso? Porque os tempos podem mudar, mas as necessidades universais sempre permanecem. Mostrar a uma pessoa que ela pode escrever seu nome e endereço em um formulário de pedido e deixá-lo no correio, tendo certeza de entrega rápida de algo que ela quer, continua sendo uma boa maneira de reunir produtor e consumidor.

Às vezes o produtor vende diretamente ao consumidor. Com mais frequência, o consumidor compra de um intermediário que assume a venda no varejo como sua função especial, ou de um representante do fabricante.

Agora pare e pense: como você pode reunir produtor e consumidor?

Parte do dinheiro que você ganha deve ficar com você. Certamente, não esgotamos o assunto ganhar dinheiro! Você pode até sentir que, ao dispensar um tratamento passageiro ao assunto, não fiz justiça a ele. Sugiro, no entanto, que você releia os três tópicos acima e veja de quantas maneiras consegue se identificar com eles. Eles têm uma grande universalidade. Amplie-os – você não precisa ser literal – e vai descobrir que eles abrangem uma grande variedade de situações comerciais, um amplo horizonte de oportunidades. Perceba que eles não foram associados a nenhum ofício ou habilidade em particular, já que os campos mencionados são ilustrativos de muitos outros.

Você vai perceber que é um exercício interessante ver quantos de seus assuntos podem ser enquadrados em uma ou mais dessas três categorias. Se deixar de lado seu trabalho e pensar em si mesmo como consumidor, certamente vai se "enquadrar"! Vamos abordar muitos outros princípios que ajudam os homens que trabalham duro a ganhar dinheiro.

Ainda estamos falando sobre dinheiro e paz de espírito.

Ninguém que se afunda em dívidas pode esperar ter paz de espírito. Você pode ter paz por um tempo, mas de vez em quando a dívida invade sua consciência e você sente que não é senhor de si mesmo, alguém é dono de um pedaço de você. Estou falando aqui não de crédito empresarial comum, sem o qual poucos negócios poderiam existir, mas de dívidas pessoais.

Ter algum dinheiro reservado é um meio de evitar a insegurança e, muitas vezes, o constrangimento de incorrer em uma dívida pessoal. Mas economizar faz mais por você do que simplesmente possibilitar gastar o dinheiro economizado. Economizar constrói o hábito de aferir seu dinheiro em comparação às suas necessidades. Ajuda a lembrar que dinheiro só é bom porque pode comprar bens e serviços, e o ajuda a estimar sua necessidade em termos de bens e serviços.

O hábito de economizar elimina o hábito do desperdício. À medida que economizar se torna uma necessidade, pelo hábito, muitos homens descobrem que podem viver tão bem quanto viviam antes, com o mesmo salário, inclusive se alguns preços subirem. Por que isso? Porque ele para de jogar fora porções de seu dinheiro em coisas desnecessárias ou fúteis; ele tem mais cuidado ao comprar; conserva bem suas roupas e outras posses. Descobre como fazer seu dinheiro fazer o máximo por ele. E isso tudo sem se obrigar à pobreza, pelo bem da construção de sua conta bancária. Ele continua vivendo de acordo com seu padrão geral e descobre que também pode economizar.

O que você deve fazer com o dinheiro que economiza? Não existe uma resposta que sirva para todo mundo.

Vi e ouvi muitos exemplos nos quais pequenas quantias economizadas – em um caso apenas US$ 200 – foram usadas como investimento em pequenos negócios promissores. Alguns desses negócios renderam vários milhares por cento. É claro que não se pode contar com isso, mas tenha em mente que uma oportunidade surge, e uma pessoa que economizou pode tirar proveito dessa oportunidade sem fazer empréstimos, sem contrair dívidas.

Um jovem casal havia criado o hábito de comprar "a prazo". Estavam sempre endividados. Um dia, a esposa calculou o valor que tinham pagado em juros e decidiu: *nunca mais*! O casal ia dar uma festa e precisava de uma mesa de *bridge* nova com quatro cadeiras. Mas a esposa disse que eles jogariam *bridge* sentados no tapete – e não fariam mais dívidas. Eles chamaram o jogo de Bridge Turco e se divertiram muito.

Essa experiência os fez deixar de lado alguns amigos que pareciam incapazes de receber sem dar um *show*, e cultivar amigos que valorizavam mais a amizade que a exibição – amigos que se mostraram muito mais valiosos. Eles também começaram a economizar um décimo de sua renda semanal. Um dia, foram fazer compras com dinheiro no bolso e descobriram esta grande verdade sobre o comércio: comerciantes vendem por menos quando vendem em dinheiro.

Além disso, o marido se sentia mais relaxado e confiante, agora que não tinha dívidas e tinha uma reserva em dinheiro. Isso o ajudou no trabalho. Ele foi chamado para uma entrevista, durante a qual seu empregador perguntou casualmente se ele economizava dinheiro em algum banco local (só mais um jeito de perguntar "você economiza dinheiro?"). A resposta afirmativa e confiante do jovem marido foi a resposta certa, e ele recebeu uma promoção que o levou a coisas maiores. Economizar é uma indicação de caráter, porque tem muito a ver com o senso de propósito de um homem e sua capacidade de administrar seus assuntos.

Uma vez ajudei um homem a começar a economizar, embora ele dissesse ser absolutamente impossível, para ele. Primeiro estabelecemos um objetivo. Era a compra de um belo paletó esportivo, uma compra sensata, já que ele poderia usar a peça no trabalho e nas horas de lazer. O preço, que não compraria um paletó equivalente nos dias de hoje, era US$ 24,95.

Então, fiz esse homem identificar cada centavo que gastava durante duas semanas. Fizemos a lista juntos. A conversa foi mais ou menos assim:

"Você pode abrir mão de dois maços de cigarros por semana?"

"Sim."

"Em vez de gastar quinze centavos por dia em um polimento de sapatos, pode gastar US$ 1 em equipamento e polir os próprios sapatos? E ter um serviço melhor por dois centavos, talvez?"

"Sim."

"Aceita gastar um dólar, no máximo, no seu almoço?"

"Não, eu almoço com pessoas que gostam de comer bem e..."

Contei a ele sobre o almoço que tive com Henry Ford. Pedi uma salada de lagosta por US$ 3. O bilionário pediu um sanduíche e gastou US$ 0,85. O Sr. Ford não era excêntrico em relação a economizar. Era só um homem grande e tranquilo o bastante para sentir que podia comer o que quisesse.

O homem que não conseguia economizar disse com determinação: "Vou manter minha despesa de almoço no limite de US$ 1. Sim!"

"Bem, ao dizer 'Sim' três vezes, você economizou pelo menos US$ 10 por semana."

"Dez dólares por semana!" Ele ficou perplexo, depois pensativo. Sem que eu tivesse que supervisionar o processo, ele eliminou muitas outras pequenas despesas que devoravam seu dinheiro. Descobriu que agora vivia melhor em aspectos que realmente importavam, e também economizava.

Independentemente de você ter pouco dinheiro ou não, sugiro que faça sua lista. Pense nas despesas que pode reduzir ou eliminar, se realmente quiser. Anote os valores por semana, some-os, pense nesse total, pergunte a si mesmo o que pode comprar com esse valor em uma semana, em duas semanas, em um mês, em um ano.

Essa experiência é importante. Aqui vai uma lista para apontar o caminho:

Polir os sapatos	$	Itens dos quais só você tem conhecimento	
Cigarros	$	————	$
Bebidas alcoólicas	$	————	$
Entretenimento de natureza casual	$	————	$
Jogo	$	————	—
Dívidas ruins (Você é idiota?)	$	Total	$
Adornos extras	$	Total geral	$
Comida requintada	$		
	—		
Total	$		

Capítulo por capítulo, você vai conhecendo mais e mais o Segredo Supremo.

VERIFICAÇÃO DO CAPÍTULO 5:

Você vai dominar o dinheiro, ou ele vai dominá-lo?

Quando você ganha um valor considerável além de suas necessidades, deve desfrutar de riqueza e paz de espírito. Você terá paz de espírito se tiver dominado o dinheiro, mas não se ele tiver dominado você. Muitos homens usam o dinheiro apenas para consumo visível. Muitos, tendo milhões, vivem com medo de perdê-los. Se dinheiro ou qualquer outra coisa atrapalhar sua paz de espírito, fique com a paz de espírito e elimine essa outra coisa.

Dinheiro que o beneficia muito frequentemente deriva de um trabalho que o beneficia

Um homem precisa ter o suficiente para o conforto e para uma boa dose dos luxos do mundo. Tendo esses objetivos e preservando sua fé autoconfiante, em vez de se esforçar por muito mais do que pode gastar, ele muitas vezes ganha muito mais do que esperava. Nenhum pai beneficia o filho quando o cerca de dinheiro e o impede de aprender as grandes lições da vida por meio do trabalho honesto. Mantenha em mente todas as doze grandes riquezas da vida e saiba que sua jornada em direção às riquezas deve começar dentro de você.

Passos básicos para construir sua renda

Um jeito de construir renda é mostrar aos outros como eles podem ajudá-lo a ter sucesso alimentando o próprio sucesso. Outro jeito é mostrar como alguém pode obter mais por seu dinheiro. Outro é reunir produtor e consumidor, o que pode ser feito de várias maneiras. Parte do dinheiro que você ganha deve sempre ficar com você. Dívidas podem roubar sua paz de espírito. Economizar é um hábito que confere a você muitos benefícios, além de dinheiro no banco.

Como adquirir o hábito de economizar

Quase todo mundo que tem pouco dinheiro pode estancar o escoamento dos pequenos gastos desnecessários. Quando faz isso, você sempre encontra maneiras melhores e mais interessantes de aproveitar a vida. Você pode viver tão bem quanto antes, porque aumenta sua capacidade de lidar com o dinheiro. A capacidade de economizar é um bom indício de caráter, e os empregadores sabem disso. Faça uma lista de cada centavo que gastar em determinados itens, e vai abrir os olhos para o total que gasta – uma soma que pode ser economizada para compras que até então pareciam estar além de seus meios, ou guardada com o propósito de aproveitar preços baixos ou oportunidades de investimento.

6

A ARTE ABENÇOADA DE COMPARTILHAR SUAS RIQUEZAS

Riqueza compartilhada cria mais riqueza, e você pode compartilhar muitas formas de riqueza além de dinheiro. Os milionários de hoje apontam que qualquer um pode se tornar milionário, porque a riqueza hoje é muito distribuída e cria muitas oportunidades. Quando você compartilha em sua própria casa, cria uma harmonia básica que alimenta seu sucesso e paz de espírito em tudo que faz. Comece agora a compartilhar o que tem e, quando tiver muito dinheiro, você vai compartilhar seu dinheiro com mais sabedoria e maiores benefícios.

Você vai ganhar dinheiro. Se não permitir que pontos de vista negativos o derrubem, vai marchar diretamente em frente na estrada para as riquezas. Sim, você vai ganhar dinheiro em valores altos – dinheiro que chega até você por seus esforços dignos, dinheiro que você gasta ajudando outras pessoas.

Você vai construir seu caráter enquanto constrói sua fortuna? Isso, como você agora sabe, não é exatamente "outra história". Há uma forte relação entre o poder de ganhar dinheiro e o poder de conhecer a própria mente e preencher-se como alguém plenamente realizado.

Mais uma vez, vamos examinar uma técnica que faz parte de ser rico e ter uma indestrutível paz de espírito. Até onde diz respeito a compartilhar o *dinheiro*, você pode ver essa técnica como parte de seu futuro. No que se refere a outras formas de riqueza, essa técnica é sua agora. Use-a e faça dela uma parte de você. A vida acontece de acordo com a grande Lei da Compensação. Quanto mais você dá o que tem, mais volta para você – e volta multiplicado muitas vezes.

Ele deu 90% de suas horas de trabalho. Um dos meus mais singulares alunos, Edward Choate, da New England Life Insurance Company de Los Angeles, decidiu ajudar seu governo a vender Títulos de Guerra durante a Segunda Guerra Mundial. Ele dedicou 80% de seu tempo a esse esforço, pelo qual não recebia compensação direta.

Além disso, cedeu 10% de seu tempo ao aconselhamento e treinamento de outros homens do ramo de seguro de vida, seus concorrentes diretos. Por isso, ele não pediu nem recebeu compensação. E usou os 10% restantes de seu tempo para vender seguro de vida por conta própria.

É de se pensar que um homem que cedeu 90% de seu tempo de trabalho tenha arruinado seus negócios. Vamos ver. Considera-se que um homem no ramo de seguros de vida obtém bons resultados se vende o equivalente a US$ 1 milhão em seguros em um ano. Durante os primeiros três meses de um ano de guerra, Edward Choate emitiu mais de US$ 1,5 milhão em apólices. A maior parte delas foi emitida em seu escritório, para segurar a vida de homens que o procuraram e pediram a ele para aceitar suas solicitações. *Eram homens que se lembravam dele em relação aos serviços que havia prestado enquanto cedia 90% de seu tempo.*

Ao ceder esse tempo, o Sr. Choate nunca insinuou que queria alguma coisa em troca. Mas a Lei da Compensação determina que um retorno é inevitável. Talvez você queira analisar assim: cada vez que compartilha suas bênçãos com outra pessoa, você se torna credor dela. Em algum momento, a dívida é paga. De algum jeito, dívidas têm que ser pagas.

Eles distribuíram uma filosofia, e isso trouxe um retorno muitas vezes multiplicado. Um dos presentes mais valiosos que você pode dar a qualquer homem é *direção*. Mostre a ele como reunir suas forças e focá-las em como quer se desenvolver, e está fazendo por ele mais do que se tivesse doado US$ 1 milhão, literalmente. Andrew Carnegie doou muitos milhões para patrocinar bibliotecas gratuitas, esperando assim disseminar conhecimento de todos os tipos e elevar o nível de conhecimento de toda uma nação. Acima e além disso, ele disponibilizou a Ciência da Realização Pessoal, em que desempenhei meu papel.

Uma das maiores recompensas de minha vida tem sido ver meu livro *Quem pensa enriquece* distribuído como um meio de disseminar a filosofia. O Sr. Choate é um dos que distribuíram centenas de cópias. Frequentemente, ele doa o livro a homens que nunca se tornarão possíveis compradores de seguros de vida, nem com muito esforço da imaginação. Ele dá o livro porque se encontrou com a ajuda dele. Sem dúvida, o livro contribuiu com seus negócios. Sem dúvida, ele ajudou muitos homens a terem meios para comprar o seguro de vida de que precisam.

Outro aluno meu se mudou para Oakland, Califórnia, com um capital de menos de US$ 200. Ele investiu metade desse capital em *Quem pensa enriquece*. Adquiriu a prática de emprestar o livro aos vizinhos, pedindo apenas que cada um o conservasse por uma semana. No fim desse período, ele pegava o livro de volta e o emprestava a outra pessoa. Mais tarde, ele me contou o que esse hábito de compartilhar sua filosofia tinha feito por ele.

"Quando comecei a emprestar esses seus livros", ele disse, "não tinha em mente outro propósito que não fosse fazer amizade com os vizinhos, apresentando a eles uma filosofia que preza tanto a amizade.

"Enquanto isso, eu havia começado a operar minha loja de máquinas com uma pequena furadeira. Em pouco tempo, alguns vizinhos que haviam lido *Quem pensa enriquece* começaram a espalhar a notícia da minha loja e de minha filosofia de doar tanto quanto podia, e os pedidos começaram a chegar. Nunca investi um centavo em publicidade. Nunca pedi que ninguém comprasse de mim."

No último relatório, esse homem tinha o equivalente a US$ 100 mil em equipamentos na loja e uma renda bruta de mais de meio milhão de dólares. Ele disse: "Isso supera qualquer coisa que eu já tenha escutado em toda a minha vida!". Mas você ouve essas coisas quando sintoniza os ouvidos na grande arte de doar. Não é uma ideia nova. Os grandes filósofos de todos os tempos apontaram as riquezas que conquistamos quando doamos parte de nossos bens – dinheiro, tempo, serviço, momentos de bondade não premeditados e, especialmente, amor.

Dar aos que se ajudam. Qualquer homem conhecido por ter milhões recebe intermináveis pedidos de dinheiro. Ele sabe que a maior parte dessas solicitações é feita por pessoas que não usarão o dinheiro para suas necessidades, muito menos de algum jeito que as ajude na carreira. E ele não pode ter a esperança de filtrar todos esses pedidos. Muitas vezes, é mais fácil dar grandes somas para uma obra de caridade ou para patrocinar uma fundação.

Aqueles que trabalharam por seu dinheiro sabem que a virtude do dinheiro está em sua utilização, não na quantidade. Isso é igualmente verdadeiro para um centavo ou um milhão de dólares.

Certa vez, Henry Ford foi procurado pela Sra. Martha Berry, da Martha Berry School, na Geórgia. A Sra. Berry pediu uma doação para sua escola, mas o Sr. Ford negou o pedido.

"Bem", ela retrucou, "doaria um saco de amendoins?"

O Sr. Ford concordou e comprou para ela um saco de amendoins crus.

Com a ajuda dos alunos, meninos e meninas das montanhas, a Sra. Berry plantou e replantou os amendoins, vendendo as safras até converter o saco original em US$ 600. Ela então voltou ao Sr. Ford e deu a ele os US$ 600, e disse: "Veja como somos práticos na utilização do dinheiro". O Sr. Ford devolveu os US$ 600 e acrescentou a eles mais US$ 2 milhões para a construção dos belos edifícios de pedra que hoje enfeitam o *campus* da Martha Berry School em Mt. Berry, na Geórgia.

O Sr. Ford fez várias doações desse tipo. A experiência havia ensinado a ele que, com muita frequência, doações para escolas são feitas por pessoas pouco práticas que sabem muito pouco sobre métodos comerciais (ou agrícolas). Enquanto Martha Berry era viva, o vagão particular de Ford era visto uma vez por ano na ferrovia que passava pela escola, quando o Sr. e a Sra. Ford iam fazer uma visita.

Multimilionário dos dias de hoje, Henry Crown, que chegou a este país como um imigrante pobre da Lituânia, é uma figura proeminente na vasta General Dynamics Corporation. O Sr. Crown tinha colocado muito dinheiro em um plano que ensina jovens aspirantes a lidar com capital. Ele havia criado um fundo de US$ 8 mil em várias faculdades, e esse dinheiro é investido todos os anos pelas turmas de formandos em economia. Quando a turma obtém lucro, seus membros dividem o excedente, e o fundo é passado intacto para a turma seguinte.

Riqueza cria riqueza. Uma grande quantia em dinheiro nas mãos de um homem geralmente não cria tanta riqueza quanto o dinheiro que circula, desde que os que se encarregam dessa circulação estejam interessados em criar riqueza.

A felicidade e a paz de espírito de um homem dependem de ele compartilhar todos os tipos de riqueza. Relações comerciais não podem ser adequadamente descritas como um relacionamento de "amor" entre comprador e vendedor; porém, quando a ideia de "servir aos seus semelhantes" entra na relação, boa parte do que é lucrativo para as duas partes também entra. "Um pouco de mim", disse Henry Ford, "vai para cada automóvel que sai das nossas linhas de montagem, e penso em cada carro que vendemos não em termos do lucro que ele nos proporciona, mas em termos do serviço útil que ele pode prestar ao comprador." Thomas A. Edison disse: "Nunca aperfeiçoei uma invenção sem pensar no serviço que ela poderia prestar a outras pessoas".

A ideia de que uma empresa deve dar a seus clientes mais que um produto por um preço não é nova, e a história prova que ela cria boas empresas e bons clientes. Boas relações entre um empregador industrial e seus empregados, no entanto, não são tão antigas quanto a história. Isso é natural quando consideramos que empresas que empregam milhares de pessoas não existem há mais que algumas poucas gerações. São um excelente meio para o proprietário ganhar dinheiro, e, infelizmente, boa parte da força de trabalho tem sido maltratada nesse processo.

Em anos passados, tivemos nossa era dos piratas industriais que nunca pensavam em compartilhar com seus empregados a riqueza que eles ajudavam a criar. Embora exibissem seu dinheiro em Nova York, Newport ou Palm Beach, esses homens desprezavam a ideia de que uma sociedade precisa de um maior número de pessoas bem remuneradas e capazes de comprar mais bens e contratar melhores serviços.

Hoje em dia os milionários são mais numerosos. Mais de cinco mil novos milionários se declararam dessa maneira em suas declarações de imposto de renda na última década. Além disso, como mencionei, os milionários de hoje não parecem querer a atenção que os homens ricos antes requisitavam. A maioria dos leitores não vai reconhecer os nomes de alguns milionários e multimilionários contemporâneos que mencionei.

Os ricos de hoje também não parecem interessados em formar uma classe definida à qual o pobre não possa ter pretensões. Cito Arthur Decio, que ganhou muito dinheiro com a construção e venda de casas móveis: "É mais fácil progredir hoje do que era há quinze ou quarenta anos. Veja o crescimento da população e o tremendo aumento na renda pessoal... Este país é repleto de oportunidades".

E realmente é, e muitas oportunidades não existiriam se a riqueza não fosse mais bem distribuída do que era antes. Empregadores perceberam a importância para eles mesmos, para seu povo e para a sociedade de contratar trabalhadores em parceria com a indústria. Uma sociedade capitalista prova muitas e muitas vezes que é a melhor maneira de criar máxima e amplamente distribuída riqueza.

Uma vitória para a Ciência da Realização Pessoal. A R. G. LeTourneau Company é uma grande empregadora. Alguns anos atrás, recebi um telefonema de um ex-aluno que tinha se tornado um dos executivos dessa companhia. "Por favor, venha nos visitar imediatamente", ele disse. "Temos uma dificuldade que só você pode resolver."

Quando cheguei à fábrica da LeTourneau, soube que influências comunistas tinham penetrado na organização, disfarçadas de sindicato dos trabalhadores. A empresa queria ajuda para imunizar os funcionários contra esses "ismos", certa de que, se a crise pudesse ser superada, os homens compreenderiam qual caminho de vida era melhor para eles.

Eles me perguntaram quanto eu cobraria pelo serviço. "Talvez nem cobre", respondi. "Vocês me dão liberdade para agir, e, se eu não conseguir resolver o problema, não haverá cobrança pelo serviço. Se eu conseguir eliminar as influências comunistas, darei meu preço depois."

O acordo foi fechado nessas condições. Montei uma cama provisória na fábrica e fiquei de plantão dia e noite.

O problema básico tinha duas frentes: os homens não percebiam, primeiro, como a companhia devolvia a eles parte da riqueza que criavam; além disso, alguns indivíduos não tinham a menor ideia do próprio poder para se apoderar das próprias capacidades e multiplicá-las por meio do exercício de uma atitude mental positiva. Medo da pobreza e outros medos debilitantes eram abundantes entre eles. A crença na riqueza e na felicidade, e no poder de cada homem para conquistar sua riqueza e criar sua felicidade, tinha sido afastada pelo pensamento negativo.

Com esse terreno para plantar suas sementes da discórdia, os organizadores de orientação comunista conseguiram convencer esses homens de que seu futuro deveria estar na mão de terceiros – que eles deveriam se reduzir a engrenagens em uma espécie de máquina econômica; que era "errado" um homem de fé em ambição progredir, onde homens de mente negativa poderiam ficar para trás.

Ao combater os comunistas, jamais os mencionei. Em vez disso, ensinei a Ciência da Realização Pessoal, e isso foi tudo que precisei ensinar. Em pouco tempo, os empregados da LeTourneau viram quanta grandiosidade cada homem tem dentro da própria mente – uma grandeza que ninguém mais pode ou deve operar por ele. Eles viram o que significa realmente trabalhar e as recompensas que o trabalho confere a um homem que tem algum objetivo além de três refeições por dia e que de fato quer realizar essa ambição. Eles passaram a ver que os homens ricos de seu tempo não tinham nenhum poder natural que eles mesmos não tivessem, e tudo que precisavam fazer era encontrar seus poderes de prosperidade e usá-los.

Eu consegui. Quando estipulei meu preço, fui pago imediatamente. Oito meses mais tarde, a companhia aumentou minha tarifa. É o que acontece quando os homens percebem que a riqueza não é algo que se arranca do outro; é algo que você constrói para si mesmo servindo a outras pessoas, e é promovida e aumentada por sua motivação interior positiva, alegre. Isso é verdadeira riqueza e parte da paz de espírito. Não sei quantos desses homens da LeTourneau ficaram ricos, mas sei que tinham motivos para manter em mente a verdadeira imagem da riqueza e compartilhar essa imagem com outras pessoas.

Compartilhar a riqueza em sua própria casa. É possível dizer muito sobre um homem pelo que acontece na casa dele. Homens bem-sucedidos em viver – e não apenas em dominar a mecânica de algum ramo de atividade – geralmente mantêm lares em que ninguém precisa ser o "chefe" e onde existe verdadeiro amor e verdadeiro compartilhamento.

Estive na casa de homens ricos cujas esposas precisavam implorar por dinheiro suficiente para comprar artigos necessários de vestuário. Estive na casa de homens pobres em que cada compra precisava ser discutida, ou não sobrava dinheiro para a comida; e a casa pobre era a mais feliz, porque sua atmosfera era de compartilhamento, apesar da triste falta de dinheiro.

Algumas vezes fui consultado sobre orientação conjugal, e algumas vezes recomendei que um casamento fosse desfeito. Há muitas razões para uma recomendação desse tipo, e garanto que não são motivos banais. Nesses casos, notei que a falta de capacidade para compartilhar inevitavelmente se mostra. Se o não compartilhamento domina em algum nível algum aspecto da vida conjugal, outros problemas surgirão.

Você vai ganhar dinheiro, e, quando isso acontecer, garanta que sua esposa tenha um fundo próprio para gastar como quiser. Não será o fundo "dela" no sentido de ser intocável, porque, se você enfrentar infortúnios financeiros, ela também compartilhará esse dinheiro em um casamento bom e amoroso. Será dinheiro "dela" no sentido de você reconhecer sua esposa como uma pessoa independente, sua parceira, não sua criada.

Sei que boa parte das conversas que acontecem nos salões de beleza têm a ver com a esperteza das mulheres para conseguir dinheiro dos maridos. Muitas precisam recorrer a pegar alguns dólares de seu bolso enquanto ele dorme. Outras inventam caridades, ou criam "despesas escolares" para os filhos. Parece que muitas são literalmente forçadas a essas táticas para manter um lar decente, porque o marido não se dispõe a dar mais que o suficiente para uma mera subsistência, se tanto.

Por outro lado, muitas mulheres no santuário da fila de secadores de cabelo revelam que perderam o dinheiro das compras de supermercado jogando Mah-Jongg[1] ou em alguma empreitada semelhante, e não podem confessar isso ao marido. O valor perdido raramente é grande, e Mah-Jongg não é condenável; é a falta de franqueza com o marido que causa o verdadeiro dano.

"Se você soubesse como meu marido é capaz de ficar furioso", costuma dizer uma dessas mulheres, "saberia por que não posso contar a ele." Então, é preciso haver duas pessoas para criar a situação ruim. Junte a isso o fato de muitos maridos nunca contarem às esposas quanto ganham, quanto gastam com bebida e quanto podem perder no pôquer.

De maneira geral, quando um homem mostra que está disposto a compartilhar, uma mulher, por natureza, também se dispõe a compartilhar com ele amorosamente. No topo da lista de informações que um homem deve compartilhar com a esposa está quanto ele ganha e como ganha seu dinheiro.

---

1. Jogo de mesa de origem chinesa exportado para o Ocidente a partir do início do século 20. (N.R.)

Mulheres geralmente ficam em casa ou perto de casa, enquanto o homem está fora, em algum lugar, ganhando dinheiro. Quando o homem chega em casa depois do trabalho, a mulher aprecia que ele traga também um pouco do mundo exterior. É astuto o homem que fornece à esposa uma descrição detalhada de tudo que faz, e onde passa seu tempo, sem que ela tenha que pedir essa informação. Há sobretons sexuais nisso, porque a esposa pode ficar enciumada sem motivo nenhum, especialmente se o homem tem um trabalho que não o mantém constantemente atrás de uma mesa, ou de um balcão ou banco, à vista de outras pessoas.

Compartilhe, e você tem um casamento; evite compartilhar, e é melhor viver sozinho.

Pense nos nove motivos básicos que discutimos em um capítulo anterior. Para refrescar sua memória, eles são:

Sete motivos positivos

1. A emoção do AMOR
2. A emoção SEXUAL
3. O desejo de GANHO MATERIAL
4. O desejo de AUTOPRESERVAÇÃO
5. O desejo de LIBERDADE DE CORPO E MENTE
6. O desejo de AUTOEXPRESSÃO
7. O desejo de PERPETUAÇÃO DA VIDA APÓS A MORTE

Os dois motivos negativos

1. A emoção de RAIVA E VINGANÇA
2. A emoção do MEDO

Já foi dito que os três primeiros motivos básicos – amor, sexo e dinheiro – praticamente governam o mundo. Eu não diria que essa afirmação é inteiramente verdadeira, mas há nela grande medida de verdade. Um homem que não compartilhou realmente toda a sua vida com a mulher que escolheu não pode conhecer a magia do sexo e do amor em sua mais sublime combinação. Mas quando um homem vive com esses motivos, ele frequentemente os conecta como uma poderosa bateria ao terceiro. Ele ganha mais e mais dinheiro, de forma que pode compartilhar mais e mais abundância da vida com sua esposa.

Nenhuma parte de sua vida pode ser vivida separadamente de todas as outras partes. Quando você é bem-sucedido em uma área, isso o ajuda a ser bem-sucedido em todas as outras. Mais especialmente, quando você tem paz de espírito em casa, pode contar com paz de espírito em todos os lugares.

Vou contar uma história sobre mim. Houve um tempo em minha vida em que trocar um pneu me aborrecia completamente. Agora, se um pneu fura quando estou em uma de minhas longas viagens por regiões desertas de nosso país, troco o pneu e não fico nem um pouco aborrecido. No passado eu tinha mais músculos – mas no passado eu não dirigia com a mulher que escolhi ao meu lado, como faço hoje.

* * *

Todo mundo tem alguma coisa para compartilhar – e ganha quando a compartilha. Quando um desconhecido para você na rua e pede informações, você compartilha seu conhecimento quando responde. Não precisa ter dinheiro para isso. Se você é realmente rico em bondade humana, vai dar ao desconhecido uma explicação muito cuidadosa, e talvez acompanhá-lo até a próxima esquina e indicar o caminho.

O mais pobre de nós tem muito a compartilhar. De algumas maneiras, um homem pobre tem tanto a compartilhar quanto um homem rico. Certamente, é assim com amor e bondade.

Sugiro três maneiras gerais de compartilhar que estão disponíveis a quase todo mundo. Você pode não usar os casos específicos dados como exemplos, mas a lista vai servir para abrir sua mente às diversas possibilidades de compartilhar mais que dinheiro.

1. *Compartilhe suas habilidades especiais ou seu conhecimento.* Muitos têm alguma habilidade especial ou um conhecimento que ajuda a ganhar dinheiro. Estamos acostumados a vender nossa habilidade. Agora procure um jeito de *dar* essa habilidade sem pensar em ganho.

Uma necessária sede de um clube para meninos foi construída na área de cortiços de uma grande cidade. Os custos básicos da construção foram cobertos por uma grande fundação, mas a sede nunca teria sido começada se não fosse por aqueles que doaram suas habilidades. Um advogado ofereceu seus serviços voluntários para redigir os documentos da incorporação e outros papéis necessários. Um carpinteiro instalou divisórias no vestiário. Um pintor cedeu seus serviços e também supervisionou uma equipe voluntária que pintou todo o interior com cores alegres. Um pedreiro instalou uma rampa de concreto em uma entrada, para que os meninos com necessidades especiais de mobilidade pudessem entrar.

2. *Compartilhe preenchendo uma lacuna quando a vir.* O Sr. A emprestou seu cortador de grama para o vizinho novo, o Sr. B, que ainda não tinha tido tempo para equipar-se. Esse foi o começo de excelentes relações entre as duas famílias vizinhas – mas por um tempo parecia que a situação caminharia em sentido contrário.

Depois que o Sr. B cortou a grama, ele devolveu o cortador com um grande amassado em uma lâmina. O Sr. A percebeu o dano e comentou diplomaticamente que o Sr. B devia ter algumas pedras escondidas no gramado, o que provocou o amassado na lâmina. O Sr. B respondeu de maneira ríspida que a lâmina já estava amassada quando ele ofereceu o equipamento, e se afastou.

Como o amassado era novo, isso não poderia ser verdade. Mas o Sr. A não tocou mais no assunto. Limitou seus contatos com o novo vizinho a acenos de cabeça, quando o encontrava na rua.

Um dia, o Sr. B apareceu com um cortador de grama novo e o entregou ao Sr. A. "Quero que fique com isto", ele disse. "Eu sabia que tinha amassado aquela lâmina, mas não tinha dinheiro para o conserto naquele momento. Acho que poderia ter dito isso, mas não disse. Agora as coisas se ajeitaram, e quero fazer mais do que consertar a lâmina."

É assim que muitas dívidas que não envolvem dinheiro são pagas com juros! Muito mais valiosa que o cortador de grama propriamente dito, no entanto, foi a atmosfera de cordialidade que se instalou entre as duas famílias dali em diante.

3. Compartilhe reconhecimento e apreciação. Perceba com que frequência você é reconhecido por estar em determinado papel – por exemplo, o papel de cliente – e é tratado de determinada maneira. Agora inverta a situação e reconheça a outra pessoa. Você vai descobrir que essa é uma maneira ilimitada de compartilhar.

Por exemplo, você pode parar seu carro em um posto de combustível em um dia quente. O frentista se aproxima depressa secando o suor da testa, ansioso para prestar serviço rápido. Você reconhece nele uma pessoa que tem os próprios problemas e diz: "Vá com calma. Está muito quente para correr". Ele vai se lembrar disso na próxima vez que você for abastecer o carro.

Digamos que você é um empregador ou supervisor de pessoal. Um de seus subordinados faz um trabalho excepcionalmente bom. Muitos empregadores ou supervisores comentariam que o homem é pago para fazer um bom trabalho, e daí? Um supervisor mais astuto vai fazer questão de dizer ao trabalhador que seu bom desempenho foi notado. Quando alguém faz um bom trabalho, fica favoravelmente disposto a qualquer pessoa que o reconheça por isso. Além do mais, ele vai se esforçar mais para manter o padrão elevado de trabalho.

Você oferece bondade, presta muito serviço gratuito e, em muitos casos, não vê retorno. Tenha em mente que há sempre um retorno dentro de você mesmo, porque, quando se dá, você se faz maior. E lembre-se da Lei da Compensação, que *sempre* age a favor quando você toma providências para isso. Vamos analisar de forma mais profunda as maravilhas da compensação posteriormente.

Procure maneiras de compartilhar sua riqueza. Nunca pergunte: "Que riqueza?". Ao compartilhar, você vai descobrir que é mais rico do que pensa. Compartilhe mais que dinheiro e, quando tiver muito dinheiro, você estará mais sintonizado com as necessidades humanas, e seu dinheiro dará benefício extra àqueles que o compartilham.

O Segredo Supremo é como um tesouro meio escondido pelo qual você pode passar cem vezes por dia sem notar; mas o vê pelo canto do olho.

VERIFICAÇÃO DO CAPÍTULO 6:

Quanto mais você dá, mais volta para você

Até um homem que deu 90% de seu tempo se tornou mais rico a partir disso. Quando você compartilha suas bênçãos com outras pessoas, torna-se credor delas, e, em algum momento, a dívida é paga. Você também pode compartilhar *direção* na forma de uma filosofia que leva a paz de espírito e grande riqueza. Dar àqueles que se ajudam é uma forma altamente construtiva de dar.

Riqueza cria riqueza

Quando uma relação de compra e venda contém a ideia de serviço ao semelhante, os dois lados se beneficiam. Muitos dos primeiros empregadores industriais tiravam tudo que podiam de seus empregados e retornavam o mínimo possível. Hoje a riqueza é mais distribuída, e isso ajuda a criar mais oportunidades. Um milionário não tenta mais exibir sua riqueza, há números cada vez maiores de milionários, e homens ricos não se veem mais como uma classe à parte.

Enquanto cria sua riqueza, você pode criar sua felicidade

Muitas pessoas que trabalham para os outros não percebem em que medida compartilham a riqueza que criam, nem como criam riqueza infinita em suas vidas por intermédio do poder de uma atitude mental positiva. Homens ricos não têm poderes naturais que sejam negados aos homens pobres. Todo homem carrega sua grandeza dentro da própria mente, e é ele mesmo, não um poder superior, o único que pode promover sua grandeza.

Compartilhar a riqueza em sua própria casa

Homens bem-sucedidos na vida geralmente mantêm amor e compartilhamento em suas casas. Quando os casais não compartilham, surgem outros problemas. Quando o homem mostra que está disposto a compartilhar, a mulher se dispõe a compartilhar com ele. Três motivos básicos, amor, sexo e dinheiro, praticamente dominam o mundo, e isso pode ser visto em muitos casos. Nenhuma parte de sua vida pode ser vivida de maneira separada de outras partes.

Todo mundo tem alguma coisa para compartilhar

Você pode compartilhar conhecimento, pode compartilhar amor e bondade, por mais que seja pobre. Quase todo mundo pode compartilhar em três áreas que se oferecem muitas e muitas vezes; você pode compartilhar suas habilidades especiais ou conhecimento; pode compartilhar preenchendo uma lacuna quando a vê; pode compartilhar reconhecimento e apreciação pelos outros e pelo trabalho que fazem.

7

Como desenvolver seu ego saudável

Toda a sua capacidade e personalidade se mostram em seu ego. Para muitos homens, o ego funciona sempre com força máxima, e para alguns ele precisa de contenção. Para a maioria, é bom receber e aplicar conselhos que fortalecem o ego. Seu fortalecedor de ego pode estar relacionado ao seu jeito de vestir, de se expressar, ao seu ambiente, algum objeto de valor simbólico – ou de algum outro jeito que tenha um significado especial, individual. O ego pode ser sintonizado em forças misteriosas além do indivíduo. Por meio do ego, você pode ser guiado na direção de uma expressão de si mesmo que se reflete em sua prosperidade aumentada.

Falei antes e vou falar de novo sobre a necessidade de conhecer sua mente e seguir em sua direção. Agora vamos olhar para o ego, aquela valiosa válvula de ignição da mente que meu dicionário define como "a tendência autoassertiva do homem".

Pessoas que têm paz de espírito também têm egos saudáveis. Para algumas pessoas, o termo "ego saudável" traz à mente a imagem de uma pessoa barulhenta, do tipo que dá tapas nas costas. Pode até ser, mas não é necessariamente assim. Seu ego como você o reflete ao mundo foi construído durante muitos anos a partir de influências na infância, influências posteriores e muitos outros fatores. Seu ego é tão individual quanto suas digitais, e o que é "saudável" para você não será saudável para outro homem.

Muitas vezes, o ego parece ter nele um pouco de vaidade; mas ele é muito mais forte e muito mais sutil que a vaidade humana comum. Pense em seu ego como uma parte invisível de você mesmo que o torna forte e capacitado, ou coloca obstáculos em seu caminho, *de acordo com o tipo de influência que você alimenta.*

Até a maior das mentes se pega, de vez em quando, com o ego esgotado. Homens realmente grandes sentem isso, e restauram com rapidez o próprio ego. O propósito deste capítulo é mostrar alguns dos fortalecedores de ego surpreendentemente diretos que outras pessoas usaram, e fornecer uma coleção da qual você pode escolher e aperfeiçoar um fortalecedor de ego feito sob medida para você.

O ego que era mais forte que uma camisa limpa e uma barba feita. É um conselho bom e antigo o que diz que estar bem-vestido e bem-arrumado fortalece seu ego.

Agora quero que você conheça um homem que sabia disso muito bem – mas cujo ego profundamente constante era forte o suficiente para ser maior que uma camisa limpa e uma barba feita.

O impacto dessa história será mais forte se for contada na sequência em que aconteceu comigo. Ela começa com meu encontro com Edwin C. Barnes quando ele era associado comercial de Thomas Edison. Na época, o Sr. Barnes era dono de 31 ternos caros e, ao longo de um mês, nunca usou um deles dois dias seguidos. Suas camisas eram feitas sob encomenda, com os tecidos mais caros disponíveis. As gravatas eram encomendadas em Paris e custavam US$ 25 cada uma, pelo menos.

Um dia, sugeri brincando ao Sr. Barnes que ele me avisasse quando fosse se desfazer de alguns de seus ternos, para que eu pudesse usá-los.

"Sei que está brincando", disse Barnes, "mas talvez goste de saber que, na época em que decidi me associar a Thomas Edison, eu não tinha o valor da passagem de trem para ir a East Orange, Nova Jersey, aonde precisava ir para vender a ideia.

"Meu desejo de chegar lá era maior que o medo da humilhação que sofreria viajando em um trem de carga. Fiz a mala – não demorou muito – e viajei em um vagão comum.

"Quando entrei no escritório do Sr. Edison e disse que queria vê-lo, ouvi risadas por todos os lados. Finalmente, a secretária dele permitiu que eu o visse. Assim que encarei o grande inventor, comecei a dizer que sorte ele tinha por ser o primeiro a quem eu oferecia meus serviços. Depois de me ouvir um pouco, ele se levantou, caminhou à minha volta, olhou-me com olhos penetrantes, sorriu e perguntou: 'Por que veio me procurar, rapaz?'

"Foi assim que descobri que ele não ouvia bem. Tive que me explicar novamente, mais alto. Minhas roupas estavam amarrotadas e empoeiradas, os sapatos eram esfolados, não fazia a barba havia dois dias, e quase perdi a coragem. O Sr. Edison não me julgou pela aparência. Mas eu decidi ali, naquele momento, que nunca mais me colocaria diante de um homem sem saber que estava mais bem-vestido que ele.

"Agora você sabe por que tenho todas essas roupas. E quanto a dar a você o que for descartar, duvido que tivesse com elas o mesmo fortalecimento de ego que me deram."

Ele estava certo. Nunca senti necessidade de fortalecer meu ego com adornos, e também estou certo, porque o ego é uma questão estritamente pessoal. Durante a primeira parte da carreira, estimulei meu ego com aquela enorme propriedade e os carros elegantes. Mais tarde, quando meu trabalho se tornou amplamente aceito, contentei-me com um estilo de vida muito mais simples. Mas não negligencio meu ego, que funciona por intermédio dos meus Príncipes da Orientação.

No entanto, como o Sr. Barnes e muitos outros, vejo-me refletindo experiências de muito tempo atrás que não quero mais viver. Durante a infância, vivi em meio a pobreza e analfabetismo, cercado de vizinhos pobres. Agora sou muito sensível ao "clima" de qualquer vizinhança em que vivo, e ele deve ser certo. Inspeciono até as vias de acesso para minha casa a fim de ter certeza de que não levam a áreas desagradáveis.

Você pode descobrir que é instrutivo olhar para as influências no início de sua vida e ver o quanto elas podem ter a ver com suas atitudes agora. Aqui vão algumas perguntas para você começar. Pense um pouco depois de cada uma para ter certeza de que encontrou a resposta certa.

Quando criança...

Você tinha comida, roupas e abrigo suficientes?
Se a resposta é não: era insuficiente por algum padrão razoável, ou era insuficiente pelos padrões da vizinhança ou qualquer outro pelo qual tenha passado a julgar?

Seus pais, ou outra pessoa com influência sobre sua vida, tinham a tendência de diminuí-lo e fazê-lo sentir que seus irmãos ou coleguinhas eram melhores ou mais inteligentes que você?

Você era chamado basicamente de *mau* quando se comportava mal – ou suas ações eram apenas definidas como inaceitáveis?

Se você era *mau* por definição, decidiu que viveria de acordo com esse rótulo?

Teve suficiente educação nos três R[2] para que, mais tarde, nunca tivesse que se sentir inferior em relação à sua capacidade de Leitura, Redação e Aritmética?

Você é muito baixo, muito alto ou muito gordo, de forma a sentir-se deslocado?

É excepcionalmente desfavorecido quanto à aparência, ou tem cicatrizes ou deficiências?

Como você descreveria a atmosfera geral na casa onde passou a infância? Tranquila? Antagônica? Encoberta por preocupações? Alegre? Relaxada do tipo "quem é feliz tem sorte"?

Seus pais discutiam em sua presença?

Você tinha consciência de pessoas que o usavam como "alvo fácil" ou "saco de pancada"?

Gostava de ser o líder em jogos e clubes?

Estabeleceu um símbolo de sucesso desde cedo na vida, como "uma casa grande como a do Sr. Jones" ou "um emprego que envolva viagens para lugares bonitos, como o do Sr. Brown"?

Seus pais o incentivavam a aceitar responsabilidades – ou eram superaflitos para fazer tudo por você?

---

2. Em inglês, Reading, Writing (embora iniciada com W, o som é de R) e 'rithmetic (também aqui uma liberdade poética ao retirar o A que inicia a palavra, de forma que pareça que todas elas começam por R). (N.R.).

Você era forçado a ficar tanto tempo sozinho que nunca sentia ter alguém que realmente se importasse com o que acontecia com você?

Pensar em questões como essas vai sugerir muitas facetas do seu passado que se mostram em suas ações presentes. Não sugiro que você se preocupe com seu passado; lembre-se, quando fechamos a porta para o passado, fechamos lá muita coisa que poderia nos prejudicar. Às vezes, porém, compreender influências passadas o ajuda a apreciar e desfrutar de suas maneiras atuais de fortalecer o ego.

Um vendedor vende por meio de seu ego. Enquanto eu estava envolvido com a organização da Ciência da Realização Pessoal, ganhei meu sustento treinando vendedores. Mais de trinta mil homens e mulheres foram orientados por mim quando estavam sendo treinados para vender.

A primeira coisa que eu ensinava aos meus alunos era que, antes de vender a alguém, um vendedor precisa vender para si mesmo. Isto é, ele precisa condicionar seu ego de tal forma que ele fique em forma para fortalecer suas afirmações, e ele precisa acreditar que ele mesmo e seu produto são bons.

Um executivo da New York Life Insurance Company me deu um caso interessante. Um homem trabalhava para a companhia havia mais de trinta anos, e mantinha um elevado histórico de vendas. De repente, sua produção caiu a quase nada. O vendedor não sabia dizer o que estava errado, e os executivos da companhia também não. Eles me chamaram para atender o "paciente".

Saí com esse vendedor para observá-lo em ação. Logo notei que seu problema básico, após trinta anos no campo, era o medo de ter ficado velho demais para vender. Ele falava constantemente sobre sua idade. Esse medo se transformou em hipocondria, e ele sentiu que precisava de uma bengala para se locomover.

De algum jeito, ele se convenceu de que "não tinha mais o jeito", e por isso esperava ser rejeitado. Ele havia permitido que o ego se tornasse tão subjugado que antecipava um "Não" antes de ouvi-lo – e essa é a maneira de garantir que ele seja dito!

De volta ao escritório, eu disse a esse homem: "Quero que você saia e encontre um daqueles antigos cones de ouvido que eram usados pelas pessoas com dificuldades auditivas".

Ele protestou: "Mas eu não tenho nenhuma dificuldade auditiva".

"Isso mesmo", eu disse. "Você ouve muito bem. Ouve o 'Não' antes de ele ser dito. Agora, quero que simule surdez. Ponha o cone no ouvido quando alguém falar, finja que não ouviu essa pessoa e, quando ela disser não, continue com sua apresentação de vendas."

Concordamos sobre ele não poder vender seguro de vida para alguém que não queria ou não precisava disso, de modo que ninguém saísse prejudicado. Ele encontrou um monstruoso cone auditivo e o levou com ele em suas visitas. Na primeira semana de usuário do cone, conseguiu propostas de seis de cada nove possíveis compradores. Na semana seguinte, voltou com oito propostas de cada doze entrevistas – um recorde quase desconhecido. Seu ego recuperou o hábito do "Sim", ele abandonou o cone e não teve mais problemas depois disso.

Embora minha audição seja boa, muitas vezes tenho a impressão de me deparar com problemas auditivos. Blair, meu filho, nasceu sem orelhas. Como ajudei a natureza a dar a ele audição suficiente é outra história; estou pensando agora na época em que o mandamos para a escola pública com o cabelo suficientemente comprido para esconder a ausência de orelhas. As outras crianças debochavam de seu cabelo comprido, o que era prejudicial ao seu ego. Prontamente, cortamos seu cabelo; mas antes vendi para Blair a ideia de que sua aflição seria um grande benefício para ele, quando as pessoas a entendessem. E isso foi exatamente o que aconteceu, porque as pessoas agora são bondosas com ele. Blair perdeu todo o acanhamento sobre ser diferente das pessoas que têm orelhas.

Talvez eu tenha sido inspirado pela determinação de Thomas A. Edison de fazer de sua surdez um bem, em vez de um prejuízo. Nunca o vi exibir uma expressão de aborrecimento ou decepção. Em vez disso, sua expressão dizia claramente: "Meu ego está sob controle e ao meu comando sem medo ou limitação".

Seu ego e sua opulência. Assim como ocorreu com o cone para ouvir, em muitas ocasiões fui capaz de prescrever exatamente o construtor de ego adequado para uma pessoa em particular. Isso requer que se conheça a pessoa, é claro; e, quando você quer prescrever para si mesmo, entende a importância daquele antigo e grande conselho: *Conhece-te a ti mesmo.*

De vez em quando, um homem para de trabalhar mais cedo do que deveria e se vê em dificuldades. Foi o que aconteceu com um ex-aluno meu chamado Ray Cunliffe. Ele era dono de uma agência da Cadillac em Chicago, que vendeu por um belo lucro. Como então possuía muito patrimônio líquido, ele decidiu tirar um ano e sair por aí se divertindo e "descansando", como disse.

Antes do fim do ano, ele ficou inquieto. Procurou uma boa franquia Cadillac, mas não encontrou nenhuma. Mais seis meses se passaram, e ele começou a usar o dinheiro de sua reserva para pagar despesas ordinárias. Mais ou menos nessa época, inscreveu-se em uma turma de Ciência da Realização Pessoal para a qual eu dava aula em Baltimore.

Ray e a esposa se acostumaram a ter empregados em casa. Agora eram forçados a demiti-los e tinham que fazer as tarefas domésticas. Um dia, quando Ray estava no porão lavando a roupa da família, deu-se conta de que estava cometendo justamente o erro que eu havia mencionado em uma aula recente. Ele não estava nutrindo seu ego. Estava matando-o de desnutrição, aniquilando-o.

Com a empolgação e a ansiedade que lhe eram habituais, ele me procurou para pedir ajuda. Contou sua história, depois perguntou: "E o que eu faço agora?".

Ele havia me contado que, durante anos, a esposa tinha desejado um casaco de *pele de vison* que custava uns US$ 3 mil. Também pude ver que, embora ele dirigisse um Cadillac, começava a parecer relaxado – como as roupas que ele usava.

Então, eu disse: "Ray, pegue seu caderno e uma caneta e anote, vou lhe dar uma prescrição de opulência.

"Número Um: vá à agência Cadillac mais próxima, troque seu carro atual por um novo do modelo de que mais gostar.

"Número Dois: vá à melhor loja de peles da cidade e compre para sua esposa um bom casaco de *vison*, mesmo que custe mais de US$ 3 mil.

"Número Três: vá ao seu alfaiate e mande fazer um guarda-roupa completo de ternos. Depois compre as gravatas, camisas e sapatos de que precisar para combinar com os ternos novos.

"Número Quatro: embrulhe o casaco de *vison* em papel de presente. Ponha a embalagem no seu Cadillac novo, contrate um motorista uniformizado e, quando não estiver em casa, mande-o dirigir o carro até sua casa e entregar o pacote à sua esposa.

"Dê esses quatro passos imediatamente. Depois volte para a próxima prescrição; isto é, se precisar de outra. Esta prescrição pode virar a maré rapidamente."

Quando o Cadillac novo e o casaco de pele chegaram à casa de Ray, a esposa se recusou a aceitá-los. O motorista apenas entregou a ela a chave do carro e foi embora, deixando o automóvel na entrada da garagem com o casaco no assento.

A esposa de Ray finalmente experimentou o casaco. Era o mesmo que ela experimentara por curiosidade – e desejo – algumas semanas antes.

De repente, ela sentiu uma onda de confiança e felicidade. A mesma coisa acontecia com Ray. O que tenho para dizer agora pareceu mágica para ele e pode parecer mágica para você, mas não foi mágica.

A cozinheira e a arrumadeira que trabalhavam anteriormente para os Cunliffes apareceram e perguntaram se podiam voltar aos seus postos. Sem nenhuma hesitação, a Sra. Conliffe as mandou entrar.

Quanto ao próprio Ray, um amigo telefonou para ele e disse: "Fiquei sabendo que a agência da Cadillac em Baltimore está à venda. Devia ir dar uma olhada".

Ray olhou e viu que era boa. Mas o negócio exigia US$ 150 mil, valor alto demais para ele levantar em tão pouco tempo. Seu ego tinha se erguido da depressão. Ele disse: "Não sei quem vai me dar o dinheiro, mas sei que o terei".

No dia seguinte, ele procurou um homem que tinha evitado – um homem rico em relação ao qual Ray havia começado a sentir-se inferior. Nenhuma inferioridade o impediu de procurá-lo então e explicar que precisava de US$ 150 mil para reconstruir seus negócios.

"Muito bem!", foi a resposta. "Fico feliz por ver que está voltando ao ramo no qual ganhou dinheiro." Ele fez um cheque no valor de US$ 150 mil e acrescentou: "Pode me pagar em parcelas anuais à medida que voltar a ter renda".

Ray Cunliffe voltou a ser dono de uma agência da Cadillac e fez um bom negócio quase antes de ter tempo de usar todas as camisas novas. Ele teve apenas um desapontamento; ficou decepcionado por eu não ter me mostrado surpreso com essa repentina mudança de sorte.

"Bem, Ray", eu disse, "Não consigo ficar empolgado com uma coisa que vi acontecer centenas de vezes". Mas fiquei satisfeito, é claro, por ver mais uma vez que a consciência de pobreza pode ser substituída pela consciência de sucesso, que, invariavelmente, atrai sucesso como se fosse um ímã poderoso. Ego é a chave para isso – um ego cheio de fé autoconfiante e fortalecido pelos meios que forem acertados para *você.*

Você pode pintar uma imagem-ego para si mesmo e usá-la para primeiros socorros. Às vezes um homem encara uma situação única da qual muita coisa depende. Muitas vezes, essa situação envolve outra pessoa que precisa ser persuadida de algum jeito – para quem tal situação pode ser tornada atraente. Quando você conhece essa outra pessoa, muitas vezes pode usar o poder de seu ego para dar a ela a imagem que deseja que seja vista. Mesmo quando não conhece a pessoa pessoalmente, muitas vezes você pode analisar com atenção os valores da situação e criar uma imagem que é atraente para ela.

Vamos olhar agora para mim mesmo em um estágio da carreira em que meu ego falhou.

Já contei que fui associado a Don Mellett, o editor de jornais, e como seu assassinato forçou o adiamento da publicação dos meus primeiros manuscritos; vimos também como isso me salvou de ostentar o rótulo dos Grandes Negócios.

Como relatei, tive que sair da cidade para me esconder dos bandidos que eu acreditava estarem envolvidos nos ataques relacionados ao seu negócio ilegal de rum. No tempo que passei escondido, minha disposição não era boa. Cheguei perto de perder a fé em minha capacidade de cumprir a grande tarefa que Andrew Carnegie tinha designado a mim uns vinte anos antes.

Controlei-me e decidi romper as correntes do medo. Encontraria um novo editor. Desde a morte do juiz Gary, tive que recomeçar do zero – tarefa difícil para o autor desconhecido de um trabalho inovador.

Quando meu ego se reconstruiu e minha consciência de sucesso se restabeleceu, uma insistente voz interior começou a me dizer que eu encontraria meu editor na Filadélfia. Não conhecia nenhum editor naquela cidade, mas a voz interior se tornou tão forte que, com US$ 50 de capital, entrei no carro e fui para Quaker, meio convencido de que encontraria a solução para o meu problema, meio convencido de que estava ficando maluco.

Uma vez na Filadélfia, comecei a procurar uma lista telefônica de classificados. Esperava encontrar uma hospedaria barata onde pudesse ficar por alguns poucos dólares por dia. Agora, acompanhe com atenção o que aconteceu, porque esta história é uma das mais assustadoras que você pode ler, e ela contém – além da revelação do poder do ego – uma revelação do Segredo Supremo que pode transformar sua vida.

Enquanto eu virava as páginas da lista telefônica, aquela voz interior voltou a se manifestar. Ela disse: "Pare de procurar uma hospedaria barata. Vá para o melhor hotel da cidade e registre-se na melhor suíte".

Fechei o catálogo e pisquei. Eu tinha menos de US$ 35 no bolso! Mas a ordem era tão irresistível que peguei a bagagem, dirigi-me ao melhor hotel da cidade e reservei uma suíte por US$ 25 ao dia.

No momento em que assinei o registro, soube que tinha feito a coisa certa. Meu ego e minha fé inflaram dentro de mim. Eu não poderia ter posto o Segredo Supremo em palavras naquele momento, mas sei que ele se apoderou de mim.

Um quarto de dólar era uma boa gorjeta para um carregador de malas naqueles dias, mas dei um dólar ao garoto. Assim que me sentei em uma das poltronas luxuosas, aquela voz interior falou comigo mais uma vez.

"Você foi impedido de se registrar em uma hospedaria barata, porque um ambiente desse tipo o teria posto em desvantagem para tratar com um editor. No momento, você precisa de um fortalecedor de ego, e está recebendo-o desse hotel excelente. Agora sua mente pode conceber um plano positivo que traz sucesso. Preparado? Leve à consciência o nome de todas as pessoas que você sabe que têm os meios financeiros para publicar suas obras. Quando o nome certo aparecer, você o reconhecerá. Entre em contato com essa pessoa e diga a ela o que deseja."

Sem dúvida nenhuma, com a fé perfeita, comecei a rever os nomes daqueles que poderiam financiar a primeira Ciência da Realização Pessoal prática do mundo. Depois de três horas, minha mente virou um vazio. Então, um nome surgiu nela com um efeito tão envolvente que eu soube que esse era o homem que eu queria. Ele era Albert Lewis Pelton, de Meriden, Connecticut.

Tudo que eu sabia sobre o Sr. Pelton era que ele havia publicado um livro chamado *Power of Will*, e que tinha anunciado esse livro na minha revista *Golden Rule* vários anos antes. Imediatamente, escrevi para o Sr. Pelton por Remessa Especial. Informei que estava prestes a conceder a ele a honra de publicar a Ciência da Realização Pessoal.

Dois dias mais tarde, recebi um telegrama informando que o Sr. Pelton estava a caminho da Califórnia para me encontrar. Nunca esquecerei a expressão no rosto dele quando foi conduzido à minha suíte, nem as palavras que disse: "Bem, um autor que pode se hospedar em uma suíte como esta deve ser o verdadeiro McCoy!".

O manuscrito tinha o tamanho aproximado de uma antiquada Bíblia familiar. Continha 1.800 páginas e pesava cerca de três quilos. Eu o entreguei ao Sr. Pelton, e ele se sentou e começou a virar as páginas. Depois de uns vinte minutos, fechou o livro e o deixou em cima da mesa.

Ele disse: "Vou publicar esta filosofia e pagar os direitos regulares de autor".

Mandamos os dados para um datilógrafo, que datilografou o contrato. A certa altura, ele disse: "Suponho que gostaria de receber um adiantamento dos seus direitos? Vou fazer o cheque agora mesmo".

Respondi com tranquilidade, apegando-me à imagem construída pelo ego: "Ah, pode fazer da quantia que achar conveniente".

"Quinhentos dólares?"

"Ok."

Alguns meses mais tarde, a primeira edição publicada do meu trabalho *O manuscrito original*, em oito volumes, foi-me apresentada. Aqueles foram meses de sucesso em muitos aspectos, porque recuperei o poder de um ponto de vista positivo. Espero sinceramente que aqueles que leram essa história não tenham que vencer os próprios pontos de vista ao longo do caminho, como aconteceu comigo.

Fui guiado por algum poder invisível? Acredito que alguma força exterior me guiava. Acredito que a mente sintonizada às correntes da fé está sintonizada além de sua dimensão física. Neste livro, mais adiante, relatarei outra experiência do tipo – a experiência que me levou a escrever este livro depois de quase setenta anos me preparando.

Desde aquele importante dia em 1928, ajudei dezenas de milhares de homens e mulheres a reabilitarem o ego. A maior parte deles eu nunca conheci, porque nossas mentes se conectaram por meio das páginas dos meus livros. Por minhas palestras e aulas, também ajudei muitos milhares de pessoas a encontrar a mesma chave para os poderes conceituais e realizadores da mente, e aqui, em muitos casos, tive a gratificação de ver isso acontecer.

Desenvolvi uma considerável habilidade de avaliar as necessidades das pessoas nessa direção e "pressionar o botão certo", digamos assim. Mas o que acontece quando o botão é pressionado? Daí vem o poder de revitalizar um ego falho? O que faz a mente passar do "Não" ao "Sim" e dessa forma abrir as grandes comportas da realização? Ainda procuro essa resposta. Talvez me tenha sido reservado o conhecimento de descobri-la como uma espécie de curso de pós-graduação em meu próprio trabalho, porque nunca encerrarei o aprendizado.

Procure seu fortalecedor de ego e o encontrará. Existem variedades incríveis de maneiras de fortalecer o ego. Embora possam ser misteriosas em sua essência mais interior, suas manifestações externas são evidentes. Considere os seguintes exemplos: elas são universais na aplicação e podem ajudá-lo a encontrar o seu exemplo.

Entre os bem-sucedidos vendedores de seguro que treinei, existe um entre muitos que dirigem um carro caro. Seu fortalecedor de ego é mais individual. Consiste em uma bela bolsa de golfe e um jogo de tacos que ele carrega no carro à vista de todos.

Assim, ele dá a impressão – para si mesmo e para os outros – de que passa um tempo considerável jogando golfe e está sempre pronto para a prática. Não sei se ele seria tão bem-sucedido quanto é se não exibisse sempre essa sugestão de sucesso, mas sei que ele tem exatamente aquilo de que precisa como fortalecedor de ego.

Outro bem-sucedido agente de seguros que treinei usa um anel com um diamante de oito quilates que parece servir como sua varinha mágica quando ele fala com possíveis compradores. Esse homem é um dos maiores produtores de vendas da Massachusetts Mutual Life Insurance Company.

Uma vez, ele levou seu anel de diamante a um joalheiro para uma nova montagem. O trabalho exigia alguns dias. Durante esses dias, ele trabalhou mais duro que de costume, usou vários argumentos convincentes que sempre usava para emitir uma apólice, mas não conseguiu fazer uma venda. Ele disse que, quando começava a conversar com um comprador em potencial, olhava para o anel; o anel não estava lá, e ele não conseguia se superar.

Quando o anel voltou ao seu dedo, esse homem foi trabalhar como sempre e, nas primeiras seis entrevistas, emitiu seis apólices de seguro – um registro que nunca tinha conseguido antes.

Quanto a mim, se fosse visto em público com um atrativo tão grande no dedo, eu me sentiria tão constrangido que isso me atrapalharia, e eu não controlaria meu ego. A cada um o seu, e um poder intenso se apresenta ao homem que se conhece!

Quando um homem cai em si, descobre seu ego e se apodera dele, o fato é revelado ao mundo todo. Reflete-se em seu tom de voz, na expressão facial, na agilidade dos movimentos, na clareza dos pensamentos, na definição de seu objetivo, em uma atitude mental positiva que desperta nos outros o desejo de acreditar nesse homem e trabalhar com ele.

Amigo, quando você se torna o comandante supremo dessa essência de sua mente, seu ego, você é senhor de tudo que vê. Nunca terá nenhuma necessidade, porque vai encontrar sempre o suficiente. Nunca terá medo, porque sua mente não conterá medo. Será livre, gloriosamente livre, e viverá uma vida que se adequará aos seus termos.

Existem alguns poucos que precisam conter o ego. Eles são tão raros, no entanto, que não precisamos escrever nenhuma parte deste livro para eles.

Um ego saudável é um meio de saúde e paz de espírito incomparável. Procure, então, o método certo ou o objeto ou condição que o ajuda a se realizar na "tendência autoassertiva do homem".

Estude as maneiras de qualquer pessoa bem-sucedida, feliz, que você conhece. É possível que elas detenham e usem o Segredo Supremo.

VERIFICAÇÃO DO CAPÍTULO 7:

O que significa ter um ego saudável

Seu ego é o poder mental que o ajuda a projetá-lo e projetar seus desejos. Pode fazê-lo forte e cheio de recursos, ou colocar obstáculos em seu caminho, de acordo com o tipo de influência que você alimenta.

Conhecemos o poder fortalecedor do ego de vestir-se bem, mas um ego forte pode se erguer além de qualquer limitação. Quando um homem pode afirmar seu ego da maneira que preferir, essas maneiras frequentemente refletem influências antigas.

Um vendedor vende por intermédio de seu ego

Um bom vendedor sabe que é bom e seu produto é bom, e essa confiança raramente falha. Às vezes, o sucesso de um vendedor depende de algum fator de sustentação do ego, ou alguma circunstância externa pode afetar seu ego de tal maneira que ele passa de uma atitude Sim para uma atitude Não. Um vendedor pode até fingir que sua audição é ruim, a fim de filtrar os "nãos" de seu diálogo com um comprador em potencial. Com um vendedor ou qualquer outra pessoa, uma deficiência física real pode ser um obstáculo permanente ou um estímulo permanente – dependendo do poder do ego.

Seu ego e sua opulência

Quando o ego é forte, ele atrai sucesso. Quando o ego falha, ele pode ser restaurado, garantindo que toda aparência e autoimagem sejam favoráveis a ele. Um homem que está acostumado a viver bem, mas baixou seu padrão de vida, pode restaurar sua prosperidade restaurando antes o "sentimento" de prosperidade que deriva de posses e ações apropriadas. Mesmo quando uma aparência de prosperidade é assumida por pouco tempo, ela pode ser o ponto de transformação, por ser aquilo de que o ego precisava. O ego pode assim ser guiado por poderes misteriosos, abrangentes.

Procure seu fortalecedor de ego, e você o encontrará

Ego é uma questão altamente individual. Observe as maneiras pelas quais outros fortalecem o ego e você terá ajuda para encontrar as suas.

Às vezes, é o jeito de se expressar que melhor sustenta o ego, como escrever, em vez de falar, ou vice-versa. Quando você encontra sua melhor maneira de fortalecer o ego, encontra um grande tesouro.

8

Como transmutar a emoção sexual em poder de realização

Faz parte da capacidade de todo homem transmutar parte de sua emoção sexual em um impulso dinâmico que traga sucesso. Essa capacidade cresce com sua disposição para usá-la. Homens jovens cometem frequentemente o erro de ver apenas o lado físico do sexo, de forma que chegam aos quarenta anos ou mais antes de começarem a usar a energia transmutada do sexo para agregar valor a tudo que fazem. Não há interferência no lado físico do sexo, que se torna um poder transformador da vida em si mesmo.

De vez em quando, um livro "estoura", e o autor desse livro tem a satisfação de saber que acrescentou alguma coisa permanente ao conhecimento do homem. Foi assim com meu livro *Quem pensa enriquece*. Embora ele seja apenas um de muitos livros elaborados em torno da Ciência da Realização Pessoal, provavelmente teve mais cópias vendidas que todos os meus outros livros juntos.

Perguntei a várias pessoas por que acham que *Quem pensa enriquece* vendeu tanto por quase trinta anos, e por que parece pronto para um recomeço em uma edição ligeiramente revisada.[3] Essas pessoas me dizem que o livro é, de alguma forma, mais inspirador que os outros – e acho que sei o porquê.

Eu o escrevi duas vezes. A primeira foi em 1933, enquanto fazia parte da assessoria do presidente Franklin D. Roosevelt, apenas como um meio de me manter ocupado enquanto esperava o fim da paralisante atmosfera de medo. Lembro-me de que me sentava e escrevia enquanto estava trabalhando para o presidente sem fazer nenhum esforço para condicionar minha mente para projetar magnetismo pessoal no livro.

Decidi publicar o livro alguns anos mais tarde. Quando reli o manuscrito, vi que faltava alguma coisa. A resposta para o que faltava era inerente a um dos capítulos, um capítulo sobre transmutação do sexo do qual este capítulo atual é um resumo e um avanço. Eu tinha escrito um livro cheio de informação, mas carente de emoção sexual transmutada. Agora o reescrevo do início ao fim, e o efeito tem sido eletrizante. *Qualquer coisa que você faz pode ser eletrizante, positiva e lucrativa, quando é permeada com emoção sexual.*

Para que não haja nenhuma confusão, quero colocar de maneira enfática que o que você pode estar fazendo não precisa ter nenhuma conexão com as manifestações físicas do sexo. Nem a linguagem tem alguma coisa a ver com isso. O "alguma coisa" que injetei em *Quem pensa enriquece* quando o reescrevi foi transmitido para todas as edições do livro em outros idiomas. Ele é tão inspirador no Brasil, por exemplo, onde aparece em português, quanto em inglês.

---

3. Nova York: Hawthorn Books, Inc., 1966; edição brochura, Fawcett Columbine.

O que é transmutação do sexo? Vamos olhar primeiro para o sexo propriamente dito. A natureza garantiu que os reinos vegetal e animal conheçam a atividade sexual apenas em certas estações. Mas o homem conhece a atividade sexual em todas as estações. Talvez por isso o sexo crie tantos problemas para tantas pessoas. Elas podem se manter deliberadamente ignorantes sobre sexo porque têm medo dele; podem desvirtuar o instinto sexual porque querem mostrar que não têm medo dele, ou simplesmente porque se deixam levar por ele.

Em qualquer desses casos, o sexo perde a força e o significado profundo que tem para o homem e só para o homem. Imagine certa classe de profissionais da religião que anunciam o sexo como um pecado capital, que associam inferno e sexo e se opõem a ambos como aproximadamente iguais e igualmente maus. Esses homens dizem que estão salvando almas quando, na verdade, estão fazendo-as murchar.

Por outro lado, temos o fenômeno prevalente das inscrições e dos desenhos vulgares em banheiros públicos. Essa é uma manifestação distorcida e triste da sublime emoção sexual. Muitas pessoas ficam presas em um ou outro extremo; e quanto à expressão física do sexo, muitos talvez nunca descubram quanto do espiritual está ligado ao físico.

Quando você considera o sexo como a grande força criativa, criativa não só de bebês, mas também de tudo que é nobre e duradouro, está pronto para entender o que a transmutação do sexo pode fazer por você. Ela é o direcionamento da energia sexual para outros canais onde ela contribui de maneira incomensurável para o poder de realização do indivíduo. Não é, de maneira nenhuma, um jeito de diminuir a energia do sexo, mas uma mudança dessa energia, como se, por um tempo, um gerador central de energia enviasse suas pulsações para uma diferente linha de transmissão.

Também é um direcionamento do *magnetismo pessoal*, que não é diferente de energia do sexo, na verdade. Se você é mais familiarizado com a expressão *magnetismo pessoal*, muito bem; mas lembre-se de que ela tem raízes no sexo.

Pessoas bem-sucedidas tendem a ser altamente sexualizadas. Há alguns anos, administrei uma escola de publicidade e vendas. Um dia, minha secretária anunciou que eu tinha um visitante que parecia um vagabundo. Talvez por lembrar do homem que se tornou sócio de Thomas Edison, disse a ela para mandar o vagabundo entrar.

Ele era relaxado, tinha uma barba de três dias, e um cigarro no canto da boca; ao entrar mostrou que não sabia nada sobre educação, ou não se importava com isso. Ele vendia espaços publicitários no *World Almanac*, uma mídia que eu nunca tinha consumido por considerá-la inadequada ao meu ramo de negócios. Apesar de aquele homem desleixado ter me dado uma primeira impressão ruim – apesar de espalhar cinzas de cigarro no meu tapete –, ele saiu do escritório com um pedido de anúncio de mais de US$ 800.

Esse homem certamente tinha problemas psicológicos, mas, acima e além de tudo, tinha um tremendo magnetismo pessoal. Ouvi na voz dele, por isso o escutei. Senti na aura de sua personalidade. Pela primeira vez, realmente considerei as vantagens do *World Almanac* – que se mostrou muito proveitoso. Mas se aquele homem que usava automaticamente o princípio da transmutação do sexo tivesse se arrumado de outro jeito, ele poderia ser o dono do *World Almanac*, em vez de ser apenas um de seus "vendedores de anúncio".

Agora observo o fenômeno da transmutação do sexo em todo mundo que conheço, e tenho pensado nele em relação a pessoas que já conhecia. É óbvio que aqueles que conquistaram o maior sucesso em todas as ocupações e em todas as áreas da vida têm elevada capacidade sexual que transmutam voluntariamente. Eles podem não saber que estão fazendo isso, mas é isso que fazem.

Existe uma conexão óbvia com ego; e como em relação ao ego, a pessoa precisa buscar a melhor maneira de se expressar por meio da transmutação do sexo.

Quando eu era membro do Rotary Club de Chicago, um de nossos palestrantes convidados foi o falecido Dr. Frank Crane. Esse era um homem que tinha boas coisas para dizer, mas não tinha o dom da *oratória*. Até sua aparência o prejudicava. Ele aborreceu todos os presentes, inclusive eu.

Depois da reunião, saí com o Dr. Crane e falamos francamente sobre a recepção fria que sua palestra havia tido. Reconheci a importância de sua mensagem, que era incomumente boa, mas infelizmente fora prejudicada pela forma como ele a tinha transmitido, e ele sabia disso.

Ele me contou que era pastor de uma pequena igreja e mal ganhava para o sustento. Perguntou que conselho eu poderia dar a ele.

Eu tinha pensado nisso. Disse que ele era capaz de um pensamento profundo que poderia divulgar de um jeito popular, de fácil compreensão. Em vez de usar a voz, no entanto, ele deveria escrever. Se criasse uma coluna de jornal com pequenos sermões e a vendesse, poderia alcançar milhares de pessoas, em vez de um pequeno rebanho, como alcançava agora, e sem dúvida também aumentaria sua renda.

"Essa é uma ideia esplêndida", ele respondeu pensativo. Trocamos um aperto de mãos e nos separamos.

Depois de um tempo, comecei a ver sua coluna diária de pequenos sermões. Alguns anos mais tarde, soube que era seu vizinho em um hotel em Nova York, e ele me convidou para ir encontrá-lo. Tinha acabado de preencher sua declaração de renda anual e me mostrou o documento com um sorriso largo. Seu rendimento tributável líquido, descontadas todas as deduções, passava de US$ 75 mil naquele ano.

O falecido Billy Sunday expressava seu indubitável magnetismo sexual como era natural para ele – pela palavra falada, para plateias enormes.

Ele ia de um lado a outro do país abalando multidões como poucos pregadores jamais haviam conseguido. Era tão bem-sucedido que suas campanhas religiosas se tornaram grandes empreendimentos comerciais administrados por Ivy Lee, conhecido profissional de relações públicas.

Alguns diziam que o sucesso de Billy Sunday era devido a suas elevadas qualidades espirituais. Os mais próximos dele acreditavam que seu poder vinha da natureza altamente sexualizada, associada à capacidade de transmutar emoção sexual em sermões que eram tão ferozes que nem o diabo resistia a eles.

Preste atenção a "alguma coisa a mais", e você a verá. Em cada geração existe apenas meia dúzia de homens que são reconhecidos universalmente como "grandes" violinistas. Algumas centenas tocam muito bem violino, mas além deles estão os poucos que têm *alguma coisa a mais*. É a transmutação mais bem-sucedida da emoção sexual.

É claro que a mesma coisa se aplica a pianistas e outros músicos. Enquanto escrevo, Arthur Rubinstein completa oitenta anos, e comentaristas afirmam não apenas que ele é o maior pianista que já viveu, talvez, mas também que suas apresentações parecem sempre novas e inusitadas. Rubinstein também é um grande amante da vida, um participante, em vez de observador, e tudo isso aponta para uma natureza profundamente sexual e uma transmutação dessa maravilhosa emoção.

A mesma coisa se aplica a líderes políticos, advogados, atletas, artesãos. Descobri que um pedreiro altamente sexualizado era capaz de assentar o dobro de tijolos por dia que um homem a quem faltava essa intensidade, e assentava cada tijolo com mais habilidade, *desde que tivesse aprendido a arte de manter a mente focada em seu trabalho.*

Observando a história, podemos ver que muitos homens de destaque eram conhecidos por ter um considerado impulso sexual (só a história pode não revelar isso; mas um estudo biográfico, sim). Vou relacionar alguns nomes que podem servir de alimento para você começar a pensar:

George Washington
Benjamin Franklin
William Shakespeare
Abraham Lincoln
Ralph Waldo Emerson
Robert Burns
Thomas Jefferson
Andrew Jackson
Enrico Caruso

Perceba que esses homens não foram vítimas de seu impulso sexual; foram beneficiários dele. Transmutaram a energia sexual em suas realizações individuais. É improvável que você encontre um só homem na história da civilização que tenha alcançado sucesso relevante sem se sobrepor à sua natureza sexual. Isso vale para soldados, estadistas, grandes pensadores, grandes exploradores e outros homens de ação, pintores – todos os tipos de homens, e não necessariamente homens de virtude. O impulso sexual existe não em si mesmo, mas como parte de toda uma personalidade. Sem ele, no entanto, muita capacidade deixa de ser descoberta.

Também vi muitos casos em que energia sexual parecia ser a centelha de ignição, digamos assim, do "sexto sentido". Essa grande faculdade criativa eleva a ação cerebral muito além de suas limitações comuns. É a antena receptora psicológica daquelas inspirações que chamamos de *palpites*. Certamente, é responsável pela "vozinha" que de vez em quando dá orientação inestimável à mente perceptiva.

Conheci um grande orador que planejava bem seus discursos, mas em todos eles, em algum momento, abandonava o plano, fazia uma pausa muito breve e fechava os olhos. O que acontecia quando ele abria os olhos era o clímax de seu discurso, tão envolvente que era comum a plateia inteira ficar em pé. Naquela pausa de dois ou três segundos, creio que ele focava todo o seu magnetismo sexual e sua imaginação criativa em uma grande força receptiva que nunca falhava. Nas palavras desse homem: "Faço isso porque, assim, faço através de ideias que me chegam de dentro".

O falecido Dr. Elmer Gates foi um dos maiores cientistas do mundo, embora nunca tenha publicado seus trabalhos. Patenteou mais de duzentas invenções, muitas delas criadas por meio de um método muito significativo.

Ele mantinha o que chamava de sua "sala das comunicações pessoais". Era um aposento à prova de luz e de som, mobiliado apenas com uma mesinha, uma cadeira, um bloco de papel e alguns lápis. Quando o Dr. Gates queria focar suas forças, ele se fechava nessa sala, sentava-se à mesa e se concentrava nos fatores *conhecidos* da invenção em que estava trabalhando. Logo começavam a espocar em sua cabeça ideias relacionadas aos fatores *desconhecidos* da invenção.

Em uma ocasião ele escreveu rapidamente durante três horas, quase sem ter consciência do que escrevia. Quando finalmente examinou suas anotações, descobriu que continham princípios que não haviam sido descobertos em nenhum outro lugar do mundo científico. Esses princípios resolveram o problema – e abriram caminho para outros homens.

O Dr. Gates ganhou muito dinheiro simplesmente "sentando para ter ideias". Imagine uma grande corporação pagando a alguém de fora só para sentar-se em sua sala e pensar!

Não podemos determinar exatamente onde acaba a experiência e começa a intuição. Já foi dito que a genialidade consiste na capacidade de ver padrões de coisas e projetar esses padrões. A concentração tranquila de forças interiores certamente é uma grande ajuda para invocar miudezas de conhecimento por meio da mente subconsciente e formar com elas padrões nunca vistos antes. Mas além disso está o Invisível, que dá vida a tudo. E isso, de alguma forma, pode ser uma função do sexo? Por que não, quando o mundo todo é macho e fêmea, e até os blocos básicos de construção do universo são partículas de cargas opostas que interagem constantemente?

Resumindo, transmutação do sexo é a capacidade de trocar um desejo de contato físico por um desejo similar de expressão – em arte, literatura, ciência, vendas ou qualquer outra coisa. A troca pode ser feita de maneira tão habitual que não é um ato consciente – mas está sempre ali.

Transmutação da emoção sexual não interfere de forma alguma no ato sexual natural quando realizado em um momento apropriado. No entanto, enquanto a energia é transmutada, não há desejo pelo ato físico. *Outra coisa que é vital e muito importante é ser realizado com a mesma energia.*

Sim, quando você procura "alguma coisa a mais", você a encontra. E quando presta atenção ao que poderia ser *alguma coisa a mais*, mas se tornou *alguma coisa perdida*, em vez disso, também pode vê-la. Você pode ver claramente que muitos homens que poderiam ter sucesso não têm, porque não entendem que sexo é mais que paixão física.

Uma lição a aprender enquanto você é jovem. Lembre-se, nunca é tarde para começar a viver uma maravilhosa vida nova. O potencial está sempre ali, e os meios estão disponíveis a qualquer pessoa que se apodere deles.

Sem dúvida, no entanto, certas lições são mais bem aprendidas enquanto se é jovem. É assim com a utilização da energia sexual.

Um empresário altamente bem-sucedido me disse que, se tivesse aprendido a arte da transmutação sexual em seus dias de ensino médio, poderia ter se tornado multimilionário antes de completar trinta anos. Ele tinha mais de quarenta quando descobriu que sexo é uma energia que pode ser direcionada para muitos canais.

Esse comentário me levou a estudar a idade em que homens bem-sucedidos geralmente alcançam o sucesso. Foi interessante observar que a maioria deles não conquistava grande sucesso até bem depois dos quarenta anos, frequentemente cinquenta, sessenta ou setenta.

Sucesso é bom em qualquer idade, mas, quanto antes você o encontra, mais tempo terá para desfrutar dele. Sucesso depende em alguma medida de experiência de vida; porém, note que eu disse que *a maioria* desses homens bem-sucedidos não alcançou o sucesso antes dos quarenta anos. Uma minoria considerável o conquistou antes dos quarenta, e foi possível perceber que eles haviam aprendido a arte da transmutação sexual.

Isto é o que geralmente acontece: um homem que está explodindo com as energias físicas da juventude se entrega à expressão física do sexo. Isso não o prejudica de nenhuma maneira que ele possa perceber, por isso esse homem nunca entende quanto dessa energia poderia estar favorecendo-o na construção de sua carreira, de sua paz de espírito, mantendo-o mais alerta e receptivo às ideias para seus negócios. Energia sexual transmutada poderia acrescentar calor a seu aperto de mão, força à voz, atração à personalidade. Poderia ajudá-lo a se tornar conhecido como "uma dessas pessoas que é bom conhecer" e admirado por ser "um desses homens antenados". Mas, como sua energia sexual é usada apenas para a expressão física do sexo, ele não sabe o que está perdendo, até muitos anos mais tarde, quando percebe por que pode ter deixado de conquistar o sucesso.

A vida amorosa de um homem, compartilhada com a mulher que ele escolher, pode ser uma força de sustentação maravilhosa para sua carreira – enquanto for doce e boa para seu próprio bem. Às vezes a mulher precisa mostrar ao homem que depende dele sexualmente além do leito conjugal. Em seu papel de provedor, ele ainda é um ser sexual, recorrendo à energia do sexo, *se ela estiver presente*, como uma energia básica que constrói riqueza. Ele deve, portanto, manter alguma reserva dessa energia de forma a poder transmutá-la de maneira consciente ou inconsciente. Além disso, ele estará ainda melhor se exercer algum autocontrole e autodomínio – um poder estritamente humano que nos coloca acima dos animais.

Um homem com mais de quarenta anos tem maior probabilidade de descobrir isso por si mesmo e, como o empresário que mencionei, perguntar-se por que não aconteceu antes. Homens em seus vinte e trinta anos que estiverem lendo isto devem parar e refletir por uma hora.

O poder da parceria amorosa. Para algumas pessoas, parece impossível entender que sexo tem três grandes funções na vida do homem civilizado, além de dar prazer.

(1) É necessário para a perpetuação da humanidade.

(2) Ajuda na manutenção da saúde, como o exercício *apropriado* de qualquer outra função natural.

(3) Transmutado para outros canais, funciona lado a lado com o *ego* para despertar tudo em um homem que deseja realizar, que deseja se superar, e que o estimula com energia adicional, força de personalidade e desenvoltura.

Por outro lado, pode destruir carreira, saúde e fortuna de um homem – mas nesse caso se trata de uma disfunção, e não é culpa do sexo, mas do homem.

Algumas pessoas nunca fazem realmente o esforço para combinar todas as funções do sexo em sua vida, talvez por pensarem que estão "superenfatizando o sexo" ao dar a ele tanta importância. Essa é uma atitude pudica e, como todas as atitudes extremas, é prejudicial.

Alguns insistem em acreditar que, quando um homem canaliza a energia do sexo para os negócios, dá o primeiro passo para a destruição de seu lar. É claro que lares foram destruídos por homens tão apaixonados por ganhar dinheiro que esqueceram que eram casados; mas vamos olhar para o lado positivo do cenário.

Essa história específica chegou até mim não faz muito tempo, pelo homem que a vive. Porém, não é a primeira vez que ouço uma história parecida. Eu poderia fazer o mesmo relato sobre um fabricante de uniformes para condutores de bondes (por volta de 1910); sobre um operador de um antigo "circo voador" (por volta de 1923); sobre um fornecedor terceirizado de equipamentos de botes salva-vidas. Resumindo, a história é atemporal. No momento, ela diz respeito a um homem no campo dos microeletrônicos, em rápido desenvolvimento. Ele está envolvido em uma tecnologia que tem que se inventar à medida que se desenvolve, e seus problemas são multiplicados além dos problemas empresariais comuns.

Quando esse homem se depara com uma decisão importante, nunca decide antes de ter uma relação sexual com a esposa. Então, em parceria amorosa, ele se sente descansado e revigorado. Na manhã seguinte ele toma sua decisão e a põe em prática. O histórico de boas decisões se reflete em seu sucesso, e tenho certeza de que ele transmuta boa parte de sua energia sexual para os negócios. Esse casal é conhecido pela felicidade do casamento e pela harmonia de seu lar.

Outro homem me disse em particular que, no clímax do ato amoroso sexual com a esposa, ele tem lampejos de inspiração que o têm guiado corretamente em todos os seus assuntos. Ouso dizer que isso é incomum, mas serve para mostrar que sexo não existe em um compartimento separado de nossa vida; ele permeia toda a nossa existência.

A mulher que faz o mundo de um homem. Já ouvimos dizer: "Por trás de todo grande homem existe uma grande mulher". Essa afirmação não é 100% verdadeira; mas, quando você encontra um exemplo em que ela não corresponde à realidade, deve perguntar: *Por que não*? Ocasionalmente, você vai encontrar uma personalidade retumbante que diz que é homem suficiente para não precisar da influência das mulheres, mas é possível que ele não seja capaz de fazer muito sem mulheres ou sem homens; ou que tenha dúvidas internas tão profundas sobre a própria masculinidade que as compense dessa maneira.

O maior impulso do homem vem de seu desejo de agradar e proteger as mulheres! O caçador da Pré-História que levava dois ursos para a caverna, enquanto o vizinho levava só um, certamente esperava não só comer o urso extra, mas também sentir o orgulho que teria ao exibi-lo para sua mulher. O "caçador" do presente leva para casa os meios para comprar confortos e luxos que vão muito além do necessário para simplesmente sustentar a vida, e, se for honesto, ele vai dizer orgulhoso que faz isso por sua mulher.

Aquele estranho e grande homem, Abraham Lincoln, não era feliz com sua esposa. Ela não era a mulher com quem ele pretendia se casar. Essa mulher, Ann Rutledge, morreu antes de se casar com ele, e sua morte foi um dos muitos infortúnios que moldaram sua grandiosidade. O poder da jovem moça da fronteira se estendeu da sepultura para toda a nossa história subsequente.

Fico satisfeito quando um homem que ganhou muito dinheiro, ou conquistou grande poder, ou ambos, homenageia sua esposa. Muitas vezes ela é uma pessoa quieta, mas você conhece a influência que ela exerceu sobre aquele homem e sabe que eles sempre foram e sempre serão parceiros. Você vê sucesso, vê os símbolos do sexo – um homem e uma mulher – e sabe que essa vida tem sido vivida completamente.

Sua mente tem muitos poderes, e, quando você encontrar o Segredo Supremo, saberá que encontrou a chave para todo o poder mental que possui.

VERIFICAÇÃO DO CAPÍTULO 8:

Emoção sexual transmutada pode eletrizar sua vida

O mesmo livro pode ser escrito duas vezes e ganhar alguma força, porque na segunda vez ele foi escrito com energia sexual transmutada. Diferentemente dos animais, o homem conhece a atividade sexual em todas as estações, e esse pode ser um motivo para o sexo ser tão frequentemente mal compreendido. Sexo muitas vezes é rotulado como um pecado capital a ser evitado; muitas vezes é pervertido; muitas vezes é vulgarizado. Quando é visto e usado como a grande força criativa da vida, pode, nos momentos certos, ser desviado do ato físico e tornar-se uma fonte de realização vitalícia.

Pessoas bem-sucedidas são altamente sexualizadas

Até um vendedor que parece um vagabundo pode realizar uma venda difícil por meio do poder da emoção sexual transmutada. A religião frequentemente recebe sua força por meio da emoção sexual. Grandes artistas sabem como canalizar sua energia sexual em arte. Trabalhadores especializados também demonstram os bons efeitos da emoção sexual transmutada. Examinando a história, podemos ver que muitos homens deixaram sua marca no mundo transmutando a energia sexual na energia de suas realizações individuais.

Energia sexual e o "sexto sentido"

Por ser fortemente aliada ao ego, a energia sexual pode elevar a ação cerebral além de suas limitações ordinárias. Um grande orador usava sua energia sexual para ter ideias arrebatadoras com as quais impressionar suas plateias. Um grande cientista usava a mesma força dinâmica para resolver problemas de invenção. Resumindo, transmutação sexual é a capacidade de mudar um desejo de contato físico em um desejo similar de expressão em algum outro campo. Essa transmutação não interfere de maneira alguma no ato sexual natural.

Uma lição a ser aprendida enquanto se é jovem

A maioria dos homens não se torna realmente bem-sucedida até ter mais de quarenta anos. Seu sucesso muitas vezes é postergado porque, na juventude, eles colocaram valor demais na expressão física do sexo e nunca perceberam quanto ele poderia contribuir para seu poder de ganhar dinheiro. Às vezes uma mulher precisa mostrar ao marido que a energia do sexo é importante além do leito nupcial. Em uma vida bem equilibrada que conhece a parceria do amor, o ato físico do sexo se torna tanto uma fonte de felicidade quanto uma fonte de força que constrói uma carreira.

9

PARA TER SUCESSO NA VIDA, TENHA SUCESSO EM SER VOCÊ MESMO

Só o homem que encontrou seu verdadeiro eu pode se conhecer, encontrar seus melhores talentos e alcançar seu maior sucesso. Precisamos viver nossa própria vida, e essa atitude deve ser incutida na infância. De ser você mesmo decorre o autocontrole, uma poderosa fonte de força para lidar com circunstâncias e pessoas. Atenção para, ao tentar acumular dólar sobre dólar, não ceder muito de si mesmo, porque é verdadeiramente rico o homem que conhece a própria mente, bem como a própria fortuna.

"Viva sua vida!", eu disse no primeiro capítulo. Agora, como planejado, voltamos ao mesmo grande tema. Espero que esteja agora completamente receptivo à ideia de ser você mesmo e viver sua vida. A essa altura, você viu quanto essa qualidade interior tem a ver com a libertação de suas forças mais poderosas.

De maneira semelhante, você viu neste livro que dei alguma atenção, mas não muita, aos "detalhes práticos" de ganhar uma vida muito boa. O motivo não é que "detalhes práticos" não são importantes; eles são muito importantes. Este livro, no entanto, é dedicado a ajudá-lo a encontrar e usar *os impulsos básicos que fazem um homem*. Quando terminar de ler este livro – quando tiver lido e dominado este livro –, os detalhes práticos virão prontamente à sua mão, e você terá as habilidades que transformam esses detalhes práticos em um poderoso edifício de boa fortuna. Quando os impulsos básicos não estão sob seu controle consciente, os componentes de uma vida rica, compensadora, ficam espalhados, e você pode passar a maior parte da vida procurando uma peça que falta.

Voltamos agora à arte de viver a própria vida e ser você mesmo, e vamos examinar melhor como essa habilidade o fortalece e sustenta.

Um dia desses, você vai estar em uma loja de roupas. Se um vendedor disser "Isso é o que todo mundo está usando nesta estação", não se deixe convencer. Seja você mesmo. Escolha cores, tecidos e estilos que combinam com *você*. Diga ao vendedor que você prefere alguma coisa que *não* seja usada por todo mundo. Ou saia dessa loja sem comprar nada, ou compre levando em consideração apenas os seus gostos.

Um dia desses você vai estar em um restaurante. Os garçons muitas vezes recebem orientação do proprietário ou do cozinheiro para "empurrar" algum item, talvez por render um bom lucro, talvez por ter muito em estoque. Se o garçom insistir em sugerir alguma coisa, sorria, balance a cabeça e peça exatamente o que quiser do cardápio.

Você pode admirar muito uma pessoa por uma habilidade ou um talento especial. Com a intenção de exercitar talento semelhante, você pode decidir que vai "ser" aquela pessoa. Terá perdido muito tempo e desperdiçado esforço antes de descobrir que personalidade é algo muito sutil e que ninguém pode "ser" outra pessoa sem prejudicar a própria personalidade e danificar os impulsos que podem torná-lo grande à sua maneira.

Na juventude, decidi escrever como Arthur Brisbane escrevia. Ele era um escritor muito versátil e capaz, com muitos admiradores, e achei que estava sendo esperto quando me dispus a copiar seu estilo. Um amigo me fez parar quando comentou que, se eu copiasse Brisbane, nunca desenvolveria um estilo próprio. Naquele momento pus Brisbane de lado, e o sucesso dos meus livros justificou a decisão de não ser Arthur Brisbane, mas Napoleon Hill.

Crianças tentam imitar pessoas mais velhas, o que é compreensível. Vejo muitas crianças crescidas tentando acompanhar fulano financeiramente, ou manter o ritmo social que beltrano criou, com resultados desastrosos. Enquanto não estiver disposto a ser você mesmo, em seu próprio nível, você não pode se conhecer, nem saber o que *sua* mente é capaz de realizar.

Não se deixe subornar por ninguém para deixar de ser você mesmo. Você vai ganhar dinheiro, e, assim que isso acontecer, outras pessoas verão que você tem o que é necessário. Ótimo! Mas é nesse ponto que muitos homens se perdem. Depois de se construir interiormente e atrair atenção dessa maneira, eles cedem à "grande oportunidade" de parar de construir a própria riqueza e paz de espírito, e prendem-se aos negócios de terceiros.

Já me contaram sobre um homem que ocupa um escritório luxuoso em uma enorme companhia que fornece componentes essenciais no campo aeroespacial. Ele não trabalha duro, e ganha um salário de seis dígitos mais bônus. Pode realizar quase todo desejo razoável que possa ser atendido com dinheiro. Mas não pode se comprar de volta; ele se deixou subornar para longe de si mesmo. Então, ele fica ali deprimido atrás de sua mesa de US$ 500, desejando que não tivesse deixado a grande empresa comprar a pequena empresa em desenvolvimento que um dia foi dele mesmo – e com isso comprando também toda a aventura e a satisfação pessoal que um dia ele conheceu.

No tempo em que US$ 25 mil compravam o que US$ 75 mil compram hoje – e eu não ganhava nem a metade de US$ 25 mil por ano, mas estava absorto no que fazia –, eu trabalhava duro e com alegria para publicar a *Golden Rule Magazine*. Talvez por ter sido conselheiro de Woodrow Wilson, fui procurado por Ivy Lee, o especialista em relações públicas que já mencionei. Ele queria que eu me juntasse à sua equipe e me tornasse *ghostwriter* para um de seus clientes – Rockefeller.

Por um momento me senti tentado. Ouvi as condições: US$ 25 mil por ano, um contrato de cinco anos e, é claro, encerrar a *Golden Rule Magazine*.

O momento passou e voltei a ser eu mesmo. Respondi: "Nada feito, Sr. Lee". Se o salário fosse US$ 1 milhão por ano, minha resposta teria sido a mesma.

Mais tarde, de livre vontade, desisti da associação com a *Golden Rule Magazine*. Lamentei então ter recusado a oferta de Ivy Lee? De jeito nenhum. Meu nome e minha carreira seguiam sendo meus. Preservava e ainda preservo o direito de viajar sob meu nome na direção que eu escolher, assumir total responsabilidade por meus erros e todo o crédito por meus sucessos.

Na época, as pessoas me disseram que eu tinha cometido um grande engano ao recusar aquela bela oferta, e até me incentivavam a entrar em contato com o Sr. Lee e perguntar se a proposta ainda era válida. Se realmente havia sido um engano, disse a mim mesmo, eu só precisava lembrar que cada engano carrega em si a semente de um benefício maior. E, quando olhei para o que havia realizado ao espalhar os segredos da felicidade e do sucesso por uma grande parte do mundo, vi que só havia conseguido esse sucesso sendo eu mesmo.

Comece hoje – agora – a fazer tudo que for possível para ser você mesmo. Quando entrar em uma loja de roupas, ou em um restaurante, ou em qualquer outro estabelecimento onde será servido – em troca do seu dinheiro –, decida com tranquilidade e em silêncio que vai ser você mesmo. Em suas conversas com outras pessoas, em suas transações pessoais, em tudo que puder fazer e que seja compartilhado com outras pessoas ou as afete, seja você mesmo. Menciono outras pessoas porque é muito comum negligenciarmos o relacionamento com terceiros, e você pode ser completamente quem é, e ser reconhecido por ser quem é, sem deixar de respeitar os direitos dos outros.

Na Introdução, relacionei várias bênçãos associadas à paz de espírito. Apontei que paz de espírito é a base sobre a qual construímos um bom negócio de dinâmica de vida. Agora, meio que se sobrepondo à mesma lista e a ampliando, de certa forma, vou relacionar 43 itens que se aplicam a ser você mesmo. Poucas pessoas se reconhecerão completamente nesta lista, mas, se você pegar um lápis e marcar cada item que decidir honestamente que se aplica a *você*, ela será muito reveladora.

1. O homem que é ele mesmo de maneira consistente sustenta sua atitude em todas as circunstâncias, sejam elas favoráveis, sejam desfavoráveis.
2. Ele tem controle sobre suas emoções em todos os momentos.
3. Ele tem autossuficiência e autoconfiança em tudo que se propõe a fazer.
4. Ele não se deixa apressar a tomar nenhuma atitude descuidada.
5. Progressivamente, se tem sucesso, ele controla suas horas de trabalho e as condições em que trabalha.
6. Ele nunca implica ou reclama sobre alguma coisa ou alguém.
7. Ele nunca difama ou condena alguém.
8. Ele nunca fala sobre si mesmo, a menos que seja necessário, e nunca de maneira a se gabar.

9. Ele tem a mente aberta a todos os assuntos, com todas as pessoas.
10. Ele não teme nada ou ninguém.
11. Ele administra seus assuntos com tranquila definição de objetivo.
12. Antes de expressar uma opinião, ele garante que tem os fatos, e não tem medo de dizer "não sei".
13. Ele não tem preconceitos raciais ou religiosos.
14. Ele come moderadamente e evita qualquer outra forma de excesso.
15. Sem fingir ser um especialista em todos os assuntos, em todos estes ele pensa por si mesmo.
16. Ele é um cidadão responsável que não pode ser influenciado por nenhum "ismo" que seja prejudicial a seu país ou sua economia.
17. Ele não dá a ninguém motivo para ser seu inimigo (mas você não pode fazer nada se alguém não gosta de você por causa de seu sucesso).
18. Ele está em paz com ele mesmo e com toda a humanidade.
19. Ele não pode jamais ser pobre ou miserável, porque, aconteça o que acontecer, no fundo ele permanece feliz e próspero.
20. Todos os membros da família o amam e se alegram com o som de seus passos quando ele chega em casa.
21. Ele expressa gratidão diariamente por todas as bênçãos e as compartilha com todos que tenham direito a uma parte delas.
22. Ele não procura se vingar de malfeitos ou injustiças cometidos contra ele.
23. Quando fala de outras pessoas, ele faz todo o esforço para evitar mencionar seus erros, independentemente de quanto esses erros possam tê-lo afetado.
24. Ele olha para o futuro estudando o passado, e reconhecendo que a história costuma se repetir, que verdades eternas não mudam com o tempo.
25. Ele mantém uma atitude mental positiva.

26. Ele é lento para acusar, rápido para perdoar.
27. Quando outras pessoas cometem erros honestos, ele faz concessões.
28. Ele não vai lucrar em nenhuma transação se isso for prejudicar outra pessoa.
29. Ele se mantém livre da escravidão da dívida.
30. Tendo adquirido toda a riqueza que pode usar de maneira benéfica, ele não tenta obter mais; mas tem toda a segurança de que pode obter mais, caso seja aconselhável.
31. Ele converte todas as adversidades e derrotas em vantagens.
32. Diante da derrota, ele sabe que todas elas são temporárias.
33. Ele tem um objetivo principal na vida e se mantém ocupado na busca por realizá-lo.
34. Se ele foi desviado de seu objetivo, analisa a experiência e lucra com ela.
35. Sua vida é o que ele quer que seja, e ele sempre esperou que fosse exatamente assim.
36. Ao criar sucessivas imagens do sucesso em sua mente e realizá-las, ele deixa seus feitos, não suas palavras, exibirem esse seu sucesso para outras pessoas.
37. Ele é benquisto por muitos tipos diferentes de pessoas; pessoas de todas as raças e credos.
38. Ele é um exemplo vivo do que um homem pode ser nos Estados Unidos da América quando se apodera da própria mente e se dispõe a viver e deixar viver.
39. Ele não é mais afetado por pânicos e depressões financeiras do que por assuntos que afetam só a ele mesmo.
40. Ele tem facilidade para conquistar total e sincera cooperação de terceiros.
41. Ele é justo com seus adversários, mas é praticamente imbatível, porque tem um poder desconhecido pela maioria dos homens.

42. Ele é forte contra a decepção, porque sabe que qualquer coisa pode acontecer com ou sem uma causa óbvia.
43. Ele faz seu melhor sempre, e nunca sente necessidade de se desculpar quando as circunstâncias se voltam contra ele.

Quantos itens você marcou? Se tiver três quartos dessas virtudes, você provavelmente é consciente de que "é dono do próprio nariz", vive sua vida, conhece sua mente, é você mesmo sem medo ou constrangimento.

Ao ler essa lista você pode ver quanto ela é abrangente. Qualquer um desses tópicos poderia ser expandido em um discurso considerável, e muitos outros pontos de vista construtivos são inerentes aos mencionados. Se você agora voltar algumas páginas no livro e olhar o Sumário, vai ver quantas outras áreas de concepção mental e percepção física são relacionadas a essa lista. Isso é como deveria ser. Estamos falando de um jeito universal de viver.

Você pode ajudar outras pessoas sem interferir em sua autonomia. Citei vários exemplos de como ajudei outras pessoas. Perceba que a ajuda realmente eficiente deriva não de "comandar" a outra pessoa, mas de ajudá-la a encontrar e usar qualidades ou sucesso que estão esperando para serem usados. Não se pode carregar os outros pela estrada do sucesso; mas é possível indicar o caminho *ajudando os outros a se ajudarem.*

Uma criança pode receber umas palmadas a fim de que adote um comportamento aceitável para os pais – às vezes –, mas essa criança não aprendeu nada. Vou me lembrar das surras que levei de meu pai porque resistia a passar horas intermináveis sentado na igreja enquanto cinco ou seis "batistas durões" se esforçavam para fazer a congregação participar das desgraças do inferno.

Em uma manhã de domingo, meu pai me seguiu até o rio, onde eu havia organizado meu equipamento de pesca. Ele quebrou tudo e me deu uma surra que teria feito a Sociedade Protetora dos Animais atacá-lo se o surrado daquele jeito fosse um de seus cavalos.

Minha maravilhosa madrasta ouviu meus gritos e chegou correndo para me ajudar. Ela tirou meu pai de perto de mim e disse: "Se você algum dia bater nessa criança de novo, vou embora para sempre. *Não pode deixar o menino viver a vida dele?*".

Por mais que me lembre das surras, lembro-me melhor de uma frase que se instalou em minha jovem mente como uma luz gloriosa. Meu pai nunca mais me bateu, e creio não ter dado a ele motivo para me bater. Mas vivi minha vida, talvez cedendo aqui e ali, como uma criança deve ceder, mas sempre ganhando mais e mais liberdade para ser *eu mesmo*, porque minha mente concebeu com muita firmeza que ser eu mesmo era o que eu queria. Quero acrescentar que a influência de minha madrasta finalmente fez de meu pai uma boa pessoa. Uma criança também pode ouvir tantos sermões impiedosos, ser tão corrigida e advertida interminavelmente "para seu próprio bem", que logo não resta nenhum autorrespeito. A criança se torna um adulto que vai se apoiar nos outros para sempre.

Nunca interfira em como alguém cuida da própria vida. Não faça sermão, a menos que seja um pregador profissional. Não ensine de maneira insistente e sem arrependimento a menos que seja professor; e, mesmo assim, ensinar deve ser algo limitado ao ensino de habilidades definidas e conhecimento.

Não espere que nenhuma outra pessoa corresponda à sua definição de "perfeito". Não espere que nada pareça perfeito para você, e tenha em mente que imperfeições conferem variedade ao mundo. Ao dizer isso, lembro-me de um homem que disse que, se existia um paraíso, ele não queria ir para lá quando morresse. Interessado, pedi para ele explicar.

"Bem", ele disse, "não vejo nenhum contentamento em viver onde tudo é perfeito".

Não creio que seja um acidente que esse homem seja um dos empresários mais conhecidos da América e que tenha uma grande medida de paz de espírito. Além disso, nunca ouvi falar dele tentando reformar ninguém. Ele diz, como também quero dizer, que é perfeitamente possível se dar bem com as pessoas como elas são, com seus defeitos – e com todas as suas virtudes.

Uma boa maneira de manter a posse de sua mente e deixar que os outros façam a mesma coisa é guardar para si certos pontos de vista. Você não precisa viver se explicando, e muitas vezes isso é um erro. Isso vale particularmente para assuntos polêmicos, como religião e política. Expor seus pontos de vista nesses assuntos quase sempre acaba causando conflito desnecessário.

Ninguém sabe qual é minha posição política ou minha religião. Ninguém, portanto, pode me aborrecer ou se aborrecer em relação às minhas posições.

Muitos bisbilhoteiros tentaram invadir meus pensamentos para ver o que descobriam nessas áreas. Uma vez uma mulher escreveu para mim: "Por que não vejo nenhuma menção a Jesus nos seus escritos?".

Respondi: "Senhora, se lesse qualquer um dos meus livros no espírito em que os escrevi, encontraria Jesus em todas as páginas – mas nas entrelinhas, não nas palavras impressas".

Autocontrole dá força. Para ser você mesmo, pratique autocontrole. Poucas pessoas têm dificuldade para controlar suas ações físicas, mas talvez nunca parem para perceber que ações físicas começam na mente. Um homem cuja mente concebe apenas uma pequena e assustada visão de vida age exatamente como um homem que concebe só uma pequena e assustada visão de vida.

Uma pessoa que tem autocontrole tem força – repito, *força* – negada a muitos outros. Acima de tudo, tem a força para ver situações claramente, julgá-las pelo que realmente são e aumentar muito a porcentagem de situações de vida que reverte em benefício próprio e dos outros.

Olhe a lista de 43 itens algumas páginas atrás neste capítulo. O número 22 diz que uma pessoa que é dona de si mesma nunca busca vingança contra ninguém. Vamos usar esse exemplo muito bom. A vingança pode ser falsamente doce, mas é um doce veneno para a personalidade, e, para a paz de espírito, é como misturar óleo em água.

Quem está em melhor posição para vingar-se de alguém que o prejudicou, mas busca uma indicação para o cargo público, que o presidente dos Estados Unidos? Muito bem, vamos examinar um dos nossos presidentes – primeiro, uns cinco anos antes de ele alcançar esse alto posto.

Quando menciono que ele era então advogado em Springfield, Illinois, você não tem dificuldade para identificar Abraham Lincoln. Uma de nossas mais antigas grandes indústrias estava em dificuldades legais, e Lincoln foi indicado pelo tribunal para trabalhar com dois outros advogados no caso. Mas esses dois advogados eram homens famosos de cidade grande. Eles esnobaram o desajeitado advogado do campo. Quando ele se esforçava para preparar os documentos do caso, os dois nem os liam.

Pior ainda, nem sentavam-se à mesma mesa com ele. Isso era uma humilhação pública, e devia doer amargamente.

Cinco anos se passaram. O homem magro e de rosto triste foi eleito presidente. Logo chegou a hora de escolher seu gabinete, inclusive um secretário de Guerra. Um homem se destacava como a melhor opção para esse posto ameaçadoramente importante – Edward M. Stanton. E Lincoln lembrou-se de que Stanton era um dos advogados que o trataram tão mal em seus dias de Springfield.

Mas ele nomeou Stanton seu secretário de Guerra. Alguma dúvida de que Lincoln era senhor de si mesmo – para seu próprio bem, para o bem de todos?

Muitos homens relacionam a descoberta do autocontrole a alguma experiência dramática. Sei que esse é meu caso. Mencionei que aprendi paz de espírito do jeito mais difícil, por tentativa e erro – e essa experiência é um bom exemplo.

Eu tinha um escritório em um prédio antigo. Um dia, o zelador e eu tivemos um desentendimento. Depois disso, o zelador decidiu mostrar seu desprezo por mim. Muitas vezes, quando eu ficava trabalhando até tarde, ele apagava todas as luzes do prédio e me deixava no escuro. Eu ainda era capaz de ferver com a raiva contida, e essa fervura aumentava gradativamente.

Um domingo, entrei em meu escritório para preparar uma palestra que faria na noite seguinte. Assim que me sentei atrás da mesa, as luzes se apagaram.

Levantei-me e corri até o porão. Lá encontrei o zelador alimentando a caldeira e assobiando contente. Toda a minha raiva contida explodiu, e eu o ataquei com adjetivos mais quentes que a caldeira.

Quando esgotei as palavras, ele endireitou o corpo, sorriu e disse: "Ora, está um pouco agitado hoje, não está?".

Ele tinha mantido a pose. Eu, um estudante de psicologia avançada, um expoente da filosofia da Regra de Ouro, um estudante das obras de Shakespeare, Emerson, Sócrates e a Bíblia, estava ali diante de um homem quase analfabeto, e sabia que ele era o melhor homem dos dois.

Voltei lentamente ao meu escritório. Sentei-me e refleti, e depois de um tempo soube que devia pedir desculpas àquele homem. Não, eu disse, não poderia e não iria. Mas acabei me levantando, consciente de que precisava ter paz com ele e paz no meu coração.

Quando cheguei ao porão, o zelador tinha ido para o apartamentinho dele. Bati delicadamente na porta. Ele abriu e, com um tom calmo e gentil, perguntou o que eu queria.

Eu disse que queria me desculpar pelo mal que havia causado ao xingá-lo.

O sorriso simples se espalhou por seu rosto. "Ninguém escutou além dessas quatro paredes", disse. "Não vou contar nada a ninguém e sei que você também não vai contar, então, vamos esquecer isso tudo."

Trocamos um aperto de mãos. Não houve mais atrito entre nós, nem provocações. E alguma coisa em minha mente assumiu o controle sobre si mesma. Resolvi que nunca mais perderia o controle, nunca mais perderia de vista o *eu* que existia como uma concepção mental e que, dali em diante, nunca mais vacilaria.

Uma vez tomada essa decisão, minha caneta começou a adquirir mais poder. Minhas palavras faladas foram recebidas com total atenção. Comecei a fazer amigos com facilidade e me tornei muito mais capaz de mostrar aos outros como se encontrarem, serem eles mesmos e usarem o autoconhecimento para ganhar uma fortuna.

Fiz uma mudança *perfeita*? Não completamente. Havia algum tempo eu tinha consciência de uma série de duros ataques contra mim praticados por certo jornalista. Durante quatro ou cinco anos, ignorei esses ataques, mas eles se tornaram tão ultrajantes que decidi deixar de lado minha política de paz e revidei. Sentei-me diante da máquina e comecei a escrever. Escrevi muito, preenchi páginas com amargas injúrias. Quanto mais escrevia, mais furioso ficava. Finalmente, escrevi minha última linha – e então um sentimento estranho me invadiu. Não era um sentimento de raiva contra o homem que tinha tentado me desacreditar, mas um sentimento de piedade e perdão. Nunca enviei aquela carta.

O que aconteceu? Na minha opinião, meus dedos datilografando furiosamente transferiram minhas emoções reprimidas de ódio e ressentimento para o papel, e eu me livrei dessas emoções. De certa forma, tinha me psicanalisado e limpado o porão escuro da minha mente subconsciente.

A experiência me deu dois benefícios. O primeiro e maior foi a percepção de que, sempre que a raiva se apoderasse de mim, eu poderia "escrevê-la até tirá-la do peito". É um ótimo método, e você pode experimentar. Alguns têm o mesmo efeito com uma longa e rápida caminhada; outros se dedicam a violenta atividade atlética, depois sentem o autocontrole retornar. Outros extravasam o mau humor na esposa – mas é claro que isso é prejudicial às duas partes.

Meu segundo benefício foi consequência de arquivar algumas coisas que escrevi com raiva e examiná-las anos mais tarde, quando tinha adquirido maior compreensão. Experimente isso também, e você vai descobrir um processo muito interessante, porque, quando você se conhece, vai conhecer cada vez mais um eu melhor. É uma alegria dizer que não precisei desse alívio para a raiva por uns bons anos, porque a raiva não consegue mais escapar dos meus Príncipes Guardiões.

Sua mente é seu único mestre. Você não teve nada a ver com sua chegada a este mundo. Pode ter pouco ou nada a ver com sua partida dele. Mas tem quase tudo a ver com sua vida enquanto a vive. Você pode ser o senhor de seu destino, o capitão de sua alma, pelo simples processo de tomar posse de sua mente e usá-la para guiar a própria vida *sem interferir na vida dos outros*.

Perceba a conexão entre dominar-se e não tentar dominar os outros. Uma importante razão para infelicidade é a tendência de interferir na vida dos outros enquanto dedicamos pouco tempo a tentar melhorar a nossa.

Ninguém mais pode fazer o trabalho de se apoderar da *sua* mente, nem você deve permitir que alguém tente. Sua mente é seu mestre; no entanto, sua mente pode ser um mestre tão gentil que responde às suas necessidades e desejos e encontra maneiras de torná-los realidade quando são definidos. Todas as outras criaturas na Terra são limitadas durante toda a vida por um padrão fixo de instinto do qual não podem escapar. Você é limitado apenas pelo padrão que estabelece em sua mente. Você não é limitado por mais nada.

Seja paciente em sua busca por paz de espírito. Se paz de espírito fosse uma qualidade que se pudesse adquirir com uma lição simples, eu ficaria feliz em mostrar o caminho em uma carta breve, em vez de escrever um livro. Este livro que aborda os temas de riquezas e paz de espírito a partir de tantos ângulos é construído de acordo com um grande plano que pode ser comparado ao plano do fazendeiro para arar seus campos, semear suas sementes, cuidar da safra e esperar a colheita. Lembre-se do fazendeiro e seja confiante e paciente. E, como o fazendeiro, use pensamento e ação de maneiras que provaram seu poder para fornecer um resultado desejado.

Se encontrar adversidade, encare-a como uma lição valiosa. Nos dias de juventude, eu costumava me esquivar da adversidade. Agora, quando a vejo vindo em minha direção, digo "Olá! Não sei que lição veio me ensinar, mas, seja o que for, vou aprender tão bem que você não vai ter que voltar".

Depois que aprendi a viver minha vida, notei que as adversidades se tornaram cada vez menos frequentes, mais fracas, até que finalmente deixaram de aparecer.

Viver a própria vida pode exigir alguma "faxina". Quando chegamos à idade adulta, muitos de nós adquirem uma boa quantidade de tralha na vida. Quando começa a se conhecer e conhece a imagem da vida que quer construir, você reconhece essa tralha. Jogue-a fora!

Você pode começar descartando alguns conhecidos que desperdiçam seu tempo, interferem em seus esforços e tentam controlar você. Limpe-os! Não é necessário transformá-los em inimigos, mas, quando quer ser você mesmo, você encontra meios de evitar qualquer pessoa que tenta negar seu inalienável direito de ser você mesmo.

Também tem a tralha autoimposta, que resulta de não ter uma ideia clara de como você deseja usar cada dia. Faça um orçamento de tempo. Distribua o tempo em favor das "necessidades" que se aplicam a qualquer um que queira viver a própria vida de maneira rentável e agradável.

Oito horas por dia é uma boa porção para dormir e descansar.

Oito horas por dia é uma boa porção para trabalhar em seu negócio ou profissão; mas, quando seu padrão de sucesso na vida se tornar mais forte, provavelmente suas horas de trabalho vão diminuir.

As oito horas restantes são particularmente preciosas. Você deve dividi-las em vários períodos, e cada um deles será dedicado a alguma coisa que você quer fazer, não algo que tem de fazer. O que você quer fazer? Pare agora e pense. Faça uma lista, por exemplo:

Jogar

Desfrutar de vida social

Ler

Escrever

Tocar um instrumento musical

Aumentar seu conhecimento em algum campo que não tem nenhuma relação com seu sustento

Cuidar do jardim

Construir bugigangas em sua oficina doméstica

Fazer trilhas

Andar de barco

"Só sentar" e ver as nuvens ou as estrelas

Repito, essas oito horas restantes são particularmente preciosas. Elas são SEU TEMPO LIVRE, em que você pode viver sua vida exatamente como quer vivê-la. Você pode descobrir que isso exige alguma coragem. Pode ter adquirido uma noção exagerada de dever em relação aos outros (frequentemente uma descrição bonita para simples interferência). Talvez você se lembre bem de ter ouvido na infância uma bobagem como "cabeça vazia, oficina do diabo". Mas é preciso coragem para ser você mesmo e evitar as pressões para ser como outras pessoas e deixá-las viver a vida por você.

Nos estágios iniciais da conquista do sucesso, você pode, muito logicamente, dedicar parte desse tempo para estudar uma profissão, ou fazer outras coisas que melhorem sua capacidade de ganhar status. Mas não deixe um dia passar sem reservar algum tempo para você mesmo – um tempo para dedicar ao puro prazer, do seu jeito. Isso é parte de ser você mesmo. Isso o ajuda a estar sempre em contato com você mesmo, digamos assim. Com o sucesso crescente, aumente suas horas de puro prazer; não permita que essas horas sejam devoradas por negócios ou por qualquer outra coisa.

Algum tempo atrás, um amigo íntimo veio me visitar. Ele me encontrou vestindo *short*, deitado na grama no quintal e jogando bola com meus cachorros.

"Que cena", ele exclamou. "Acho que não iria querer que seu público o visse como está agora."

"Eu não me importaria nem um pouco", respondi. "Gostaria que as pessoas soubessem que pratico o que prego. Estou aqui fazendo exatamente o que quero fazer neste momento. Alguém pode estar melhor do que quando faz o que quer fazer?"

Se havia um homem que precisava de simples liberdade, esse homem era meu amigo. Ele passava muito mais que oito horas por dia na operação executiva de uma grande casa financeira, e muitas vezes trabalhava até tarde da noite. Com milhões de dólares, ele não tinha paz de espírito, e a saúde começava a sofrer as consequências.

Ele telefonou para mim no dia seguinte. "Adivinhe o que estive fazendo na última hora!"

"Nem imagino, mas certamente quero saber."

Ele riu com alegria.

"Brincando com meu cachorro, e é maravilhoso!" Um momento de silêncio, depois ele disse: "Acredite em mim, vou brincar e *viver* daqui para a frente!".

Defini os pensamentos-chave deste livro muitos anos atrás. Woodrow Wilson leu o que eu tinha escrito e disse: "Isso inspirou pensamentos que não eram deste mundo".

Em outra ocasião, recebi o presidente Wilson como havia recebido meu velho amigo, de *short*, brincando com meus cachorros. Ele ficou grato. Aquele homem sobrecarregado compartilhou, mesmo que só por alguns minutos, a bênção de ter tempo para ser sua versão relaxada.

Quando você se vê como seu próprio mestre e põe essa visão em prática, você usa o Segredo Supremo.

VERIFICAÇÃO DO CAPÍTULO 9:

Os impulsos básicos que fazem um homem

Os "detalhes" de ganhar dinheiro são importantes, mas seus impulsos básicos são o que transforma os detalhes em um poderoso edifício de boa fortuna. Em uma loja de roupas, em um restaurante, aonde quer que vá, exercite a arte de ser você mesmo. Evite imitar alguém a qualquer momento em sua carreira, porque assim pode suprimir talentos que são unicamente seus e podem construir sua fortuna.

Não se deixe subornar por ninguém para deixar de ser quem é

Você vai ganhar dinheiro, e por isso é provável que receba ofertas cujo propósito seja amarrá-lo aos assuntos de outra pessoa, em vez dos seus. Isso pode funcionar bem, mas para alguns pode significar vender sua paz de espírito e noção de individualidade. Verifique a lista de 43 itens que o ajudam a se ver como você é e como pode ser – uma pessoa realmente no comando da própria mente e invencível nisso.

Todo ser humano precisa viver a própria vida

Você ajuda os outros não interferindo na vida deles, mas sim os ajudando a encontrar e usar as próprias qualidades de sucesso. É importante dar a uma criança tanta liberdade quanto é possível. Não faça sermão, a menos que seja um pregador profissional, nem ensine de maneira muito densa. Aceite as falhas das pessoas, bem como suas virtudes, porque até suas falhas tornam o mundo mais variado e interessante.

Autocontrole lhe dá força

Quando guarda para si a maioria de seus pontos de vista, você fortalece sua noção de autodomínio e também evita atrito desnecessário com terceiros. Autocontrole o ajuda a controlar muitas situações de vida que, de outra maneira, poderiam não funcionar a seu favor. Ele o ajuda a agir por seu próprio bem e pelo bem dos outros, apesar de sua raiva ou de outras ambições.

Sua mente é seu único mestre

Sua mente precisa conceber primeiro tudo o que você realiza, mas sua mente é um mestre bondoso e vai encontrar meios de conquistar o que você deseja com sinceridade e coerência. Outras criaturas são limitadas por um padrão fixo de instinto, mas você só é limitado pelo padrão que estabelece em sua mente. Seja paciente em sua busca por paz de espírito. Acima de tudo, aprenda a grande lição de que todo dia deve ter uma boa porção de tempo em que você se dedica a seu prazer pessoal.

10

O GRUPO DE MASTERMIND – UM PODER ALÉM DA CIÊNCIA

As grandes realizações de sua vida – construídas primeiro como conceitos mentais, depois tornadas reais – não são limitadas ao poder de sua mente. Incontáveis outras mentes podem sintonizar a sua e entregar pensamentos por meio de vibração etérea. Formar um grupo de MasterMind é uma boa maneira de começar o processo de sintonização, e, quando você formar seu grupo, vai saber que está usando uma técnica que comprovou poderosamente seu benefício entre muitos homens conhecidos. Todas as grandes realizações são resultado de múltiplas mentes trabalhando juntas em harmonia.

Henry Ford era ignorante?

Em vez de tentar formar sua resposta, que deve vir de dentro de você, vou falar sobre uma experiência que o fundador da Ford Motor

Company teve em um tribunal. A experiência realmente incluiu todos naquele tribunal e também muitas pessoas fora dele.

Como sabemos, o Sr. Ford teve pouca escolaridade formal. Talvez por isso, o *Chicago Tribune*, que se incomodou com algumas posições dele sobre a guerra, o tenha chamado de ignorante. O Sr. Ford processou o jornal por difamação.

Quando os advogados do *Tribune* interrogaram o Sr. Ford no banco das testemunhas, submeteram-no a uma sabatina para tentar provar que a afirmação era verdadeira.

Uma pergunta que eles fizeram foi: "Quantos soldados os britânicos mandaram para sufocar a rebelião nas colônias em 1776?".

O Sr. Ford respondeu com um sorriso seco: "Não sei quantos, mas ouvi dizer que foram muito mais do que os que voltaram".

Todos riram no tribunal – o júri, os espectadores e até o advogado frustrado que havia formulado a pergunta.

Ford manteve a calma durante uma hora ou mais de interrogatório semelhante sobre assuntos "didáticos". Finalmente, em resposta a uma pergunta extremamente desagradável, o industrial extravasou um pouco da pressão. Ele comentou que tinha uma fileira de interruptores elétricos pendurados em sua mesa, e, quando queria resposta para alguma pergunta, ele acionava o interruptor adequado e chamava o homem certo para responder à questão. Ele quis saber por que deveria sobrecarregar a mente com um monte de detalhes inúteis quando se cercava de homens capacitados que poderiam fornecer toda a informação de que necessitava.

O julgamento aconteceu há muitos anos, e ouso dizer que só uma minoria dos meus leitores se lembra de como ele terminou. Se você não sabe, execute seu poder de coletar informações, vá à biblioteca e descubra. Vou dizer, no entanto, que os comentários do Sr. Ford ecoaram por aquele tribunal silencioso e pelo mundo. Certamente, o amigo de Ford

Thomas Edison as apreciou, porque também se cercava de homens capacitados por meio dos quais ampliava muito suas capacidades e seu poder mental, com ou sem escolaridade.

Thomas Paine, cuja mente aguçada ajudou na redação da Declaração da Independência e para convencer seus signatários a traduzir seu conceito em realidade, falou em termos memoráveis do grande depósito de conhecimento que espera para ser transferido para nosso depósito pessoal. Cito-o parcialmente:

> Qualquer pessoa que tenha feito observações sobre a mente humana, observando a própria mente, não pode deixar de ter notado que há duas classes do que chamamos de pensamentos: aqueles que produzimos em nós mesmos por reflexão e o ato de pensar, e aqueles que surgem na mente por conta própria. Sempre adotei como regra tratar esses visitantes voluntários com civilidade e é deles que adquiri quase todo o conhecimento que tenho. Quanto ao aprendizado que qualquer pessoa adquire da educação escolar, serve apenas como um pequeno capital para colocar o indivíduo no caminho de aprender por si mesmo posteriormente. Toda pessoa que estuda se torna finalmente o próprio professor.

De onde vêm os pensamentos que não se originam no interior de nossa mente, da nossa própria experiência? Frequentemente, é aparente que esses pensamentos são sugeridos por outras pessoas em palavras faladas ou escritas, e mais tarde eles “voltam” das memórias subconscientes: ou podem ser um processo completamente consciente, como quando nos sentamos em reunião com outras pessoas.

Todos nós, no entanto, recebemos pensamentos que são *silenciosamente transmitidos* por outras mentes e recebidos pela nossa. Essa também é uma ideia plantada pela qual fomos tocados anteriormente, e agora vamos examinar de maneira mais detalhada.

O que é o MasterMind? Eu visualizo o MasterMind como um reservatório sem forma e sem limites de vibração de pensamento. Sua totalidade não pode estar disponível a qualquer pessoa a qualquer tempo. Quando você está em harmonia com outra pessoa ou com várias outras pessoas, no entanto, a afinação de mente para mente resulta em uma "sintonia" de valor incalculável. Um homem que tem um corpo de assistentes com quem mantém relações amigáveis tem à disposição muito mais que o conhecimento que seus assistentes podem dar a ele por meios óbvios. A mente desses assistentes alimenta constantemente a dele pela força da transmissão mental e recebe informação desse homem também. Também é assim quando amigos ou associados comerciais formam um grupo de MasterMind no qual discutem vários tópicos ou problemas. As várias mentes focadas no assunto obviamente conferem grande poder à mente mais ocupada com ele; mas uma troca de pensamentos transmitidos também é realizada bem ali, e também mais tarde, quando as pessoas envolvidas podem se separar. Isso não é óbvio como o discurso ou a escrita, mas seu poder vai além de qualquer coisa que a ciência pode explicar completamente.

Tenho me interessado muito por observar como a ciência dessa era atômica confere "fé e crédito" nesse sentido para a ciência de cinquenta anos atrás. Naquela época, podíamos relacionar oitenta e tantas formas de matéria física (hoje relacionamos muito mais) e sabíamos que a matéria é feita de partículas incrivelmente pequenas com espaço entre elas. Começamos a saber que há tanto espaço dentro da matéria que, de certa forma, nada é "sólido". Você e eu, a mesa sobre a qual escrevo, minha máquina de datilografar, este ponto (.), tudo é feito de átomos; o átomo, por sua vez, contém elétrons que se movem em órbitas ou vibram rapidamente em um movimento constante de ida e volta. Outras partículas como os nêutrons são agora postuladas, mas o princípio permanece o mesmo. Esteja você observando a maior estrela que cintila no céu ou o menor grão de areia em meio a bilhões em uma praia, essa é uma coleção de partículas, espaço e cargas elétricas.

Cinquenta anos atrás, começamos a ter alguma prova de que até as mais minúsculas partículas não são "coisas", mas feixes de vibrações. Soubemos também que várias formas de energia se movem pelo ar e pelo espaço em suas formas características por causa de suas variadas frequências de vibração. Assim, vibrações a partir de cerca de quinze por segundo até mais ou menos quinze mil por segundo são perceptíveis ao ouvido humano como som. Acima disso, não ouvimos mais vibrações; mas em torno de 1,5 milhão de vibrações por segundo essa forma de energia chamada calor começa, e podemos senti-la com outro de nossos sentidos.

Mais acima na escala da vibração vem a luz, frequentemente combinada a calor, e nossos olhos a percebem. As vibrações de luz mais baixas começam com o vermelho profundo, as mais altas são o violeta, com todas as outras cores entre uma e outra. Acima das vibrações do violeta – uns três bilhões por segundo – tem o ultravioleta e outras vibrações invisíveis ao olho, mas detectáveis por instrumentos.

Ainda mais alto na escala – ainda não podemos dizer em que altura – podem estar as vibrações de *pensamento*, e são essas vibrações invisíveis, inaudíveis, que correm de uma mente para outra.

O Dr. Alexander Graham Bell, cujo nome associamos corretamente ao telefone, foi uma autoridade em vibração. Ele comentou que não temos sentido comum capaz de apreciar o efeito de nenhuma vibração entre calor e luz. Ele disse: "Deve haver muito para aprender sobre o efeito dessas vibrações na grande lacuna onde os sentidos humanos comuns são incapazes de ouvir, ver ou sentir o movimento. O poder de enviar mensagens sem fio por vibrações no éter está nessa lacuna, mas a lacuna é tão grande que parece que deve haver muito mais. Tenho a impressão de que nessa lacuna estão as vibrações que assumimos receber do cérebro e das células nervosas quando pensamos. Por outro lado, elas podem ser mais elevadas, na escala além das vibrações que produzem os raios ultravioleta (essa teoria é minha).

"Seria possível citar muitos motivos para pensamento e força vital poderem ser considerados da mesma natureza que a eletricidade... Podemos presumir que as células cerebrais agem como uma bateria, e que a corrente produzida flui ao longo dos nervos. Mas acaba aí? Ela não sai do corpo em ondas que fluem pelo mundo despercebidas por nossos sentidos, como as ondas sem fio passavam despercebidas antes de Hertz e outros descobrirem sua existência?"

Teoria de campo e transferência de pensamento. Einstein mostrou matematicamente que vastos campos de força permeiam o universo. Um campo de força sai de cada fio que transporta corrente – ou não teríamos motores elétricos, nem rádio ou televisão, e não teríamos várias outras conveniências. Por que não deveria um campo de força emanar da eletricidade que passa constantemente ao longo de nervos condutores e células do corpo, indo e voltando? Por que não deveriam se espalhar pelo mundo, para o espaço, ativos para sempre?

Agora nosso mundo é ameaçado e, ao mesmo tempo, melhorado pela constatação física do grande conceito mental de Einstein de quase sessenta anos atrás: $E = mc^2$. Essa fórmula governa a conversão de massa em energia e responde pela enorme energia posta em uso em usinas de energia atômica e na bomba atômica. Com o uso da energia atômica provamos de uma vez por todas, para todo mundo ver, que massa é energia. Como energia é vibração, tudo é vibração, indubitavelmente. Você e eu agora sabemos que somos vibração – sem dúvida nenhuma.

Sintonize seu rádio na conhecida faixa de vibração de qualquer estação, conforme indicado no *dial*, e você vai sensibilizar seu rádio para aquela vibração em particular; o rádio então a transforma em vibrações que você pode ouvir. Tem alguma coisa estranha em uma "sintonia" natural com as onipresentes vibrações de pensamento de outra mente que já demonstrou empatia com a sua? Não é mais estranho que o rádio. As leis do rádio finalmente foram descobertas. Da mesma forma, as leis de transmissão e recepção de pensamento um dia serão descobertas, e o aparato natural que hoje usamos timidamente estará à disposição de todos.

Como formar e usar seu grupo de MasterMind. Você agora entende que, sempre que duas ou mais mentes se misturam em espírito de perfeita harmonia, para a busca de um objetivo definido, nasce dessa aliança um poder que é maior que o de todas as mentes individuais juntas.

Esse é o princípio do MasterMind. Ele não interfere com a posse sobre você mesmo. Na verdade, quem se mantém dono de si mesmo em todos os sentidos é ainda mais capaz de aceitar ideias da mente de outras pessoas com tranquilidade e de maneira útil, já que não corre o risco de ser sobrepujado. A Ciência da Realização Pessoal nasceu de uma aliança de MasterMind em que meus aliados eram aqueles mais de quinhentos homens e mulheres de sucesso que entrevistei e com quem trabalhei ao longo de muitos anos.

Uma pessoa que tem paz de espírito sempre dá tão bem quanto recebe. Quando você aplica o princípio do MasterMind, não só compartilha seu conhecimento com outras pessoas, como também se coloca em posição de receber generosamente dos outros – e aquilo que você recebe pode multiplicar seu poder de enriquecer muito além da sua concepção atual.

Aqui vão os passos, então, para se servir dos benefícios ilimitados do princípio do MasterMind:

1. Sua mesa-redonda de MasterMind. Comece convidando duas ou três pessoas que você conheça bem para se juntarem à sua empreitada. Tenha certeza de que essas pessoas estão em harmonia com você e entre elas. Explique que o principal propósito da aliança é crescimento mútuo mental e espiritual, e que vocês certamente aceitarão os benefícios materiais que surgirão de maneira natural disso.

2. Vocês não são uma sociedade de debate. Deixe claro desde o início que temas polêmicos como política, religião e outros assuntos sensíveis não têm lugar nas reuniões do grupo. Seu objetivo é ajudar uns aos outros com conhecimento baseado na experiência que cada membro adquiriu da vida.

3. Sua discussão é confidencial. Discussão e cooperação devem ficar dentro do grupo. Sabendo disso, todos serão incentivados a falar livremente.

4. O grupo pode crescer. De tempos em tempos, o grupo pode ser aumentado com novos membros. Não deve crescer tanto a ponto de ser pesado. Cada novo membro deve ser submetido a votação para aceitação unânime.

5. Proporcione uma eleição para experiência. Com exceção dos membros originais do grupo de MasterMind, os membros podem ser eleitos por um mês, ou outro período conveniente. Você deve ser perfeitamente franco sobre a necessidade de garantir que qualquer novo membro esteja em harmonia com os outros, e que, se for solicitada sua saída do grupo, isso não terá nenhum reflexo sobre seu valor pessoal.

6. Concordar com os princípios gerais do sucesso de vida. Tenha em mente que, se um de seus membros da mesa-redonda não acredita, por exemplo, que deve fornecer completamente seu conhecimento e sua experiência, ele vai criar desarmonia, e você pode não chegar a lugar nenhum. Sugiro que todos vocês concordem com os princípios propostos neste livro nas listas que abrangem as qualidades de paz de espírito (Introdução) e autocontrole (Capítulo 9); reúnam-se também para falar sobre a lista geral no fim deste livro.

7. *Faça um rodízio de presidentes e "conselho de diretores".* Cada pessoa deve ter sua vez de ser presidente. Ele deve assegurar que todos os membros participem da discussão, que todas as questões sejam feitas livremente e que experiências pessoais sejam descritas com liberdade. Ele deve pedir a cada orador para ficar em pé ao falar, para ajudá-lo a desenvolver atitude enquanto se expressa. Deve fazer valer todo limite de tempo estipulado em comum acordo, de forma a impedir que membros mais falantes consumam mais tempo do que têm direito. O rodízio de presidentes vai resultar automaticamente na rotação dos membros do "conselho" que escutam o orador, que assim conquista várias mentes a seu serviço.

8. *Quando um grupo é formado por colegas de trabalho.* Quando um grupo de MasterMind é composto por contratados de uma só empresa, ele deve ter membros da supervisão e também dos níveis inferiores na hierarquia. Esse plano foi adotado com grande desenvolvimento de cooperação amigável, benefício à empresa e benefício aos indivíduos envolvidos.

9. *Adoção de um objetivo principal.* Além dos objetivos e problemas individuais que serão propostos, o grupo como um todo deve adotar algum objetivo principal ou projeto a ser implementado em conjunto por todos os seus membros, *pelo benefício de pessoas que não estão no grupo.* Um projeto assim foi o de conduzir uma Clínica de Problemas Pessoais uma vez por semana, na qual o público era convidado a levar seus problemas para consideração do grupo, que atuava como Tribunal de Problemas Pessoais. Quando um projeto é concluído, outro deve ser escolhido.

Mais instruções sobre sua aliança de MasterMind. Como parte do objetivo deste livro é poupá-lo de aprender por tentativa e erro, vou compartilhar algumas lições já aprendidas dessa maneira – por mim mesmo e por outros.

Sugiro que você não revele os propósitos privados de sua aliança de MasterMind a pessoas que não façam parte do grupo. Lembre-se, muitos são casados com o fracasso e tentam canalizar seus esforços não para o sucesso, mas para a tentativa de destruir os outros. Essas pessoas vão desdenhar do princípio do MasterMind. Esses desdéns não devem aborrecê-lo, mas podem; de qualquer maneira, você não precisa de opinião nenhuma, além da sua, para formar seu grupo.

Quando se reunir com seu grupo de MasterMind, deixe para trás todos os pontos de vista negativos. Suas reuniões devem ser seu maior sinal para encontrar e manter uma atitude mental positiva. Além disso, como líder de seu grupo de MasterMind, é seu dever demonstrar entusiasmo e permitir que outros compartilhem dessa emoção valiosa. (Não se preocupe com a mecânica de compartilhar entusiasmo, porque não existe outra emoção tão "contagiante"!)

Cuide para que todos os membros do grupo recebam alguma coisa de cada reunião. Entusiasmo e cooperação vão crescer em proporção às recompensas que cada homem tiver.

Um grupo de MasterMind não é um lugar para se reunirem competidores. Ninguém no grupo deve ter motivos para sentir antagonismo por nenhum outro membro, nem para guardar segredos dele. Lembre-se de que confiança é a base de todos os relacionamentos harmoniosos. Forme seu grupo com pessoas em quem tenha confiança; assegure-se de que essas pessoas confiem em você.

Milhões de pessoas precisam de uma Clínica de Problemas Pessoais. Repito deliberadamente que todo MasterMind deve ter um objetivo de grupo que beneficie pessoas que estão fora dele. Esse princípio é tão importante que vou ampliar a ideia da Clínica de Problemas Pessoais, certamente um dos melhores serviços públicos que qualquer grupo pode prestar.

Vamos examinar várias aplicações típicas.

Se eu fosse um agente de seguros de vida, conduziria uma clínica assim duas vezes por semana, se possível. O corretor de seguros da vida moderna é visto como um conselheiro em vários campos da vida familiar – orçamento, por exemplo. Enquanto doa seu tempo e conta sua experiência de vida e a de outras pessoas, você pode deixar uma impressão indelével em homens e mulheres que precisam de seguro de vida.

Se eu fosse um líder religioso, conduziria uma Clínica de Problemas Pessoais, indo muito além dos membros da minha congregação. Teria comigo, como Grupo de Conselheiros, os membros mais capacitados da minha igreja, representando uma ampla variedade de negócios e profissões. Não esperaria recompensa direta, mas ficaria muito satisfeito se meus serviços ajudassem a encher os bancos da minha igreja todos os domingos.

Se fosse professor, eu reconheceria que os pais que são levados a uma solução harmoniosa de seus problemas são os melhores, os mais capazes de ajudar seus filhos. Conduziria uma clínica na esperança de beneficiar as duas gerações, e de que esse benefício se refletisse na capacidade de meus alunos reterem o que ensino e se tornarem cidadãos melhores.

Se fosse médico, dentista, osteopata, quiropraxista ou naturopata, conduziria uma clínica para o benefício de meus pacientes e os convidaria a levar amigos e vizinhos também. Sabendo que muitas doenças têm origem na mente, eu usaria essa oportunidade para curar o que pudesse e, em outros casos, acelerar o processo de cura.

Se fosse o chefe de uma família que incluísse filhos adultos, conduziria uma Clínica de Problemas Pessoais para cada membro da família. Poderia convidar meus amigos também.

Apontei alguns benefícios que podem resultar de se administrar uma Clínica de Problemas Pessoais. Talvez você não veja nenhum benefício; mas tenha certeza de que qualquer benefício que fornecer ao mundo voltará para você de algum jeito, em algum momento, talvez multiplicado por mil.

O falecido Mahatma Gandhi se tornou um dos maiores benfeitores de todos os tempos pelo simples processo de servir aos seus compatriotas sem limite e sem pensar em ganho financeiro. Ele esteve, provavelmente, no coração de mais homens do que qualquer outro que já viveu. Atraiu várias centenas de milhões de compatriotas indianos, que se juntaram a ele espontaneamente, e sua recompensa – a independência de seu país – foi uma recompensa maior do que a maioria de nós jamais sonharia conquistar.

Seu grupo de MasterMind necessário será pequeno. Porém, quando você o ampliar para o mundo por meio de uma Clínica de Problemas Pessoais – por meio da adoção de patrocínio de um Boys' Club ou outra agência de prosperidade – ou qualquer outro projeto que você escolha para o grupo, sua mente vai sentir automaticamente o efeito de muitas outras mentes em harmonia com seu objetivo. Aqui há riquezas ilimitadas!

O princípio do MasterMind na política. Conversando com alguns homens que exerceram cargos políticos, fiquei momentaneamente triste com o que eles chamam de atitude "pragmática". Depois que são eleitos, eles tendem a usar o poder como um clube, exercendo sua influência de maneira arbitrária, com pouca consideração por aqueles que devem obedecer às regras que eles estabelecem. Os homens realmente grandiosos não são assim; mas, infelizmente, muitos homens de mente pequena conquistam cargos públicos.

Se eu fosse o prefeito de uma cidade, estabeleceria uma Clínica de Problemas Pessoais na prefeitura. Os conselheiros da clínica seriam as mentes mais aguçadas da cidade: advogados, médicos, professores, banqueiros, construtores – uma seleção de talentos humanos tão variados que qualquer cidadão poderia contar com um ouvido compreensivo.

Eu promoveria sessões da clínica em algum horário estabelecido uma vez por semana, pelo menos. À medida que a clínica atraísse cada vez mais pessoas, eu poderia julgar aconselhável dividi-la em subgrupos. Certamente organizaria aconselhamento privado disponível, caso houvesse emergências entre as sessões, e acompanhamento em casos particulares, se fosse necessário.

Minha recompensa? Acredito que qualquer prefeito que fizesse isso se manteria no cargo pelo tempo que quisesse. Mas essa é só uma recompensa secundária. A verdadeira recompensa estaria em saber que levei o governo a um novo e mais elevado plano de individualidade e humanidade.

Sua mente é fortalecida por paz e harmonia. Você espera que sua vida traga apenas harmonia e paz? A vida seria chata se não tivesse seus tempos de conflito, de problemas a serem resolvidos. Crescemos quando superamos dificuldades. Se a solução de problemas não fosse uma parte tão importante do processo de aprendizado, aprenderíamos poucas lições da vida.

Quando paz e harmonia permanecem como a verdadeira fundação de pensamento e emoção, entretanto, problemas são solucionados com uma força que realmente "vai além da compreensão".

Até a paz temporária é uma grande força de sustentação. Os médicos frequentemente recomendam mudança no clima para certos tipos de pacientes. O próprio clima pode ou não ter alguma coisa a ver com o processo de cura; mais importante é a mudança de *cena*. Caras novas, paisagens novas desviam a mente de sua habitual caixinha de preocupações. Curas "milagrosas" foram operadas quando um paciente andou tranquilamente em meio a árvores e colinas.

À medida que conhecer cada vez melhor sua mente, você vai conseguir manter a harmonia dentro dela, independentemente do que acontecer à sua volta. Enquanto isso, em algum momento do dia, tente conscientemente sintonizar sua mente em paz, sem conflito; em repouso, sem esforço.

Depois de um tempo, quando sentar-se, andar ou deitar-se tranquilamente sozinho, talvez se sinta como se a harmonia fluísse de fontes externas para o interior de sua mente. E isso é verdade, de fato, porque é possível qualquer mente harmoniosa entrar em sintonia com a sua quando você torna sua mente receptiva.

A importância da harmonia em seu lar. Agora você pode ver que, quando falei de harmonia em sua casa, falei sobre mais que uma situação meramente agradável. Harmonia no lar é uma força difusa que flui continuamente para dentro e para fora dos circuitos mentais e condiciona a mente a se manter em paz e harmonia continuada.

Vivemos em um lar onde harmonia e afeto são os espíritos dominantes. Tudo que fazemos em casa nos dá prazer, inclusive o trabalho, que é um trabalho de amor.

De vez em quando, minha esposa e eu fazemos uma longa caminhada, ou um passeio de carro ao campo. Voltamos renovados com pensamentos de novos rostos, novas cenas, talvez novas experiências – e felizes por retornarmos a um lar para onde é bom voltar.

Encontre seu jeito de se livrar da preocupação – mas que seja simples. Em 2 Reis, capítulo 5, você pode ler a história de Naamã, capitão do exército do rei da Síria. Esse homem rico e poderoso foi acometido pela lepra. Ele invocou o profeta Eliseu para curá-lo, esperando que Eliseu propusesse alguma bobagem complicada e misteriosa. Mas Eliseu disse apenas: "Vai e lava-te sete vezes no Jordão, e a tua carne será curada e ficarás purificado".

Talvez essa história seja uma parábola, e ela nos mostra que geralmente existe uma solução simples para nossos problemas. Não nego a existência de problemas muito sérios, mas notei que a grande parte dos problemas é composta por aborrecimentos menores que levam a um padrão de aborrecimento e preocupação. Alimente a mente com pequenas preocupações, e ela vai desenvolver um apetite e tanto por grandes preocupações.

O maior reforço de preocupação é sentar-se e ficar pensando em sua preocupação. Isso fortalece a preocupação, que passa a criar raízes cada vez mais fortes na mente que a alimenta.

O maior destruidor e removedor de preocupação é transmutar a reação de preocupação em algum tipo de atividade construtiva. Ao entrar em ação, faça a mente focar essa ação. Ao usar os músculos, mesmo que de maneira moderada, você dá um descanso à mente.

Tenho um amigo que tem um jeito novo de lidar com preocupações. Ele vai para o jardim e capina vigorosamente, até suar muito.

Outros, talvez não tão vigorosos, podem remover a preocupação se dedicando a algum tipo de artesanato ou carpintaria. E, é claro, existe o excelente procedimento de direcionar a mente para ajudar alguém a resolver o problema *dele*, um método disponível até para os acamados.

Mas nada complicado! Neste livro falamos sobre muitas coisas, e você faria bem em voltar a esta seção de vez em quando e renovar-se com a ideia de que paz de espírito é, essencialmente, um estado de ser. É comum comentarem que alguns homens bem-sucedidos, em posições elevadas, são realmente "sujeitos muito simples", quando os conhecemos. De fato, eles são, por mais elevada que seja sua inteligência. A mente eficiente alcança uma simplicidade básica sobre a qual todo o resto é construído.

Lembro-me de um homem que foi grandemente beneficiado por participar de uma aliança de MasterMind. Ele disse que seu maior benefício derivava de receber ajuda para ver seus problemas pelos olhos alheios e assim ver, finalmente, como eles eram simples. Disse que tinha o hábito de multiplicar seus problemas um pelo outro e olhar para a soma, que era imensa. Quando enfrentava os problemas um a um, eles eram rapidamente resolvidos, e sua mente começou a funcionar como jamais havia funcionado antes.

O Segredo Supremo é tão inerente a este capítulo quanto um livro é inerente à mente que concebe seu planejamento.

VERIFICAÇÃO DO CAPÍTULO 10:

Sua mente pode ir além dela mesma

Homens como Henry Ford e Thomas Edison eram especialistas em usar outros homens como fontes de informação e habilidades que multiplicavam seus próprios talentos. Também recebemos ideias de outras mentes sem a intermediação do discurso. "Todo homem de aprendizado é seu próprio professor", e, enquanto ele aprende com a vida, também aprende com pensamentos que "surgem do nada", aparentemente, mas na verdade são transmitidos de outras mentes para a dele.

O MasterMind: um reservatório ilimitado

Cinquenta anos atrás, cientistas postularam a teoria da vibração da matéria, que, desde então, foi bem comprovada pela descoberta da energia atômica. Toda energia provém de variadas frequências de vibração. A vibração de pensamento deve estar em algum lugar desse espectro de vibração. Quando você sintoniza seu rádio, sensibiliza-o para receber os sinais de uma estação transmissora específica. Assim também sua mente se sensibiliza para outras e recebe pensamentos delas.

Você pode formar seu grupo de MasterMind

Faça seu grupo com pessoas que conhece bem. Deixe claro que não vai discutir tópicos polêmicos. Mantenha a discussão confidencial. Peça consentimento unânime antes de admitir um novo membro e garanta uma votação de experiência. Concorde com os princípios gerais de sucesso de vida. Faça um rodízio de presidente e homens do "conselho". Permita que o grupo contenha membros da chefia e de níveis inferiores na hierarquia. Uma Clínica de Problemas Pessoais se mostrou um propósito ideal. Ela pode ser comandada por alguém da área de seguros, um religioso, um médico ou qualquer outra pessoa. O prefeito pode fazer coisas grandiosas por sua cidade se instalar uma clínica e oferecer acompanhamento para quaisquer problemas levados ao conhecimento de sua equipe.

Sua mente é fortalecida por paz e harmonia

A vida seria chata sem alguns problemas e conflitos, mas paz e harmonia mentais profundas ajudam muitos problemas a se resolverem. Alguma mudança faz bem a todos. Para evitar preocupação, tome uma atitude física para focar a mente em outras coisas, ou ajudar outra pessoa a resolver seus problemas. Alguns tendem a multiplicar problemas uns pelos outros, mas um grupo de MasterMind ajuda a resolver seus problemas um a um.

11

GANHE UM PODEROSO AUXÍLIO DA LEI ETERNA DA COMPENSAÇÃO

A Lei da Compensação pode funcionar por você ou contra você, dependendo de como você a orienta. Pode levar vários anos para uma transgressão ser punida ou uma virtude ser recompensada, mas a compensação sempre vai chegar. A natureza garante que todo excesso seja seguido por um nivelamento. Medo dá lugar à Lei da Compensação, e inveja e maldade também desaparecem da vida quando se entende como a Lei da Compensação pode levar alguém a grande sucesso – porque qualquer um pode controlar como ela funciona para si mesmo.

Vá a qualquer biblioteca pública, mesmo que seja uma bem pequena, e peça ao bibliotecário o ensaio *Compensação*, de Ralph Waldo Emerson.

Você certamente será conduzido à prateleira exata onde estão enfileiradas as obras de Emerson – apenas uma fileira discreta de livros, mas penso neles como vibrantes e plenos de sucesso em potencial.

Vai ser fácil encontrar o volume que contém *Compensação*. É o mais marcado. Mas esse volume pode estar ausente. Algum estudioso dedicado pode tê-lo tomado emprestado para obter ajuda na redação do trabalho de fim de ano, e ficou com ele, ou algum homem que se pergunta por que nunca progrediu se apoderou dele para ler muitas vezes.

Poupe um suspiro para aqueles que nunca percebem o potencial de fracasso inerente ao roubo – e faça sua parte pelos outros comprando outra cópia para a biblioteca.

Garanta uma cópia para você mesmo também. Depois de ler *Compensação* três vezes, você vai ler uma centena de vezes. Vai querer deixar o livro sobre sua mesa de cabeceira. Ele é necessário para pessoas que querem se entender, entender o mundo e encontrar maravilhosa paz de espírito que ficará com elas.

A Lei da Compensação em ação. Antes de terminarmos este capítulo, vamos voltar ao ensaio que é, talvez, o mais importante já escrito. Agora quero contar uma história em várias partes. Sei que ela é verdadeira. Eu a vivi.

Como você sabe, cometi enganos e ocasionalmente cedi ao tipo errado de emoção. Se não tivesse aprendido com meus erros, não me consideraria digno de dar conselhos; mas, definitivamente, aprendi com eles e construí sucesso e paz de espírito a partir do meu conhecimento adquirido a duras penas.

Bem, houve um tempo, algumas décadas atrás, quando passei por uma crise pessoal e ela me "pegou". Isso estava relacionado a uma aventura que, embora tenha me dado valiosa experiência, trouxe pouco mais além disso. Achei necessário recomeçar do zero nos aspectos financeiro, mental e espiritual.

Estava no distrito empresarial no centro de Atlanta, Geórgia, e fui visitar meu amigo e antigo associado comercial Mark Wooding.

Ele abrira recentemente uma grande lanchonete bem no coração daquela região.

Mark me contou que enfrentava problemas sérios com os negócios. Não tinha levado em conta que as empresas no centro de Atlanta fechavam cedo à noite – ou, pelo menos, era assim naquele tempo. Depois que as empresas fechavam, a região ficava parada como um cemitério.

Como resultado, o movimento era esplêndido na hora do almoço, mas havia poucos clientes para o jantar, quando ele esperava garantir boa parte da renda. Como convencer as pessoas a jantarem em sua lanchonete? Ele não havia pensado em nada nesse sentido.

Minha mente estava ocupada com meus próprios problemas. Mas eu havia aprendido muito tempo atrás que, quando não se pode encontrar a solução para os próprios problemas, a melhor coisa a fazer é procurar alguém com um problema maior e ajudar essa pessoa a encontrar uma solução. Dirigi meus pensamentos para a consideração das questões do meu amigo.

Olhei em volta e vi um belo salão que poderia acomodar várias centenas de pessoas. O equipamento era soberbo. A localização era boa, em uma esquina com transporte e vagas para estacionamento. As pessoas podiam chegar à lanchonete com facilidade e comer bem, em um ambiente agradável. Como levá-las até lá?

Decido doar informação que tinha o hábito de vender. A resposta espocou em minha cabeça. Sugeri a Mark um curso sobre a Ciência da Realização Pessoal. Eu faria palestras todas as noites ali no salão. As palestras seriam gratuitas para todos que fossem jantar e ficassem para ouvi-las.

Anunciamos o plano nos jornais locais. Enviamos anúncios impressos a todas as empresas e casas comerciais do bairro. E...

Na primeira noite, o número de pessoas excedeu a capacidade de lotação. Depois disso, raramente havia uma noite em que não tivéssemos que recusar um grande número de pessoas, porque o salão já estava lotado. Os jantares tornaram-se a maior fonte de renda de Mark em tempo recorde.

O custo: só o da publicidade. Eu tinha o hábito de cobrar por meus serviços como palestrante, mas dessa vez os doei a um amigo que precisava de uma ajuda. Isso pôs em movimento algumas forças invisíveis. E essa é a primeira parte da história.

A Lei da Compensação começa a funcionar em meu favor. Não temos bolas de cristal para prever o futuro. Se eu tivesse esse poder – que uma mente que tudo sabe teve a sabedoria de nos negar –, teria visto que minha doação altruísta marcava o mais importante ponto de transformação da minha vida. Mesmo agora, pensando na compensação que recebi em algum momento por meus serviços, percebo que ainda sou bem pago. Antes de irmos em frente, lembre-se disto: *curei meus males ajudando um amigo a curar os dele.* Pare imediatamente e pense em como pode aplicar esse princípio poderoso que *sempre* compensa, e muitas vezes com mais que dinheiro.

Minhas palestras sobre a filosofia do sucesso atraíram uma grande variedade de pessoas à lanchonete de Wooding. Entre elas havia vários executivos de empresas, inclusive um da Georgia Power Company. Esse homem ficou tão impressionado com as palestras que me convidou para ser palestrante convidado em um evento privado dos líderes de várias companhias de energia elétrica do sul.

A Lei da Compensação vibrava à minha volta.

Na plateia desse evento privado estava Homer Pace, executivo da South Carolina Electric & Gas Company. Depois que fiz a palestra, ele se apresentou. Disse que tinha sido aluno da Ciência da Realização Pessoal por muitos anos.

Ele falou: "Tenho um amigo que queria que você conhecesse. Ele é presidente de uma pequena faculdade e tem uma editora de bom tamanho. Ele fala tão bem sua língua, que desconfio que seja mais um de seus alunos a distância. Vocês precisam se conhecer. Pode escrever para ele?".

Escrevi prontamente. O presidente da faculdade e *editor* foi imediatamente a Atlanta para me visitar. Talvez a sombra do Sábio de Concord, como Emerson era chamado, tenha sorrido sobre meu ombro durante a conversa de duas horas. O presidente da faculdade e eu fizemos um acordo verbal. Eu me mudaria para a casa dele na cidade e reescreveria minha filosofia inteira, e ele a publicaria.

Padrões surgem em muitas vidas. Como você vê, eu precisava de um editor, e simplesmente seguir minha própria filosofia me ajudou a encontrar um.

No dia 1º de janeiro de 1941, comecei a trabalhar na Ciência da Realização Pessoal, hoje ensinada em escolas que patrocino neste e em outros países.

Encontro uma compensação muito especial. Pensando bem, vejo que os reveses que sofri pouco antes de encontrar Mark Wooding me deixaram em uma espécie de estado de choque. Transmutei esse choque em trabalho duro, um trabalho de amor. *Todo infortúnio carrega a semente de um benefício equivalente ou maior.* Logo encontrei paz de espírito como jamais tinha conhecido.

Antes de descrever o terceiro episódio dessa história de muitos lados sobre compensação, quero esclarecer que *romance* não passava por minha cabeça, definitivamente. Quanto a casamento, não parecia algo que fosse acontecer comigo. Mas uma mente em paz e ativa não teme novas ideias – ou novas condições.

Quando me mudei para aquela pequena cidade na Carolina do Sul, instalei-me em um apartamento que ficava perto da casa da secretária do editor. Durante vários meses depois de minha chegada, vi a secretária apenas na mesa, em ocasiões normais de trabalho.

Ela sustentava a família desde a morte do pai, embora fosse muito jovem. Era associada a duas gerações da família proprietária da empresa, tinha uma posição de confiança e estava bem feliz com o emprego. Entre as demandas da família – ela ajudava a educar as irmãs mais novas – e as de exercer uma função executiva, ela era muito ocupada. Pensava pouco em casamento; podia-se dizer que essa era a última coisa a ocupar sua cabeça.

E agora talvez um anjo querubim com um arco e uma flecha sorrisse sobre meu ombro. De vez em quando, eu convidava a secretária para jantar comigo. De vez em quando, íamos a um espetáculo em uma das cidades próximas. Descobri que, quando se afastava da família e do trabalho, ela exibia uma personalidade diferente. Uma personalidade maravilhosa.

Aquela mulher era quase uma duplicata perfeita da maior mulher que já conheci – minha madrasta. Era compreensível que eu a admirasse! A imagem começou a se desenvolver rapidamente. Fazíamos passeios de carro. Nas manhãs de domingo, ouvíamos juntos os serviços de rádio da Mormon Tabernacle enquanto passeávamos de carro pelo campo.

A Lei da Compensação opera de maneiras estranhas e imprevisíveis. Eu me afastei daquela mulher que me atraía tão profundamente.

Em primeiro lugar – o padrão novamente –, perdi meu editor. O ataque a Pearl Harbor e os acontecimentos que o seguiram afetaram os negócios dele de forma tão intensa que o editor encerrou bruscamente nosso acordo.

Então, saí da cidade. Recebi um telefonema da LeTourneau Company, que já mencionei, e assumi aquela importante função de relações públicas na fábrica da Geórgia.

Lá eu estava destinado a encontrar a maior oportunidade de minha vida para demonstrar a solidez de minha filosofia como construtora de relações harmoniosas entre empregados e empregador. Com toda a modéstia, posso dizer que minha influência naquela fábrica, com seus dois mil empregados, mudou todos para melhor, inclusive a alta administração. Mais tarde li que o sucesso da guerra no Pacífico dependia muito da capacidade dos Estados Unidos de mover quantidades de terra e pedras para a construção de pistas de pouso em ilhas ocupadas. O maquinário de remoção e transporte de terra da LeTourneau foi muito usado nesses projetos, e talvez eu tenha dado minha contribuição indiretamente.

Novamente, uma oportunidade levou a outra. Decidi fazer mais um movimento para tornar minha filosofia ainda mais disponível à indústria. Faria um filme sobre ela – e isso provocou uma mudança para Los Angeles, centro da indústria cinematográfica.

Eu não havia esquecido aquela mulher maravilhosa na Carolina do Sul. Ela não tinha me esquecido. Um dia antes da minha partida para a Costa Oeste, ela se tornou minha esposa. Também é minha secretária, minha impagável associada comercial e o membro mais importante do meu grupo de MasterMind. Desfrutamos com alegria de mais de vinte anos dessa parceria perfeita. Que compensação!

"Todo ato se recompensa." Quem diz isso é Emerson. Vamos visitá-lo em breve. Tenho certeza de que você entende que a *recompensa* de qualquer ato pode não ser uma "recompensa" como tal, mas uma "penalidade", se for isso que o ato merece. O ato *se* recompensa, não você, no sentido que tem aqui, e por isso a "recompensa" é apropriada.

Isso, você pode dizer, não passa de moralidade antiquada. De fato é. Também é moralidade moderna, válida quando o homem inventou a roda, válida, talvez, quando o homem inventar meios de se duplicar em um tubo de ensaio. E é mais que moralidade. Mostrei a Lei da Compensação em ação em minha vida na esperança de que você pare e pense em como ela agiu por você. Você verá esse funcionamento como manifestações de causa e efeito. Você executou alguma ação, e isso "pôs a bola em jogo". Pode ser um acidente ao qual milhares de anos de relatos se refiram como o fato de que o ato de dar precede invariavelmente o ato de receber? Que quando "lançamos pão sobre as águas" ele volta?

Vemos a Lei da Compensação nos trazer um emprego melhor, dinheiro, uma oportunidade de nos realizarmos, um encontro com alguém que acaba se tornando um parceiro no amor para a vida toda – e muitas coisas que não vemos. Forças invisíveis, silenciosas, nos influenciam constantemente. Algumas são boas para nós, outras são prejudiciais. Este volume fala em muitas páginas sobre os aspectos sólidos e simples da vida; mas fala também do invisível e do onipresente. Enquanto mostro a você como ser rico com paz de espírito, também mostro como escolher as forças amigáveis, invisíveis, em vez das hostis, e como fazer dessas forças favoráveis suas aliadas.

Agora vamos ver Emerson em seu estudo incomparável:

> Todo ato se recompensa, ou, em outras palavras, integra-se de uma maneira dupla – primeiro na coisa, ou na natureza real; segundo na circunstância, ou na natureza aparente. Os homens chamam a circunstância de retribuição. A retribuição casual é a coisa, e é vista pela alma. A retribuição na circunstância é vista pela compreensão; ela é inseparável da coisa, mas é frequentemente disseminada por um longo tempo, e assim não se torna distinta até depois de muitos anos. As retribuições específicas podem chegar muito depois do crime,

> mas chegam, porque o acompanham. Crime e castigo crescem do mesmo caule. Punição é um fruto que amadurece despercebido dentro da flor do prazer que o esconde. Causa e efeito, meios e fins, semente e fruto, não podem ser separados; porque o efeito já desabrocha na causa, o fim já existe nos meios, o fruto, na semente.

Pense nos detalhes da história que contei; os quatro episódios de sucesso em minha vida que começaram na Wooding's, em Atlanta. A causa por trás daqueles episódios foi uma simples prestação de serviço a um amigo que consegui ajudar. Isso me trouxe bênçãos que ainda persistem. Se eu tivesse substituído minha prestação de serviço por outro ato egoísta ou indigno, não desfrutaria agora daquelas bênçãos, mas poderia sofrer ainda a penalidade que a mesma Lei da Compensação certamente teria me trazido.

"Existe uma terceira parte silenciosa em todos os nossos negócios." Lembre-se disso! O Sábio de Concord continua:

> Os homens sofrem por toda a vida, sob a superstição tola de que podem ser enganados. Mas é impossível um homem ser enganado por alguém além dele mesmo, tanto quanto uma coisa ser e não ser ao mesmo tempo. Existe uma terceira parte silenciosa em todas as nossas transações. A natureza e a alma das coisas têm nelas mesmas a garantia do cumprimento de todo contrato, de forma que aquele serviço honesto não pode resultar em perda. Se você serve a um senhor ingrato, sirva-o ainda mais. Ponha Deus em dívida com você. Cada golpe será recompensado. Quanto mais demorar o pagamento, melhor para você; porque juros sobre juros é o índice para esse devedor.

A terceira parte silenciosa! Existe a força invisível que, à sua maneira atemporal, garante o "cumprimento de todo contrato" que fazemos com o mundo. E agora vejamos como Emerson expressa sua compreensão do fato de toda adversidade carregar nela a semente de um benefício equivalente ou maior:

> As mudanças que acontecem em breves intervalos na prosperidade dos homens são anúncios de uma natureza cuja lei é crescer. A ordem da natureza é sempre crescer, e toda alma por essa intrínseca necessidade abre mão de todo o seu sistema de coisas, seus amigos, e a casa, e leis, e fé, como o caramujo rasteja para fora de sua bela, mas dura, casca, porque ela não mais permite seu crescimento, e lentamente forma uma nova casa... No entanto, as compensações de calamidade se tornam aparentes também, depois de algum tempo. Uma febre, mutilação, uma decepção cruel, a perda da riqueza, a perda de amigos, parecem no momento perdas injustificadas, impossíveis de compensar. Mas os anos certamente revelam a profunda força curativa que permeia todos os fatos.
>
> A morte de um amigo querido, esposa, irmão, amante, que não parecia mais que privação, mais tarde assume, de alguma maneira, o aspecto de um guia ou gênio; porque é comum que opere revoluções em nossa maneira de viver, encerre um período de infância ou juventude que esperava para ser encerrado, ponha fim a um emprego com o qual se estava acostumado, ou a uma moradia, ou estilo de vida, e permita a formação de outros novos e mais simpáticos ao crescimento de caráter. Permite ou impede a formação de novas relações, e a recepção de novas influências que se mostram de fundamental importância para os anos seguintes; e o homem ou a mulher que teria permanecido um ensolarado canteiro de flores, sem espaço para suas raízes e com muito sol na

> cabeça, pela queda dos muros e a negligência do jardineiro, é feito a figueira da floresta, dando sombra e frutos para amplas vizinhanças de homens.

Se Emerson não tivesse escrito essas linhas muito antes de eu ter nascido, eu poderia acreditar que ele as escrevia diretamente para mim. Talvez você sinta que ele escrevia diretamente para você? Enquanto lê, use minhas experiências como lembretes para considerar as suas. As lições que aprendi foram aprendidas por milhões, e nenhum de nós é muito diferente de seu irmão.

Tenho uma dívida particular com Emerson por suas visões sobre o medo. Elas foram responsáveis por uma faxina autoimposta que removeu de minha mente todos os criadouros do medo, e espero que o parágrafo seguinte faça o mesmo por você.

> O medo é um instrutor de grande sagacidade... Uma coisa que sempre ensina é que há podridão onde ele aparece. Ele é um abutre, e, embora você não veja bem sobre o que ele voa, há morte em algum lugar. Nossa propriedade é tímida, nossas leis são tímidas, nossas classes educadas são tímidas. Eras de medo pressagiaram, ceifaram e choraram nosso governo e propriedade. Aquela ave indecente não está ali por nada. Ela indica grandes erros que precisam ser revisados.

E embora eu tenha tido um dia a tendência para invejar pessoas aparentemente mais afortunadas, essa tendência me deixou depois que fui influenciado pelo seguinte trecho do ensaio de Emerson sobre compensação:

> Todo excesso causa uma derrota; toda derrota, um excesso. Todo doce tem seu azedo; todo mal, seu bem. Toda faculdade que é um receptor de prazer tem uma igual penalidade imposta por seu abuso. É responder por sua moderação com a vida. Pois em cada grão de sabedoria existe um grão de loucura. Para tudo que você perdeu, ganhou outra coisa; e para tudo que ganha, você perde algo. Se as riquezas aumentam, aumentam os usos para ela. Se o colhedor colhe demais, a natureza tira do homem o que pôs em seu peito; incha a propriedade, mas mata o proprietário. A natureza odeia monopólios e exceções. As ondas do mar não buscam mais rapidamente um nível para sua mais alta agitação do que as variedades de condições tendem a equalizar-se. Existe sempre alguma circunstância niveladora que mantém o impositivo, o forte, o rico, o afortunado substancialmente no mesmo terreno que os outros.

Aqueles que testaram as visões de Emerson descobrem que elas são baseadas na eterna verdade. Outros que não as testam realmente podem considerá-las uma pregação abstrata, ou podem apontar todos os tipos de "exceções" que nem são exceções, porque o tempo é um elemento essencial de compensação, e ninguém pode dizer o que o tempo vai trazer.

Finalmente, vamos nos juntar a essa grande mente pensando sobre o pensamento.

> Atenção, quando o grande Deus envia um pensador a este planeta. Então, todas as coisas estão em risco. É como se uma conflagração ocorresse em uma grande cidade, e nenhum homem sabe o que é seguro, ou onde isso vai acabar. Não há nenhum artigo de ciência, mas seu flanco pode ser virado amanhã; não há nenhuma reputação literária, nem os chamados nomes eternos da fama, que

não possam ser revisados e condenados. A própria esperança do homem, os pensamentos de seu coração, a religião de nações, as maneiras e morais da humanidade, tudo está à mercê de uma nova generalização.

Assim é a força do poder mental para mudar o mundo. Você pode não mudar o mundo, mas seu poder mental está pronto, disponível e *capaz* de causar em *seu* mundo as mudanças de que você precisa e quer, por maior que elas possam ser. Emerson não está sozinho ao celebrar o poder do pensamento para "mover montanhas". Não conheço nenhum grande pensador cujas obras não mostrem essa inerente compreensão – a de que somos seres pensantes que agimos de acordo com nossos pensamentos; de forma que o pensamento sempre precede a ação, pensamento sempre constrói antes de a mão construir, pensamento é poderoso além do que se pode medir – e a realização também é poderosa quando os pensamentos por trás dela são livres e destemidos.

O filósofo como uma pessoa prática. Temos a tendência a pensar em filósofos como pessoas que moram em torres de marfim do pensamento e produzem livros que exigem muito aprendizado antes que se possa entendê-los. Há considerável verdade nessa imagem. A filosofia avançou tanto desde que os antigos gregos refletiram pela primeira vez sobre o mundo e o homem que, hoje em dia, os filósofos parecem falar para os filósofos, e nós, pessoas comuns, ficamos de fora.

Considere, no entanto, que o objetivo básico da filosofia é buscar o *porquê* das coisas. É por isso que a Ciência da Realização Pessoal é uma filosofia, não um *método* ou um *sistema*. Em meus livros anteriores, como neste, dou respostas realmente básicas para as perguntas:

Por que alguns homens têm sucesso na vida, enquanto outros fracassam?

Por que alguns indivíduos e casais vivem em harmonia, enquanto outros vivem em conflito constante?

Por que alguns grupos se dão bem com outros em um espírito de ajuda mútua, enquanto outros prejudicam e frustram uns aos outros?

Embora os métodos pelos quais você ganha dinheiro, ou lida com seus assuntos, ou agrada sua esposa, ou preserva a harmonia entre chefia e subordinados, sejam importantes – e eu mostro vários métodos-chave –, é a *filosofia subjacente* que é ainda mais importante. Quando sua mente se apega com firmeza aos conceitos básicos de riqueza, paz de espírito e sucesso na vida, você constrói uma base sólida. Quando você tenta aplicar métodos simplesmente por eles mesmos, pode descobrir que está tentando construir sobre areia.

Portanto, vale a pena ser filósofo em um sentido perfeitamente prático. Diante de um problema, ou quando deseja melhorar alguma situação ou influenciar outras pessoas em benefício mútuo – pare e lembre-se de que você é um filósofo prático. Assim, você foca a mente nas razões básicas que sempre funcionaram e sempre funcionarão, e imediatamente é bem orientado.

O filósofo em ação. Se o filósofo encontra desastre ou infortúnio? Ele procura a causa, ele procura a lição, ele se blinda contra a repetição do acontecimento.

Da mesma maneira, ele percebe os erros que outras pessoas cometem. Sabendo que os seres humanos são muito parecidos uns com os outros, ele procura em si mesmo alguma tendência para cometer os mesmos erros e, assim, quase certamente não os cometerá.

O filósofo não tem maior poder do que as outras pessoas para antever o futuro. Ele sabe, no entanto, que a história se repete; estuda o passado e muitas vezes pode evocar uma ideia muito válida do futuro.

O filósofo tem em mente que o jeito de ajudar os outros é ajudá-los a serem suas melhores versões. Ele não tenta se tornar um reformador e se dedicar a esforço infinito que, provavelmente, não resultará em nada.

Sendo um filósofo, um homem assim sabe que o tempo é o grande nivelador. Ele é paciente, e os dias e anos são seus aliados, nunca seus adversários.

Sabendo que a mente tranquila também é eficiente, o filósofo não se deixa interromper pelo tipo de emoções que perturbam a mente e a tornam incapaz de conceber com grandiosidade.

Sabendo que não há limite para o poder da mente, o filósofo não bloqueia seus poderes com pensamento pequeno, mesquinho, mas pensa nos termos generosos e abrangentes sobre os quais a realização é construída.

O filósofo-empresário não confunde o lucro de hoje com a paz de espírito e o sucesso de toda uma vida. Portanto, ele não tira proveito indevido de ninguém, pois "todo ato se recompensa".

O filósofo sabe que pensamentos são coisas; que todo pensamento que ele projeta, seja bom ou mau, volta no devido tempo, grandemente multiplicado, para amaldiçoá-lo ou abençoá-lo de acordo com sua natureza.

As correntes do passado nunca são arrastadas por um filósofo com seu pesaroso ruído do olhar para trás. Ele sabe que o sucesso está à frente, a vida está à frente, e ele só carrega do passado o que pode ter sido uma lição valiosa.

O verdadeiro filósofo nunca difama outra pessoa, e, quando sente que precisa extravasar sua justificada indignação, ele não o faz como se esse fosse seu jeito de viver (poderia ser, para um filósofo). Ele expressa sua indignação como se a escrevesse na areia, na beira d'água, e espera que ninguém passe por ali antes de a maré subir.

Compartilhar é parte de uma verdadeira filosofia, por isso o filósofo compartilha livremente, sabendo que, ao dividir suas bênçãos, ele se prepara para novas bênçãos. Ele sabe que ao compartilhar planta oportunidades para o benefício pessoal que é merecido, e que é o tipo de benefício que ele quer ter.

Como filósofos, revisamos este livro. Sim, no nosso papel de buscadores da verdade por trás da natureza humana e da conduta humana, revisamos boa parte deste livro até aqui. Como filósofo, lembre-se da utilidade da revisão, pois a mente humana aprende por repetição e reforço até que, finalmente, a verdade seja a regra. A própria palavra "filósofo" é composta por duas palavras gregas que significam "amor" e "verdade". Um filósofo é amante da verdade.

Encerro este capítulo com uma história sobre meu avô. Ele acreditava, como eu, que as pessoas aprendem mais com a experiência. Tem certa maldade nessa história, mas creio que ela ajudou a ensinar um pouco de filosofia a um certo "homem da cidade grande".

A pessoa a quem me refiro estava ao lado da estrada rural pela qual eu viajava com meu avô, de Powell's River, Virgínia, de volta para nossa casa, com uma carga de feno. Eu era muito novo, jovem o suficiente para ficar impressionado com as roupas bonitas e a atitude superior do desconhecido.

Ele não pediu carona, só saltou sobre a carroça em movimento e disse: "Vamos de carona, caipira". Meu avô não respondeu. O cavalo seguiu adiante e deixamos para trás alguns quilômetros de estrada poeirenta.

Quando chegamos à casa de meu avô e seguimos na direção do celeiro, o desconhecido saltou da carroça e disse: "Ei, a que distância estou de Big Stone Gap?".

"Bemmm", meu avô respondeu pensativo, "se voltar pelo caminho por onde viemos, uns trinta quilômetros. Se continuar em frente, acho que uns quarenta mil".

Mais uma vez, o Segredo Supremo tocou sua mente, talvez para ficar, talvez para voltar mais tarde e ficar com você para sempre.

VERIFICAÇÃO DO CAPÍTULO 11:

A Lei da Compensação

O ensaio de Emerson sobre a compensação continua sendo um dos mais importantes que já foi escrito. É necessário para qualquer um que queira se entender e entender o mundo em que vive, bem como encontrar paz de espírito para a vida inteira. Certa vez o autor deste livro estava em sérias dificuldades, mas ainda cedeu seu tempo e prestou serviços gratuitos a um amigo; e sua compensação por isso cobriu muitos anos e ainda persiste. Forças invisíveis estão em ação entre nós, e este livro mostra como escolher as forças amigáveis em vez das hostis.

Todo ato se recompensa

A Lei da Compensação em seus aspectos visíveis, como quando traz uma oportunidade depois de alguma ação, pode parecer nada mais que causa e efeito. Mas, como diz Emerson, há uma terceira parte silenciosa em todas as nossas transações, e essa é a força invisível que equilibra as contas no final. Os homens podem acreditar que podem ser enganados, mas é impossível que um homem seja enganado por alguém além dele mesmo, e, embora a recompensa possa parecer demorada, existe um tipo de juros espirituais com que a recebemos finalmente.

Força a partir da adversidade

A lei da natureza é crescer, diz Emerson. Ele comenta que esse crescimento muitas vezes inclui adversidades de vários tipos, mas uma profunda força curadora opera para transformar dificuldade e tristezas em guias para a vida depois disso, e essas mesmas dificuldades muitas vezes servem para encerrar algum período da vida que esperava para ser encerrado. Além disso, a adversidade interrompe certos meios de vida aos quais nos acostumamos e ajuda na formação de novos meios que podem ser necessários para o crescimento. A pessoa que é temperada pela dificuldade torna-se uma pessoa mais forte que pode fazer mais por si mesma e mais pelos outros.

Poder da mente pode mudar seu mundo

Emerson não é o único filósofo que celebra o poder da mente e aponta as mudanças que uma grande mente promove no mundo. Sua mente pode mudar seu mundo. Transforme-se em filósofo e procure as razões básicas para sucesso e felicidade; volte a essas razões para ter orientação antes de recorrer aos métodos corriqueiros, e você vai construir uma base sólida. Ao considerar-se filósofo, você pode revisar este livro até este capítulo, aplicando todos os princípios básicos que aprendeu e lembrando como cada princípio é usado em ação.

12

VOCÊ É MUITO IMPORTANTE – POR UM TEMPO

Seu sucesso é seu para construir ou destruir, mas ele nunca pode ser maior que a humanidade. Por maior que seja sua fortuna, no fim ela não vale de nada. Uma vida bem-sucedida deixa os próprios monumentos. Na Selva da Vida, andamos sozinhos por um caminho cortado de perigos, mas temos em mente os meios para derrotar seus inimigos, construir poderes de verdadeira riqueza e felicidade duradoura. Andamos sozinhos, mas há evidências de que somos observados pelo mundo além dos nossos sentidos. Até esse mundo misterioso se dedica a nos guiar à riqueza agora, à paz de espírito agora.

Ele era um homem jovial, ainda não tinha trinta anos, e me disse que estava "progredindo" no ramo de aluguel de carros e caminhões de curto prazo. Ele me explicou como era esperto por deixar o ramo de aluguel de longo prazo para os outros; como era esperto por oferecer muita milhagem gratuita e compensar a aparente concessão de outras maneiras; como era esperto por dar às pessoas opções de planos de seguro, já que elas escolhiam invariavelmente a proteção mais ampla, que era a mais cara, mas não precisava ser anunciada como parte de sua tarifa diária de aluguel; como era esperto por investir seus lucros no mercado de ações na hora certa... resumindo, como era esperto.

Quase comentei sobre todos os fatores que se combinaram para ajudá-lo. O desenvolvimento do carro moderno, por exemplo, que é tão caro para comprar e manter que vale a pena alugar por diárias; e o desenvolvimento de boas estradas, e até o desenvolvimento do sistema de cartão de crédito, que ajudou seu negócio a prosperar. Mas não, ele não tinha visão filosófica de nada – e, se o mercado de ações por acaso estava em alta quando ele decidia investir, é bem provável que ele se sentisse responsável por isso também.

Eu apenas refleti sobre homens bem-sucedidos que conheci e que ganharam dinheiro em tudo, de fabricação de lampião a querosene a cursos sobre programação de computadores. Alguns deles viram onde se enquadravam no esquema geral das coisas, e esses eram os homens que eu admirava mais que os outros, os que viam apenas a própria capacidade de surfar a onda oportuna. Os que tiveram perspectiva da vida também costumavam ser os que tinham paz de espírito. Eram homens muito grandes, alguns deles, mas sabiam que o mundo à sua volta era maior que eles, e consideravelmente mais importante.

Andrew Carnegie sabia bem disso. Houve um tempo em que ele acreditou que eu começava a desenvolver um sentimento de superioridade por causa de minha associação com ele. Ele me fez escrever o seguinte lema:

"Não se leve muito a sério, a menos que queira ser prejudicado pelos outros."

Esse lema me fez algum bem na época, e mais tarde desapareceu em minhas lembranças submersas; talvez tenha sido nesse tempo em que eu não conseguia ser feliz com menos que dois Rolls-Royces.

Agora vejo que não havia nada de errado com os Rolls-Royces, nem com minha propriedade nas montanhas Catskill; na verdade, era minha atitude que estava errada. Eu me levava muito a sério. A comoção que eu causava no mundo era mais importante que meu respeito pelo mundo que me tinha dado oportunidades.

Penso naquele tempo, e em períodos semelhantes, e vejo que tinha uma consciência peculiarmente culpada. Eu não tinha cometido nenhum crime. Naqueles dias, porém, se um olhar pelo retrovisor do meu Rolls-Royce mostrasse um policial de trânsito atrás de mim, eu ficava imediatamente incomodado, mesmo que estivesse dirigindo vários quilômetros abaixo do limite de velocidade. Quanto ao policial me abordar, se isso tivesse acontecido, eu teria tremido na base.

De onde vinha o medo? Certamente, das tensões que eu havia alimentado. Agora essas tensões se foram, porque conheço meu lugar no mundo e minha mente está em paz. Agora, quando vejo um policial de trânsito atrás do meu carro, fico feliz, pois sei que sua presença induz direção cuidadosa e menos perigos na estrada.

E finalmente, há pouco tempo, um policial uniformizado tocou a campainha de casa. Só depois que ele foi embora me dei conta de que poderia ter sentido alguma apreensão, mas não senti. Fiquei apenas curioso para saber por que ele estava ali. Ele me perguntou educadamente se determinada pessoa morava em minha casa. Respondi que não, que essa pessoa já havia morado ali antes de eu comprar a casa. Ele agradeceu, e foi isso.

No fim, nada importa. Pensei por algum tempo na melhor maneira para explicar esse espírito em que os assuntos de uma pessoa são importantes, mas não mais importantes que tudo; esse espírito em que se pode encontrar grande sucesso e grande riqueza, e ainda manter a adequada perspectiva da essência e dos assuntos do indivíduo – uma perspectiva que é muito necessária para a paz de espírito.

Muito do que já foi dito neste livro está relacionado a esse assunto tão importante. Assim, quando se doa continuamente a seus semelhantes, mostra-se e sente-se que a personalidade não é construída apenas sobre as posses que se tem. Sei que dei ao mundo mais do que tirei dele, e essa é uma grande fonte de satisfação para mim. A capacidade de relaxar, brincar, viver algumas horas de cada dia exatamente de acordo com o que se considera ser agradável relaxamento – isso também traz perspectiva. Espero que a esta altura você tenha descoberto isso por si mesmo.

Depois de alguns testes, no entanto, decidi enfatizar a frase: "No fim, nada importa". Quando você está envolvido em obter, quando o mundo parece existir apenas no interior do seu círculo de atividades, quando alguma coisa que você construiu ou comprou começa a encobrir a visão do sol – lembre-se, no fim, nada importa. Diga em voz alta: "No fim, nada importa!".

Um conselho negativo? De jeito nenhum. *No fim*, nada importa. Tudo importa a seu tempo e em seu lugar – e dê a tudo o que é devido. Mas reserve um cantinho da consciência para o final que mantém perspectiva, que reconhece o tempo passado bem como o hoje. Isso o deixa mais em paz, mais seguro de si e mais forte.

Como eu descobri. Além da cortina que os homens podem penetrar com a ajuda de seus cinco sentidos, tenho alguns amigos que de vez em quando se comunicam comigo.

Certa noite, durante a Primeira Guerra Mundial, eu estava prestes a me recolher, quando senti um forte impulso de recorrer à minha máquina de datilografar e escrever *alguma coisa*. Eu era então conselheiro confidencial de Woodrow Wilson e havia questões urgentes de importância nacional e internacional ocupando minha mente. Porém, quando introduzi uma folha de papel na máquina e posicionei os dedos sobre o teclado, apenas quatro palavras surgiram na consciência. Foram tão nitidamente empurradas para minha cabeça por forças invisíveis que meus dedos as datilografaram em letras maiúsculas:

NO FIM, NADA IMPORTA.

Não sei como explicar o que aconteceu em seguida, por isso nem vou tentar. Talvez tenha sido coincidência; talvez não.

De qualquer maneira, naquela mesma máquina de escrever, pouco tempo depois, trabalhei em uma mensagem que ajudei Woodrow Wilson a escrever. Se a mensagem tivesse ido a público na época, teria mudado todo o rumo da Primeira Guerra Mundial. Certamente, tudo indicava que aquela mensagem *importava.*

Três dias depois de o armistício ter sido assinado, vi um jornal caído na sarjeta. A primeira página trazia uma cópia da mensagem. Era importante? Tinha se tornado completamente imprestável em poucos dias. Com o choque do reconhecimento, minha mente foi invadida pelo pensamento: "No fim, nada importa".

Algum tempo passou. Woodrow Wilson tornou-se o espírito-guia por trás da grande e nova Liga das Nações. Ele acreditava que o futuro da civilização dependia da ratificação do Senado dos Estados Unidos. O Senado não ratificou. O Sr. Wilson caiu de cama, e, apesar dos boletins emitidos pelos médicos, nós que éramos próximos dele sabíamos que ele estava morrendo de tristeza e desespero.

Fui vê-lo em seu leito. Ele me olhou sem esperança e murmurou: "Aqueles homens na Colina do Capitólio me mataram".

Nem ele nem eu podíamos dizer naquele momento que o mundo não estava pronto para o plano da Liga das Nações. Mas algo me levou a dizer o que poderia ter sido considerado impróprio – e acabaram sendo as melhores palavras que eu poderia ter dito.

"Sr. Presidente", eu disse, "no fim, nada importa".

Ele olhou para mim com uma expressão estranha, como se compreendesse devagar, e finalmente disse: "É claro que não!".

Talvez o tenha ajudado a morrer com mais tranquilidade. Sei que a frase permaneceu comigo desde então, e sinto que não fui eu que a inventei – ela foi colocada em minha mente por poderes invisíveis, mais sábios, que queriam que eu a tivesse naquele ponto da vida.

Nada importa no final, então, por que encher sua vida de medo? Muitas vezes notei homens e mulheres que andam pela vida com medo disso e daquilo – como se tivessem sintonizado algum comprimento de onda cósmico que fez do medo uma virtude absoluta.

Eles não sintonizaram, mas desligaram quaisquer influências além de seus assuntos pequenos, que a mente expandiu até ocupar todo o seu cosmos. O medo é uma coisa muito pequena!

É claro que seguimos pela vida com um "respeito decente pelas opiniões da humanidade", como diz a Declaração da Independência, e de vez em quando fazemos concessões e colocamos o bem-estar alheio à frente do nosso. Isso é cooperação, não medo. É civilização, em vez de anarquia. Porém, olhe em volta e veja quantas pessoas ampliam sua consciência social para uma consciência cheia de medo, depressão e derrota. Por quê? Se no fim, nada importa? Essas pessoas pensam que, se seguirem se esgueirando pela vida, em vez de marcharem de cabeça erguida, vão tornar a vida mais importante depois que morrerem? Andar pela vida com confiança e coragem é que aumenta a probabilidade de você ser lembrado; não é um jeito certo, mas é muito, muito mais provável. E, se não estão preocupados com o tamanho de sua lápide, nem com as flores postas sobre seu túmulo, nem com as preces feitas em sua memória – mais motivos para viverem sem medo.

Uma vez vi um livro cujo título era *I Write As I Please* (Eu escrevo como quero). Nunca consegui ler o livro, mas espero que corresponda ao título admirável. Qualquer homem que ousa escrever como quer andou boa parte do caminho para encontrar paz de espírito e preservá-la.

Isso também aprendi por tentativa e erro. Houve um tempo em que um impressionante corpo de críticos analisava cada linha que eu escrevia antes de meus textos serem publicados. Então comecei a ver que estava sendo moldado para agradar ao leitor, confirmando seus preconceitos e crenças estabelecidos. Que bem eu faria, nesse caso?

Agora escrevo como quero e deixo as fichas caírem onde puderem cair. Talvez você tenha percebido.

Você se lembra de Elbert Hubbard? Às vezes, grandes homens passam por este mundo sem ter sua verdadeira grandeza apreciada. Um deles foi Elbert Hubbard. Escrevendo como queria em uma cidadezinha no estado de Nova York, ele fez ondas se espalharem pelo mundo. Um de seus grandes ensaios foi *Mensagem a Garcia*. Um de seus livros, *Elbert Hubbard's Scrapbook*, era encontrado aberto em muitos salões, e você deveria pedir para um comerciante de livros usados encontrar uma cópia para você.

Ele era um homem que tinha aprendido a viver a própria vida e ser dono da própria mente, apesar do que os outros pudessem pensar a seu respeito. Ele me disse que essa liberdade dava a ele mais satisfação que toda a glória que o mundo poderia ter despejado sobre ele se escrevesse para agradar aos outros.

No começo, editores examinavam seus textos e diziam que eram avançados demais para a época. Recusado por editoras, ele decidiu publicar os próprios trabalhos. Teve tanto sucesso no ramo editorial que chegou a empregar oitocentas pessoas.

Hubbard foi muito mais que um escritor e editor bem-sucedido. Ele foi uma dessas almas raras que fazem a vida pagar o que elas pedem; que recebem seu pagamento à medida que seguem, e nunca o limitam a dinheiro; que recebem dividendos de tudo que afeta sua vida e encontram um benefício em cada experiência.

Ele ficou rico. Tinha muito mais dinheiro do que precisava. Porém, diferentemente de outros homens ricos, todos os dias de sua vida ele se manteve no lado simples da vida. Seria um mundo maravilhoso se todos os homens se fizessem livres, úteis, felizes e tranquilos como Elbert Hubbard.

Nem Hubbard nem Emerson precisavam ser lembrados de que "no fim, nada importa". Mas eles, e outros como eles, deixaram um legado muito maior que aqueles deixados por homens que acreditavam que tudo que faziam era o acontecimento mais importante do mundo.

Siga a dica da natureza. Qual é o único estado de coisas permanente em todo o universo? É *mudança* – eterna mudança –, já que a natureza sempre constrói, evolui, demole, reconstrói, em uma marcha sempre em frente rumo a algum destino desconhecido pelo homem.

Os caprichos da humanidade nada significam para a natureza. O tempo não significa nada para a natureza. De espaço e matéria ela tem abundância, e certamente não importa à natureza que, de vez em quando, o homem descubra alguns segredos; há muitos mais!

A natureza equilibra nascimentos e mortes dos homens de forma que nos perpetuemos e a raça permaneça. Para sempre? Isso não interessa à natureza. Se ela estabeleceu leis que, com o tempo, vão dizimar o homem, sua terra, talvez também sua lua, talvez o sistema solar inteiro, então essa é a lei da natureza, e ela é implacável. Se o próprio homem devastar esse plano, a natureza vai lidar com o globo destruído e sem vida com as mesmas forças de gravidade que o comandavam quando ele era cheio de animais, plantas e humanidade.

No fim, nada importa na natureza.

Pense nisso e vai começar a sentir o cosmos como ele deve ser sentido – nem ameaçador, nem promissor. Se existe um paraíso em algum lugar, repito, você não pode provar nem desmentir; o homem mais sábio vivo hoje não pode provar nem desmentir; o homem mais sábio que já viveu não pode provar ou desmentir. Você – e também seus semelhantes – vai estar muito, muito melhor se acompanhar Emerson e acreditar que aquela compensação, retribuição, punição, recompensa que equilibra as contas e pagamento das dívidas acontece *neste* mundo.

Hubbard e Rockefeller. Quando penso em Elbert Hubbard, penso frequentemente em John D. Rockefeller. Eles eram tão diferentes!

Uma vez Rockefeller me perguntou se eu gostaria de trocar de lugar com ele. Respondi educadamente que não; que valorizava minha saúde e minha liberdade, coisas que ele não apreciava. Duvido que meus comentários tenham tido alguma coisa a ver com a mudança óbvia que aconteceu com ele uns bons anos antes de sua morte. Mas essa mudança aconteceu, e eu a vejo como um novo começo na vida dele. Sim, o homem que tinha bilhões descobriu que faltava alguma coisa e tentou recomeçar na vida.

O que ele realmente queria? Verificando com aqueles que o conheciam, acredito que ele queria apenas o que tinha perdido em sua fabulosa carreira ganhando dinheiro – paz de espírito. Acho que um dia ele olhou para seu dinheiro e pensou que NO FIM, NADA IMPORTA. A associação de Ivy Lee com os interesses de Rockefeller foi parte de um esforço para apresentar ao mundo outro lado da natureza de Rockefeller. Quando o dinheiro de Rockefeller começou a ser injetado em projetos científicos, de saúde e cultura, isso assinalou uma espécie de renascimento.

Elbert Hubbard nunca precisou mudar a imagem que apresentou ao mundo e a ele mesmo. Mas Rockefeller, sim, como Henry Ford, e como muitos outros homens que pareciam ser completamente bem--sucedidos – até descobrir que, mesmo assim, faltava alguma coisa.

É interessante notar que os descendentes de Rockefeller parecem ter desenvolvido muitas características sociais úteis que simplesmente não eram populares entre os homens ricos nos tempos de John. Agora vejo que um bisneto se ocupa de trabalho social – e não só por intermédio de seu dinheiro, mas também bem ali, onde o pobre vive com sua carência. Como John D. Rockefeller mudou, não acredito que ele esteja se revirando no túmulo.

Pela Selva da Vida com observadores invisíveis. Você sabe que este livro levou quase setenta anos para ser produzido. Também sugeri que, naquelas décadas, eu não *sabia* que escreveria um livro que equipara riqueza a paz de espírito, mas de alguma forma senti que o faria. É óbvio que eu não poderia escrevê-lo quando jovem, nem aos cinquenta anos, porque não tinha acumulado a experiência necessária. É óbvio que também não poderia tê-lo escrito até ter aprendido bem e testado completamente cada conselho que dou. Esses conselhos foram testados em muitas vidas, além da minha, e as histórias que conto transbordam lições de vida que você vai aprender por si mesmo – e esse é o melhor jeito de aprender.

De vez em quando, tive evidências de que amigos invisíveis pairam sobre mim, desconhecidos pelos sentidos comuns. Em meus estudos, descobri que existe um grupo de seres estranhos que mantêm uma escola de sabedoria que deve ter uns dez mil anos de idade, mas não me conectei com eles. Agora descobri que existe uma conexão. Não sou um deles! Mas fui observado por eles. Vou contar como descobri.

Terminei este livro. E aí... Um dia eu soube que tinha chegado a hora de escrever este livro. Talvez a breve enfermidade que tive naquele tempo, durante a qual esbocei o livro, tenha sido planejada por aqueles outros para afastar minha mente dos assuntos do dia a dia. Escrevi o livro sentindo prazer com ele como sempre se sente prazer com um trabalho de amor. Levei vários meses, durante os quais me senti muito vivo e feliz.

Concluí o último capítulo e continuei sentado na frente da máquina de escrever, refletindo sobre o que tinha escrito. *No fim, nada importa*, pensei – mas é bom ter realizado aquilo que a mente concebeu por tanto tempo. Eu estava sozinho no meu escritório e tudo estava muito quieto.

Uma voz falou. Eu não vi ninguém. Não sei dizer de onde saiu a voz. Primeiro ela disse uma senha conhecida por poucos homens, o que capturou minha atenção.

"Vim", disse a voz "para lhe dar mais uma seção para incluir em seu livro. Ao escrever essa seção, você pode provocar a incredulidade de alguns leitores em você, mas vai escrevê-la honestamente, e muitos acreditarão e serão beneficiados por ela. O mundo ganhou muitas filosofias que preparam o homem para a morte, mas você foi escolhido para dar à humanidade uma filosofia que prepare os homens para uma vida feliz".

Sussurrei: "Quem é você?".

Com uma voz suave que era como notas de uma grande melodia, o orador invisível respondeu: "Venho da Grande Escola dos Mestres. Sou do Conselho de Trinta e Três que serve à Grande Escola e a seus iniciados no plano físico".

A Grande Escola dos Mestres!

Essa é a escola de sabedoria que persistiu em sigilo no Himalaia durante dez mil anos. Às vezes conhecida como Venerável Irmandade da Antiga Índia, ela é o grande reservatório central de conhecimento religioso, filosófico, moral, físico, espiritual e físico.

Com paciência, essa escola se esforça para elevar a humanidade da infância e da escuridão espiritual à maturidade da alma e iluminação final.

Desde os dias mais remotos da Antiguidade, os Mestres da Grande Escola se comunicam uns com os outros por telepatia. Em algum momento, eles se reuniram e se organizaram na mais antiga associação do mundo.

"Esses Mestres", diz J. E. Richardson em *The Great Message*, "são os Grandes Professores que, ao longo de toda a história humana, não só declararam seu conhecimento pessoal de outra vida, como também fizeram a demonstração pessoal de seu conhecimento de forma a não deixar dúvida na cabeça de seus discípulos, ou alunos, em relação a esse conhecimento pessoal".

A Grande Escola de Mestres sempre exercitou seus poderes para o desdobramento construtivo da inteligência humana individual, em harmonia com o indiscutível controle do homem sobre seus poderes individuais de pensamento. Os Mestres acreditam que essa grande prerrogativa, que foi reservada apenas para o homem, fornece a ele meios para poder controlar em grande medida seu destino terreno.

A Escola tem Mestres que podem deixar o corpo e viajar instantaneamente a qualquer lugar escolhido a fim de adquirir conhecimento essencial, ou dar conhecimento de forma direta, por voz, a qualquer pessoa. Eu então soube que um desses Mestres havia atravessado milhares de quilômetros, através da noite, até meu escritório.

O Mestre continua falando. Depois da pausa para me permitir organizar os pensamentos, o Mestre continuou com a mesma grandiosa voz musical que certamente teria reverberado pela casa se não fosse audível apenas por mim.

Não vou reproduzir cada palavra que ele disse, mas incluo o que é fundamental na mensagem. Muito do que ele disse já foi apresentado nos capítulos deste livro, ou você verá em outros capítulos.

"Você conquistou o direito de revelar um Segredo Supremo a outras pessoas", disse a voz vibrante. "Na jornada pela vida existe uma Selva da Vida, uma Floresta Negra pela qual todo indivíduo deve passar sozinho. Na Floresta Negra ele supera inimigos, oposição e inquietação internas. A Floresta Negra ajuda a dar refinamento à alma do homem por meio de esforço e resistência, de forma que a alma possa voltar ao Grande Reservatório Eterno de onde emergiu e tornar-se parte da Inteligência Infinita. Você tem estado sob a orientação da Grande Escola, mas tem sido seu próprio mestre. Passou pela Selva da Vida em segurança. Agora precisa dar ao mundo um mapa com o qual outros possam atravessar a mesma Floresta Negra.

"E agora vou dar nome aos inimigos que devem ser enfrentados e derrotados na jornada.

"O maior de todos é o MEDO. A expressão do medo nega ao homem o uso de seu verdadeiro poder de pensamento – um poder que pode capacitar cada indivíduo para suprir todas as suas necessidades físicas e controlar seu destino terreno.

"O próximo grande inimigo", disse o Mestre, "é GANÂNCIA pela posse de coisas materiais e pelo poder de controlar outras pessoas para fins egoístas. Ninguém que é cheio de ganância e avareza pode passar pela Selva da Vida e obter e usar de forma bem-sucedida o Segredo Supremo, porque afronta o Criador quando viola os direitos alheios.

"INTOLERÂNCIA é o terceiro inimigo da lista. Intolerância é o parceiro mau de egoísmo e ignorância. Fecha a mente e ignora os fatos. Priva a pessoa de amizades valiosas de que ela vai precisar em sua jornada pela vida e repele a cooperação de terceiros.

"EGOCENTRISMO é o quarto grande inimigo do homem. Autorrespeito é uma qualidade das mais desejáveis, mas autoamor é uma mentira que se conta a si mesmo e faz o homem perder o respeito de outras pessoas.

"LUXÚRIA é o quinto inimigo. Ela impede que a emoção sexual seja adequadamente transmutada e devidamente direcionada. Leva a excessivas expressões sexuais que dissipam as forças vitais criativas de mente e corpo.

"RAIVA, o sexto inimigo, é uma forma de insanidade temporária. A justa indignação, que é controlada e dirigida para a correção de uma causa, é ocasionalmente necessária, mas aqueles que vivem com raiva não podem conhecer realmente o Segredo Supremo.

"ÓDIO, o sétimo inimigo, é a raiva que se permitiu morar na mente até endurecer como cimento. É um veneno mental que distorce erroneamente o pensamento do indivíduo. Quem abriga o ódio não é capaz de controlar e direcionar seu poder de pensamento para fins construtivos, e assim é privado dessa única prerrogativa com que o homem foi abençoado pelo Criador".

O Mestre continuou falando enquanto eu ouvia fascinado. Ele falou sobre o inimigo CIÚME, aquela mistura de cobiça e medo; e sobre IMPACIÊNCIA, que impede a causa de dar seus frutos no efeito. Relacionou MENTIRA, que no fim engana o enganador; FALSIDADE, que tece uma corda com a qual o mentiroso se enforca espiritualmente; ele relacionou o inimigo INSINCERIDADE; e VAIDADE, que torna o homem vulgar e cria uma força repulsiva.

No meio de um grande silêncio, o representante da Grande Escola me disse que eu havia sido escolhido para contar aos outros sobre todos os inimigos, inclusive o da CRUELDADE, que atrai todos os outros inimigos como uma matilha de lobos, e IMPIEDADE, que vira as costas para os necessitados e faz a alma atrofiar. Ele falou de INJUSTIÇA e CALÚNIA, e de FOFOCA. Apontou que é possível conhecer o Segredo Supremo em palavras, mas não ser capaz de usá-lo se for para tentar destruir outras pessoas. Ele me mostrou como a Floresta Negra se fecha para sempre em torno daqueles que não banem os inimigos da IRRESPONSABILIDADE, DESONESTIDADE, DESLEALDADE e VINGANÇA.

Ao concluir com o nome de mais quatro inimigos sobre os quais eu deveria prevenir o mundo, o Mestre disse que eles eram tão importantes em sua capacidade de ameaça quanto qualquer outro. Eram: PREOCUPAÇÃO, que revela que um homem não é maior que aquilo que ele permite que o preocupe; INVEJA, uma forma de ciúme que destrói mais especialmente a iniciativa e a autodisciplina; HIPOCONDRIA, que impede a mente de conceber a boa saúde contínua de seu templo corporal e, assim, dá à falta de saúde seu primeiro impulso, que frequentemente está na mente; e INDECISÃO, que se fortalece à medida que é permitida, até montar nas costas do indivíduo, que pode cair e ficar perdido na Floresta Negra.

"Há outros inimigos do homem", disse o Mestre, "mas quem conquista esses 26 conquista todos os outros. Saiba que aquele que busca francamente dominar esses 26 inimigos à espreita se torna um Iniciado da Grande Escola. Nós o conhecemos, e ele tem acesso à mente de um Mestre. O meio de comunicação é a telepatia. O Iniciado pode, às vezes, transmitir sua necessidade de instrução pelo que se conhece geralmente como prece."

O princípio da prece. O Mestre então me contou os princípios que estão por trás da prece e podem prover verdadeira ajuda e orientação. Você que lê as palavras impressas deve ler esta seção várias vezes até que seu grande significado fique claro para você.

"Prece", disse o Mestre, "deve ser baseada em uma necessidade real de ajuda para realizar algo de valor construtivo.

"Na verdadeira prece pede-se ajuda somente depois de ter provado, por esforço próprio, que seus próprios poderes não são suficientes para permitir a conquista de seu objetivo.

"A pessoa que ora por ajuda não deve presumir que desiste de sua liberdade individual de ação, mas deve saber que precisa cooperar com as agências de auxílio que não consegue ver.

"Ela precisa saber, com autorrespeito confiante, que seu principal dever é melhorar a si mesma e sua condição; e que disso, quando estiver bem-feito, deriva seu segundo dever, que é ajudar a humanidade.

"São esses os princípios que procuramos em qualquer prece. Seja qual for a oração, a maneira como for proferida ou pensada, sob quaisquer circunstâncias, esses princípios se realizam quando são apresentados e evidenciam a adequação do suplicante".

O Mestre então dá um aviso ao Iniciado que segue seu caminho pela Selva. Ele me disse – como agora digo a vocês – que de vez em quando surgem espaços abertos naquela Floresta Negra, e, quando caminha livre de arbustos que o detenham, esse homem pode pensar que conquistou todos os 26 inimigos. Isso pode ser uma mentira dos inimigos. Uma maneira confiável de observar os inimigos que foram superados é relacioná-los em uma tabela, assim:

MEDO	CRUELDADE
GANÂNCIA	IMPIEDADE

INTOLERÂNCIA	INJUSTIÇA
EGOCENTRISMO	CALÚNIA
LUXÚRIA	FOFOCA
RAIVA	IRRESPONSABILIDADE
ÓDIO	DESONESTIDADE
CIÚME	DESLEALDADE
IMPACIÊNCIA	VINGANÇA
MENTIRA	PREOCUPAÇÃO
FALSIDADE	INVEJA
INSINCERIDADE	HIPOCONDRIA
VAIDADE	INDECISÃO

A lista deve ser verificada ao menos uma vez por ano. Feita com honestidade, e com o *insight* e o autoconhecimento adquiridos, essa verificação permite que o indivíduo estude seu registro e conheça o nome dos inimigos derrotados. Esses são eliminados da lista. Enquanto restar um inimigo, a pessoa que fez a lista ainda vaga pela Selva da Vida. Quando todos os inimigos foram dominados, ele passou pela Selva.

O que acontece no fim da grande jornada. O Mestre explicou: "Quando o Iniciado realmente conquistou todos os 26 inimigos do sucesso, da paz e da harmonia, ele recebe um comunicado de um Mestre da Grande Escola. Tem a confirmação de seu sucesso na travessia da Selva e recebe instruções definidas para sua conduta futura.

"Primeiro, será mostrado a ele que uma parte razoável de seu tempo deve ser dedicada a dirigir aqueles que se esforçam para passar pela Selva, e a auxiliar seus semelhantes de todas as maneiras possíveis. Ele já sabe que um benefício aos outros beneficia a ele mesmo, mas agora percebe esses benefícios completamente.

"Segundo, ele terá o poder de lidar com todas as adversidades, de forma que seus eventuais benefícios a ele são revelados e ele se torna consciente de seu poder para transformar adversidade em benefício.

"Terceiro, o Iniciado que domina os 26 inimigos do homem vai reconhecer rapidamente a natureza e o propósito de qualquer missão especial que a ele possa ser designada no futuro, e ele sempre terá a coragem para cumprir essa missão."

O Mestre prosseguiu rapidamente: "O Iniciado detém o poder de negligenciar ou negar qualquer um desses requisitos, mas, se o fizer, a penalidade pode ser a completa revogação dos poderes que ele conquistou em muitos anos de esforço dedicado. Os poderes incluem grandes bênçãos:

"Esperança, fé e coragem para alcançar qualquer objetivo desejado.

"Benevolência com seus semelhantes e compaixão pelos problemas deles.

"Autocompreensão, que revela a ele a natureza de seus poderes estupendos.

"Resistência e persistência suficientes para capacitá-lo a superar todos os obstáculos em seu caminho.

"Boa saúde física e mental.

"Sabedoria para avaliar todas as coisas, e autodisciplina para dar a ele completo domínio sobre si mesmo.

"Paciência para lidar com adversidades.

"Tolerância com todos, e um verdadeiro espírito de amor fraternal.

"Livramento da preocupação.

"Abundância material para atender a todas as suas necessidades e desejos.

"Avaliação precisa do tempo.

"Livramento de todos os vícios.

"Uma personalidade magnética e um espírito de generosidade que atraem cooperação amigável.

"Habilidade para se beneficiar de erros do passado.

"Ouvido atento, língua silenciosa, coração fiel, aguçado senso de lealdade.

"Profundo amor pela verdade.

"Capacidade de comunicação telepática, inclusive a comunicação com a Inteligência Infinita.

"Verdadeira compreensão de prece científica, associada à capacidade de obter ajuda dos Mestres quando ela for necessária.

"Imunidade contra os atos de todas as pessoas maldosas.

"Alívio de todas as características negativas herdadas.

"Domínio completo de todo tipo de medo, inclusive o medo da morte.

"Compreensão do propósito geral da vida, associada à gloriosa capacidade de viver de acordo com esse propósito."

O Mestre conclui sua mensagem. Outra pausa no silêncio profundo, e o Mestre disse: "Ele não só vai compreender o verdadeiro propósito da vida, como também terá ao seu dispor o poder de cumprir esse propósito *sem ter que viver outra encarnação neste plano terreno.*

"E os Mestres da Grande Escola, neste plano terreno e em todos os outros, se regozijarão de seu triunfo e desejarão a ele boa viagem rumo à sua Maestria. Seu ciclo em direção à Maestria não terá terminado, mas ele terá diante de si o mapa para navegar com sucesso."

A voz se calou. Comecei a ouvir pequenos sons do mundo à minha volta, e soube que o Mestre tinha retornado à Grande Escola de Mestres.

A lição inerente em poucas palavras. No fim, nada importa. Leia mais uma vez e veja quanto da mensagem do Mestre diz respeito ao *aqui* e *agora*, o tempo em que garantimos, por nós mesmos, se a vida vai nos recompensar ou punir; se vamos realizar nossos sonhos ou morrer sem conquistá-los. Perceba as várias maneiras pelas quais somos orientados a não nos tornar mesquinhamente importantes... *mesquinhamente* importante é uma grande demonstração de propriedade ou poder que não vale para nada no esquema das coisas e pode destruir a saúde e a felicidade.

Quanto ao Fim além do nosso fim terreno, temos a visão de um grande reservatório de espírito da vida, mas não somos orientados a seguir fascinados, nem a nos afastarmos dos assuntos da vida em alguma forma de santidade presumida. A bondade na vida se desenvolve vivendo, e a vida foi planejada para não ser um mar de rosas, mas sim uma aventura completa a fim de treinar o eu para conhecer, conquistar e desfrutar do que é bom.

Você já está qualificado para usar o Segredo Supremo de muitas maneiras. Assim que o conhecer – se já não o conhece –, verá por que é assim.

VERIFICAÇÃO DO CAPÍTULO 12:

Você é muito importante – por um tempo

Quando leva seus assuntos a sério demais, você rouba a própria paz de espírito. Um homem realmente grande sabe que o mundo à sua volta é maior que ele. As tensões envolvidas em tentar "viver grande" quando isso não está em sua natureza podem acarretar uma consciência culpada e outros problemas. Muitos homens realmente grandes param à margem da vida e se divertem, mas homens pequenos têm medo de agir assim. Andrew Carnegie tinha um lema memorável que nos ensina a não tentar tomar emprestada a grandiosidade dos outros.

No fim, nada importa

Quando você está muito envolvido em ter, é hora de lembrar que, no fim, nada importa. Tudo importa em seu tempo e seu devido lugar, mas manter a perspectiva dá a você um reconhecimento do tempo passado, bem como de hoje. Uma experiência de "escrever automaticamente" em minha máquina de datilografar parece ter sido uma comunicação do mundo além dos cinco sentidos para me dizer que no fim nada importa e para me capacitar a passar pelo mundo.

Por que ter medo de alguma coisa?

Muitas pessoas ampliam sua consciência social em uma consciência cheia de medo, depressão e autoderrota. Marchar pela vida com coragem e confiança remove o medo, e não é necessário se preocupar com o tamanho de sua lápide. Um homem destemido e pacífico chamado Elbert Hubbard escrevia como queria, publicou os próprios trabalhos e fez fortuna. Nem Hubbard, nem Emerson tiveram que ser lembrados de que, no fim, nada importa.

Na Selva da Vida há uma orientação invisível

O autor baseou grande parte deste livro em uma revelação da Grande Escola de Mestres. Vinte e seis inimigos estão à espreita na Selva da Vida. Derrote-os e você adquire nova habilidade para viver uma vida de paz, abundância, sucesso e satisfação.

13

Nem muito, nem pouco

Quando a mente realmente percebe seu potencial para a riqueza, você tira proveito das oportunidades de enriquecimento à sua volta. Paz de espírito é um ingrediente essencial da riqueza. Doar no espírito da Regra de Ouro está intimamente ligado ao desfrute de riqueza e de todas as coisas boas da vida. Quando você oferece serviço, como em um trabalho, no fim será pago pelo que vale, porque não se pode forjar a Regra de Ouro – ela é eterna e imutável, e anda de mãos dadas com a imutável Lei da Compensação.

A abundância da Terra espera que você a colha. Isso nos tem sido dito pelos Mestres de todas as escolas de todos os séculos, e assim aprendemos com a própria vida.

Em que consiste abundância? Você agora sabe que esse é um termo relativo. Certamente, não se pode dizer que aquele que não tem o suficiente para comer desfruta de abundância: mas há aqueles que não acreditam que são ricos, até que possam fazer suas refeições em pratos de ouro. Seja rico à sua maneira, e você saberá que é rico; e tenha em mente que até um mendigo desfruta da beleza da Terra, o movimento de nuvens brancas e a visão de um arco-íris ou de uma estrela cintilante.

Mas este é um livro prático, e tenho certeza de que você notou que não sugiro um substituto direto para dinheiro suficiente. Vamos olhar novamente para a questão da suficiência; vamos olhar seu início.

A riqueza chega para o homem que pode ver um potencial para riqueza. Fui criado em um lugar que chamávamos de fazenda. Bem, era uma terra, sim, e era possível observar certos vegetais crescendo nos campos e alguns animais pastando. Um fazendeiro bom, eficiente, teria notado, no entanto, que boa parte de nossa "fazenda" não era uma fazenda. Havia muita terra sem cultivo que gerava a necessidade de pagar impostos, mas nenhum alimento para ser comido ou produto para ser vendido.

Não tínhamos treinamento, não tínhamos capital e não tínhamos algumas outras coisas – mas ainda não sei por que deixávamos um potencial para (relativa) riqueza ficar lá sem ser usado. Só anos mais tarde ouvi falar sobre agricultura científica, que pode produzir mais renda em dez acres do que meu pai poderia ter produzido com cem acres de terra equivalente. Recentemente, conheci um fazendeiro que tem uma vida esplêndida a partir de apenas cinco acres, pela rotação científica do que planta – e soube que tinha conhecido um homem que era capaz de ver e usar seu potencial para riqueza.

Perceba, porém, que o potencial de riqueza básico do fazendeiro não está na terra. Está na cabeça dele – em sua disponibilidade para aprender bons métodos agrícolas e usá-los, ou, indo ainda mais longe, em sua disponibilidade para aprender o que constitui boa terra de plantio e tomar providências para obtê-la.

Um recente artigo de jornal mencionou que em algumas partes da África, hoje, são necessárias oito pessoas para plantar alimento suficiente para alimentar nove pessoas. Felizmente, bons métodos agrícolas se espalham pelo mundo com bom maquinário agrícola, e fertilizantes modernos podem fazer maravilhas com terra boa. Mas quando os mesmos oito cavadores de terra são transformados em oito motoristas de trator plantando semente com *pedigree*, e o trabalho deles alimenta oitocentos ou oito mil, ainda assim, a mente deles terá que aceitar a ideia de que isso já foi feito por outras pessoas e de que eles também podem fazer. Riqueza SEMPRE começa na mente.

Riqueza sempre começa com um conceito mental de potencial de riqueza. Deixando a agricultura de lado, é possível rastrear qualquer fortuna até esse princípio único.

Quando você procura o "suficiente", portanto, olhe primeiro a mente que interpreta o mundo em volta dela. É na sua cabeça que você não só concebe o tipo de riqueza que quer, como também é na sua cabeça que você pega a matéria-prima da circunstância e a transforma em *oportunidade*.

Paz de espírito é riqueza. Não fiz a afirmação anterior exatamente com essas palavras, mas tenho certeza de que elas não o surpreendem.

O princípio é tão importante que vou contar outra história sobre um homem que era rico de dinheiro, mas não sabia quanto era pobre por não ter paz de espírito. Além disso, ele não sabia o que estava perdendo, até encontrar. E para encontrar paz de espírito, ele teve que abandonar um princípio comercial e substituir um princípio de gentileza humana de que sempre havia desdenhado – então, como pode ver, isso forma uma história verdadeira e muito importante.

O herói é... mas quem é o herói dessa história? Você precisa decidir por si mesmo. De qualquer maneira, um importante personagem é um homem que tinha feito fortuna no ramo imobiliário, em grande parte por meio de aluguel de propriedades baratas que possuía. Ele descobriu que um casal idoso estava muito atrasado com o pagamento dos aluguéis e, seguindo seu princípio invariável do "bom negócio", decidiu despejá-los.

Deu ordem ao advogado para seguir com o procedimento. O advogado, porém, não apresentou a ele a ordem de despejo cumprida, e então o proprietário e o advogado tiveram uma conversa.

O advogado disse: "Não vou cumprir sua ordem. Pode procurar outra pessoa para cuidar do caso, a menos que prefira desistir dele".

O proprietário decidiu que sabia o que passava pela cabeça do advogado. "Acha que não vai ganhar dinheiro com isso?"

"Ah, sim, vai haver algum dinheiro nisso, já que entendo que pretende vender a casa, quando ela estiver vazia. Mas não quero o caso."

O proprietário tentou deduzir o que estava acontecendo. "Foi ameaçado para desistir dele?"

"Não, de jeito nenhum."

"Ah! Então o velho que não paga aluguel implorou para não ser importunado."

"Bem, sim."

"E você amoleceu? Ele implorou, e você ficou com pena? Que jeito horrível de fazer negócios. Se ele tivesse tentado isso comigo, eu teria..."

"Ele não implorou *a mim* para escapar do despejo. Ele não falou uma palavra comigo."

"Bem, certamente também não falou comigo, então posso saber a quem ele se dirigiu?"

O advogado respondeu em voz baixa:

"Ele pediu a Deus Todo-Poderoso."

"Então, ele caiu de joelhos quando você pediu o aluguel e..."

"Não. Ele não sabia que eu estava lá. Não foi para *mim*. Bati na porta e ninguém respondeu. A porta estava encostada. Achei que o casal de idosos poderia já ter saído do imóvel, então entrei. O lugar estava quase vazio, e vi por uma porta entreaberta o quarto onde uma mulher de cabelos brancos estava recostada na cama, sobre travesseiros. Eu ia tossir, anunciar minha presença de algum jeito, quando ela disse alguma coisa no quarto: 'Estou preparada. Vá em frente, Pai'.

"Um homem muito velho saiu do outro lado do quarto e se ajoelhou ao lado da cama. Não consegui me mover, nem dizer nada. E aquele homem rezou segurando a mão da idosa. Primeiro, disse a Deus que eles ainda eram seus filhos submissos, e o que quer que Ele decidisse impor aos dois, não se revoltariam contra Sua vontade. Mas seria difícil, para eles, ficar sem casa na velhice, com a mãe doente e incapacitada, e oh, como tudo seria diferente se Ele tivesse poupado ao menos um de seus três filhos, mas os meninos não estavam mais neste mundo..."

O advogado enxugou os olhos. "Eu chorei", ele disse, "mas continuei quieto. E ouvi quando ele lembrou ao Senhor a segurança daqueles que confiam no Senhor, e como não seria agradável ir para o abrigo para indigentes depois de uma vida inteira juntos na casa deles. No entanto, ele disse ao Senhor, sabia que o negócio com um vizinho tinha que ser justo, e terminou pedindo que o Senhor abençoasse...". O advogado engasgou com as lágrimas.

"Não a mim!", o proprietário protestou com voz rouca.

"Bem, ele não mencionou nomes. Mas rezou para o Senhor abençoar aqueles que em breve exigiriam o que era deles por direito. Bem... eu saí na ponta dos pés. E esse é o fim do caso, de minha parte. Prefiro ir eu mesmo para um asilo de pobres a despejar aquele casal de idosos." Ele segurou o braço do outro homem. "Escute! Eu pago os aluguéis atrasados agora mesmo, se os deixar ficar naquela casa."

"Não", disse o proprietário. Ele se levantou e caminhou até a janela. Depois de um momento, também enxugou os olhos. "Eles podem ficar pelo tempo que quiserem." Depois se virou e disse triste: "Queria que não tivesse ouvido esse pedido que não era para os seus ouvidos, nem para os meus".

O advogado balançou a cabeça.

"Não, eu tinha que ouvir e contar a você. Minha velha mãe costumava cantar sobre Deus se mover por caminhos misteriosos..."

"Também ouvi isso", disse o proprietário. Ele olhou para os documentos do processo em suas mãos, depois os rasgou. "Bem, por que não vai até lá de manhã e... hã... leva esta nota de US$ 10 e compra uma cesta de mantimentos para eles?"

"Vou somar mais dez aos seus dez e comprar uma cesta maior."

"E... hã... diga a eles que o aluguel foi pago, sim?"

"Sim. Pago por uma via misteriosa." Os dois homens se olharam e sorriram.

Esse proprietário de imóveis marca o início de sua riqueza no dia em que rompeu o padrão de sua vida – o dia em que parou de se agarrar às coisas e começou a dar – o dia em que sentiu os primeiros movimentos do que se tornou uma maravilhosa paz de espírito.

Não limite o que você dá, limite o que toma. É claro, falando em termos práticos, há um limite para o que alguém dá de seu tempo e seus recursos. Mencionei que seu primeiro dever é se ajudar, depois ajudar outras pessoas, e, quando essa regra é aplicada corretamente, faz maravilhas.

Então, quando digo "Não limite o que você dá", quero dizer que não deve haver limite sobre o "espírito" de sua doação. O proprietário do imóvel, por exemplo, tinha feito caridade antes. Mas foi caridade feita como caridade, doações feitas a causas locais que anunciavam seu nome em reconhecimento – então, era boa publicidade para ele e seus negócios.

Um dia, ele deu quando a última coisa com que contava era doar – e isso fez a diferença. Um dia ele sentiu que algo maior que ele mesmo operava por intermédio de sua carteira – e isso fez toda a diferença no mundo. Isso mudou todo o espírito de sua vida daquele dia em diante.

Eu faço um discurso. O subtítulo anterior é quase tão novo quanto notícias como "Cachorro Morde Homem", porque fiz muitas palestras sobre isso. Sua importância é esta: fiz a palestra em uma pequena faculdade e, enquanto estava na faculdade, fiz muitas anotações sobre suas atividades na área de trabalho e estudo.

Quando o presidente do evento pagou meu cachê, devolvi o dinheiro. Agradeci, mas disse que tinha recolhido material suficiente para dois ou mais artigos em minha revista *Golden Rule*, então, sentia-me suficientemente pago.

Mais tarde, houve uma enxurrada de assinaturas da *Golden Rule* na região daquela faculdade. Os alunos tinham decidido que, como eu tinha feito alguma coisa por eles, eles fariam algo por mim, e recolheram aquelas assinaturas. Fui remunerado muitas vezes mais do que esperava. E é assim que funciona!

O que é a Regra de Ouro – realmente? Você sabe que a Regra de Ouro de uma ou outra forma já era antiga na época de Jesus? Ele nos deu essa regra na forma que a maioria a conhece, mas aqui vão algumas versões que são mais antigas na história:

Ele buscou para outros o bem que desejava para si mesmo. [Inscrição em uma tumba egípcia, cerca de 1600 a.C.]

Não faça aos outros o que não quer que façam a você. [Confúcio]

Devemos nos comportar com o mundo como queremos que o mundo se comporte conosco. [Aristóteles]

Você pode ver que a Regra de Ouro é posta em prática há alguns milhares de anos como uma regra importante de conduta entre os homens. Infelizmente, o mundo lembra a letra da lei, mas muitas vezes deixa de ver o espírito dessa Injunção Universal.

Recite-a dessa maneira, e é mais provável que você a associe com o tipo de conduta que ajuda você e os outros:

"A Regra de Ouro significa que devemos fazer aos outros o que desejamos que fizessem a nós, se as posições fossem contrárias."

Pense nisso. Não é exatamente a Regra de Ouro que você vai encontrar na Bíblia. Ela vai um longo passo além, porque implica julgar as necessidades de outras pessoas nos termos delas, vendo o mundo pelos olhos delas.

Perdoe um pouco de leveza no meio de um assunto sério, mas pode servir para ajudá-lo a lembrar. Tem uma velha história sobre um missionário que espalhava a Palavra entre os primitivos habitantes de uma ilha no Mar do Sul. Entre outras coisas, ele ensinava a esse povo sua versão da Regra de Ouro, que é a versão geral: "Faça aos outros o que quer que façam a você". O chefe da tribo ficou muito impressionado. Um dia, ele bateu na porta do missionário e anunciou que tinha um presente para ele: seis esposas extras!

Aplique a lição com seriedade e você vai ver que a bondade de doar está em dar ao outro aquilo de que ele precisa.

É esse tipo de doação que está de pleno acordo com a Lei da Compensação, e que está de acordo com tanta experiência humana simples que mostra que doar vem antes de receber – quando doar realmente atende a uma necessidade.

É inútil repetir os muitos exemplos desse ato de doar que tenho mostrado neste livro. Se você examinar alguns desses exemplos, vai ver a Regra de Ouro em ação. Também vai ver sua conexão com outro famoso verso da Bíblia: "O homem colhe aquilo que planta".

Não devemos nos contentar com as migalhas da mesa da vida, e não devemos tentar pegar demais. A Regra de Ouro muitas vezes parece agir como uma grande alavanca que garante que seja assim. Cria um espírito sempre presente de consideração generosa com as necessidades e os direitos dos outros, de forma que, sem pensar em ganho (que muitas vezes é distorcido por mentes pequenas em "apoderar-se"), a mente onde foi injetada a Regra de Ouro adquire um sentido do que constitui sua verdadeira capacidade de doação. Dar resulta em receber; existe uma passagem de ida e volta de riqueza que pode não se refletir em uma gorda conta bancária, mas se reflete em uma mente que conhece essa riqueza. Nisso residem a felicidade, paz e saúde que um homem rico apenas de dinheiro pode nunca conhecer.

Uma sugestão: olhe em sua comunidade e encontre algum homem que você saiba que vive para o propósito de acumular dinheiro. Encontre um homem – e você pode encontrá-los – para quem qualquer quantia é pouco e nenhum valor é demais. Ele certamente será um homem que tem pouca consciência sobre como adquire seu dinheiro, porque consciência pode ser um empecilho quando seu horizonte não é mais que uma linha de sacolas vazias a serem enchidas com dinheiro.

Observe esse homem. Procure calor em sua alma; você não vai encontrar, a menos que o assunto da conversa seja dinheiro. Procure uma acolhida afetuosa, humana, em seu sorriso; você não vai encontrar – ele sorri como um tubarão. Note como ele demonstra pouco contentamento com a vida. Ah, ele pode exibir satisfação em muitas manifestações caras, mas isso é outra coisa.

No sentido humano da palavra, esse homem não é realmente humano. É um autômato – uma máquina de ganhar dinheiro. Mas muitos invejarão esse homem mecânico. Apontarão o que chamam de seu "sucesso".

Pode haver sucesso sem felicidade? Qualquer pessoa realmente humana sabe que as duas coisas precisam estar juntas como parceiras em uma vida digna. Nenhum homem que pensa que felicidade é ter muito jamais será feliz. Nenhum homem pode ser realmente feliz até traduzir as palavras da Regra de Ouro em atos e compartilhar felicidade com outros. Mais que isso, a Regra de Ouro não existe para ser "aplicada", como impostos. Compartilhar felicidade traz felicidade quando compartilhar é voluntário, sem outro propósito além de "dar".

Quanto é um pagamento muito baixo? Quanto é demais? Um dos motivos para eu me sentir feliz por não ter meu nome associado a Grandes Negócios – como quase foi – é este, que repito: sempre me senti livre para apontar que os Grandes Negócios devem compartilhar mais generosamente com seus empregados, tanto em oportunidades quanto em lucros.

Escravos de galé de outrora eram acorrentados aos remos. Recebiam alimento suficiente apenas para continuar remando. Como você pode ler no emocionante livro *Ben Hur*, quando uma galé estava prestes a afundar, ninguém soltava os homens acorrentados aos remos. Eles afundavam com o navio, como se fizessem parte dele. Em espírito, eram isso mesmo.

Condições de trabalho no primeiro século da Revolução Industrial ou além dele lembravam essa filosofia. O proprietário de um negócio tirava de seus empregados tudo que podia espremer deles, e dava-lhes o mínimo que podia. Boa parte dessa abordagem ainda persistia nos dias de minha juventude. Considero uma bênção ter vivido para ver algum espírito de compartilhamento surgir no mundo da fábrica e do escritório. Agora olhamos aterrorizados para as doze ou catorze horas de trabalho por salários de fome, e nos perguntamos como pudemos ser estúpidos a ponto de não ver que isso prejudicava o homem e sua sociedade; mas era assim.

Hoje a recompensa pelo trabalho sempre vem em "benefícios secundários", além de pagamento direto. A pergunta "Quanto é pouco pagamento? Quanto é demais?" ainda persiste, e me atrevo a dizer que ela estará sempre conosco. Não é para ser tratada como algo absoluto, porque o valor do dinheiro está sempre mudando.

De maneira geral, no entanto, permanece um grande absoluto: dentro do contexto de seus tempos, os serviços de um homem valem tanto quanto ele dá. Muitos homens de cinquenta anos ou mais podem rever seu padrão salarial e ver que é assim.

Além do mais, sabemos disso instintivamente e demonstramos que sabemos. Guardo comigo uma história contada por Henry Ford que ilustra o ponto lindamente.

Durante os primeiros dias da empresa que hoje é tão grande, o Sr. Ford publicou um anúncio para recrutar um gerente-geral de vendas. Ele garimpou os candidatos e entrevistou alguns dos mais promissores. Ao conversar com um homem, ele finalmente chegou à discussão sobre o salário. Eles não conseguiram determinar um valor, e o Sr. Ford disse: "Você pode vir e mostrar o que é capaz de fazer durante um mês, e então pagaremos de acordo com seu valor".

"Não", disse o candidato. "Ganho mais que isso onde trabalho agora."

"E", riu o Sr. Ford, "eventos subsequentes provaram que, com esse ato falho, ele disse a verdade. No fim do primeiro mês, tivemos que demiti-lo".

Não sei por que o Sr. Ford contratou o homem, mas parece que ele tinha experiência e outras qualidades necessárias para o cargo. Então se soube que a aparência era tudo que ele tinha para dar – e a recompensa foi correspondente.

Você não pode falsificar a Regra de Ouro. A Regra de Ouro, então, aplica-se até em casos de contratação e demissão? Não vou dizer que é sempre assim, mas de maneira geral, sim, ela se aplica. A Lei da Compensação, com a qual a Regra de Ouro funciona de mãos dadas, aplica-se a todas as formas de compensação. A sugestão de não se contentar com muito pouco e não tentar se apoderar de muito também se aplica. Não há regra de vida válida que se sustente sozinha.

Não pense que se pode falsificar a Regra de Ouro. Isso nada vai fazer senão dar a impressão de que você pode dar o que alguém quer, enquanto, no fundo, você esconde uma natureza desonesta e egoísta. Emerson disse:

> O caráter humano sempre se mostra. Não se deixa esconder, corre para a luz. Ouvi um experiente conselheiro dizer que nunca teve medo do efeito sobre o júri de um advogado que não acredita realmente que seu cliente deve ter um veredicto. Se ele não acredita nisso, sua incredulidade vai se mostrar ao júri e vai se tornar a incredulidade deles. Aquela que não acreditamos que podemos dizer de forma adequada, embora possamos repetir as palavras frequentemente.
>
> Um homem mostra o que vale. O que ele é fica gravado em seu rosto, na forma, em sua sorte, em letras de luz que todos os homens podem ler, menos ele. Toda violação da verdade não é só uma forma de suicídio no mentiroso, mas é uma facada na saúde da sociedade humana. Confie nos homens, e eles se incumbirão de confiar em você; trate-os com grandeza, e eles se mostrarão grandes.

Você agora leu o Segredo Supremo de muitas maneiras diferentes. Não terá dificuldade para aceitá-lo como um guia comprovado e valioso para a paz de espírito e a riqueza em grande medida.

VERIFICAÇÃO DO CAPÍTULO 13:

O que constitui abundância?

As terras de um fazendeiro dão a ele o potencial para abundância, mas ele continua pobre, porque não percebe esse potencial. Todo homem tem o potencial para a abundância dentro dele, mas pode permanecer pobre. A riqueza vem quando você vê seu potencial para a riqueza – quando concebe mentalmente como transformar a matéria-prima da circunstância em oportunidade de construção de riqueza.

Paz de espírito é riqueza

Paz de espírito escapa de muitos homens que pensam ser ricos, mas não são. Quando o homem encontra paz de espírito, ele sabe o que perdeu, e sua vida é transformada a partir daí. Paz de espírito muitas vezes chega, finalmente, quando um homem descobre como dar sem planejar a doação; como dar quando a necessidade é evidente e sem pensar em ganho. Tem que haver um limite para a doação física, mas o espírito de doação não conhece limite.

O que é a Regra de Ouro?

Veja a Regra de Ouro como um jeito de ajudar como gostaria que o ajudassem se suas posições fossem invertidas. Isso foca sua atenção no que o outro precisa e resulta em verdadeira consideração humana. A Regra de Ouro age como uma grande alavanca para garantir que você não terá nem pouco, nem muito, mas que grande riqueza passará por suas mãos, mesmo assim. Ninguém que vive apenas para acumular riqueza pode conhecer a felicidade, e não existe sucesso real, a menos que se tenha sucesso em ser feliz.

14

O PODER MÁGICO DA CRENÇA

No poder da crença está o Segredo Supremo. Acreditar é a chave para o poder mental básico que transforma conceitos em realidades. Objetivos podem ser alcançados de maneira que parece milagrosa, mas só usamos forças naturais disponíveis para todo mundo. Até mudanças físicas no corpo podem ser causadas por crença profundamente implantada. A chave para ter muito dinheiro está sempre em um processo simples de autossugestão. Concentre-se precisamente no que você quer, e verá sinais apontando o caminho. As forças da evolução humana agora estão sob o controle humano, e você pode controlar sua evolução como uma pessoa melhor, mais bem-sucedida.

Qualquer coisa em que a mente humana pode acreditar, a mente humana pode conquistar.

Por favor, leia isso de novo, lentamente: qualquer coisa em que a mente humana pode acreditar, a mente humana pode conquistar.

Se você tivesse lido essa afirmação no início deste livro, poderia ter tido dificuldade para digeri-la de uma vez só.

Mas agora, no entanto, você viu muitos dos padrões de sucesso e fracasso, de felicidade e infelicidade, de tumulto mental e paz de espírito que o homem dá a si mesmo.

Agora, quando você lê "*Qualquer coisa em que a mente humana pode acreditar, a mente humana pode conquistar*", sabe que a concepção de conquista, que se torna a conquista propriamente dita, é nossa grande prerrogativa humana.

Qualquer coisa em que a mente humana pode acreditar, a mente humana pode conquistar. Esse é o Segredo Supremo.

Acredite, de verdade e profundamente, que terá grande riqueza, e a terá.

Acredite, de verdade e profundamente, que terá boa saúde física, e a terá.

Acredite, de verdade e profundamente, que terá paz de espírito, e a terá – e todas as maravilhas que a acompanham.

Qualquer coisa em que a mente humana pode acreditar, a mente humana pode conquistar. Esse é o segredo conhecido em eras passadas; esse é o segredo que governa conquistas dos dias atuais; esse é o segredo que vai seguir o homem até as estrelas. Esse é o segredo das eras.

O que queremos dizer com ACREDITAR? "Querer não vai fazer acontecer" é um velho ditado. Isso é verdade, e o ajuda a lembrar-se de que "querer" não é "acreditar".

Um desejo se instala na superfície da mente. "Eu quero"... você pode dizer, e completar com um desejo qualquer: ter US$ 1 milhão caindo no seu colo, ser capaz de bater os braços e voar. Um desejo não é limitado por forças naturais. Esse fato muito aparente, no entanto, não é a principal diferença entre um desejo e uma crença.

Uma crença é criada no fundo da mente. Uma crença se torna parte de você. É por isso que uma crença verdadeira, profunda, pode mudar suas secreções glandulares e o conteúdo de sua corrente sanguínea, bem como operar mudanças físicas além do que a ciência médica consegue explicar. Uma crença, radiando seu desconhecido comprimento de onda das profundezas de sua mente para as profundezas de outra mente, responde por uma boa parte do seu "poder de personalidade" e muitas outras coisas nas quais você só consegue pôr os rótulos mais desajeitados. É a crença em uma causa – muito mais forte que um desejo de permanecer vivo – que faz as pessoas transcenderem até o instinto de autopreservação. É crença que funda religiões, sustenta nações, está por trás de qualquer coisa grandiosa que já foi realizada. Uma crença, repito, é parte de você; é por isso que você consegue realizar aquilo em que acredita. Mais ainda, quando você tem uma grande crença, acredita o tempo todo, da mesma forma que, o tempo todo, continua vivendo.

* * *

Consciente e subconsciente. Como alguém expressou, a mente consciente nos dá "pensamentos que conhecemos". Você quer calçar os sapatos, por exemplo, ou ouvir rádio, e, conhecendo o pensamento consciente, executa a ação apropriada.

Não existe motivo físico para alguém não calçar os sapatos ou não ligar o rádio, se é isso que quer e se pode usar as mãos. Mas vamos supor que possa haver alguma razão para não ligar o rádio. Suponha que seja o momento em que certa transmissão internacional possa ser ouvida, e seu governo, que é opressor, estabeleceu punições para pessoas que escutam essa transmissão. Mais ainda, você sabe que não pode ouvir essa transmissão em completa segurança, porque suspeita de que haja espiões em sua casa.

Você gira ou não o botão que vai sintonizar a transmissão proibida? Isso depende muito de sua mente subconsciente. Não é na mente consciente que somos basicamente temerosos ou corajosos, porém em nível mais profundo. E assim a vontade subconsciente instrui o consciente, desconhecido por você, e no consciente aparece o pensamento conhecido por você:

"Não faça isso, vai acabar na prisão!", ou "Vou exercer minha liberdade de ouvir o que quero ouvir, em quaisquer circunstâncias", ou mesmo uma concessão como "Vou ver se aquele sujeito bisbilhoteiro no quarto decorado lá em cima está em casa e, se ele não estiver, vou ligar o rádio".

Leve isso um passo adiante. Suponha que você diga conscientemente: "Vou ligar esse rádio às nove da noite de qualquer jeito!". Mas você deseja, em vez de acreditar nisso; e o tempo todo, em sua mente subconsciente, lida com um medo que resulta em uma orientação para não ligar o rádio. Agora a mente subconsciente vai alimentar a mente consciente com todo tipo de fuga e desculpa. De algum jeito, você vai conseguir chegar em casa tarde, ou vai correr para casa e entrar bem a tempo de, "acidentalmente", derrubar o rádio de cima da mesa e quebrá-lo. (Um acidente honesto, já que você acredita conscientemente que foi acidental.) Ou você pode marcar um compromisso qualquer na hora da transmissão, e de repente lembrar – quando a mente subconsciente permitir que você lembre conscientemente – que essa é a hora da transmissão, e como você foi "bobo" por se comprometer com outra obrigação.

Não leia nenhuma implicação de desonestidade em tudo isso, nem uma sugestão de que nenhuma consideração deve ser mais forte que o direito de alguém ligar seu rádio. Olhe para isso de uma perspectiva mais ampla. Veja que a mente subconsciente é seu chefe oculto.

Você provavelmente reconheceu isso muitas vezes quando disse que tem alguma coisa que simplesmente não vai fazer; é contra seus princípios. Um verdadeiro princípio é uma crença firme que faz parte de você, e pode, é claro, ser uma coisa muito útil e necessária.

A mente subconsciente é seu chefe oculto, então, e dá ordens ao seu consciente. Mas o subconsciente, como você certamente sabe por ler este livro, é um tipo de chefe muito especial. Ele entra em conferência com você, digamos assim, e considera mudar qualquer uma de suas ordens, cancelar ou substituir por outras, se for necessário.

Decida que crença você quer, instale-a com firmeza na mente subconsciente, e o subconsciente vai instruir a mente consciente a "corresponder" a essa crença.

Permita que sua crença inclua o conceito de realização, e sua mente subconsciente vai descobrir maneiras e meios para chegar a essa realização que, com a força de um mero desejo, escaparia completamente de você. Você pode falar de "boa sorte" e "golpes de sorte", mas o que quer descrever é um aguçamento de todos os sentidos em relação à realização que deseja – o foco de todas as suas forças para longe de outras coisas e em direção àquela realização – um poderoso acesso de força e recursos – uma sintonia com outras mentes cuja ajuda, de outra maneira, teria escapado de você – e mais! A melhor das palavras é fraca quando se fala em poder da crença. Apenas sinta essa crença impelindo-o para o objetivo de sua realização, e você saberá, finalmente, que uma força irresistível está ao seu dispor.

Existe um limite para o que a crença pode conquistar? Se existe um limite, ninguém o viu ainda. Mencionei muitas vezes que podemos, às vezes, nos valer de poderes que estão além de nossos sentidos comuns. (Não são *sobrenaturais*, mas poderes naturais que estamos apenas começando a entender.) Uma profunda crença subconsciente ajuda muito a conquistar a ajuda desses poderes invisíveis.

Uma vez, quando eu era criança, tive febre tifoide – a única doença grave que já tive. Passei semanas doente sem dar nenhum sinal de melhora. Finalmente, como meu pai me contou anos mais tarde, entrei em coma.

Os dois médicos que foram à nossa fazenda disseram ao meu pai que não podiam fazer mais nada; meu fim chegaria em algumas horas.

Meu pai entrou na floresta. Lá ele se ajoelhou e rezou para outro Médico acima dos nossos médicos terrenos. Com essa prece, gerou uma crença poderosa e abrangente de que eu iria me recuperar. Permaneceu de joelhos por uma hora ou mais, e finalmente foi invadido por uma grande paz, aquela paz de espírito que é a condição em que a mente funciona da melhor maneira. E de repente, do nada, e sem a menor sombra de dúvida, ele soube tranquilamente que eu iria me recuperar.

Não sei onde a prece de meu pai pode ter sido ouvida, nem se foi ouvida, nem se o simples fato da oração deu a ele o foco e o agente intensificador que é parte da profunda crença subconsciente. Mas sei que, quando voltou para casa, ele me encontrou sentado, o que era impossível duas horas antes. Sentado, chorando por água, e a febre tinha "cedido", como costumávamos dizer.

Outra geração, outro objetivo. Tive o privilégio de ver em minha geração, e com meu filho, como a crença profunda pode promover conquistas "impossíveis".

Quando meu filho Blair nasceu, sem orelhas, e sem muitas partes vitais do aparelho auditivo, concebi a ideia de que ele ouviria. Vou resumir os obstáculos que foram postos no caminho de Blair e no meu – as denúncias que fizeram contra mim por eu não permitir que ele aprendesse a linguagem dos sinais, as tentativas de destruir a vida dele, constrangendo-o por ser "diferente", e assim por diante. De qualquer maneira, eu sabia que a mente subconsciente pode fazer maravilhas pela saúde e pelo adequado funcionamento do corpo – quando é assim condicionada.

A mente consciente muitas vezes serve como uma espécie de sentinela que guarda a entrada para o subconsciente. Então, dizemos, "Um homem convencido contra sua vontade ainda tem a mesma opinião", porque concordou apenas conscientemente, talvez uma medida pacificadora, em vez de uma "mudança de ordens" subconsciente. Ou, em circunstâncias extraordinárias, somos "levados" e não agimos de acordo com nossa maneira habitual, mas depois voltamos ao jeito costumeiro de nos conduzir, porque nenhuma impressão profunda foi feita.

Hipnotismo parece ser a senha para a mente consciente em alguns momentos, e com algumas pessoas. Existe um jeito melhor e menos arriscado, no entanto, de ir além da barreira do consciente e implantar instruções no subconsciente, onde elas serão absorvidas e realimentadas. Esse é o caminho para dar instruções a uma pessoa adormecida. A mente consciente dorme, mas o subconsciente não dorme. Estudos recentes sugerem que há certos estágios de sono em que a mente é mais receptiva do que em outros estágios, e fico feliz por ver essa moderna investigação da técnica. Posso ter desperdiçado alguns dos meus esforços, mas eles foram mantidos por muito tempo e respaldados por tal crença que conquistaram o que muitos disseram que eu nunca poderia fazer.

Falava com Blair enquanto ele dormia. Falava diretamente à sua mente subconsciente e dizia o que esperava dela. Ele recebia estímulo adicional ao sistema nervoso por meio de ajustes quiropráticos.

Com esse método, induzi a natureza a construir um conjunto extra de nervos auditivos que iam do cérebro de Blair às paredes internas de seu crânio. Ele não desenvolveu orelhas, mas adquiriu a capacidade auditiva de cerca de 65% do nível normal, e com isso ele vive muito bem. Alguns podem chamar tudo isso de milagre da cura, mas prefiro chamar de demonstração do poder de forças naturais.

Como Blair escuta? Pela condução óssea àqueles nervos novos no interior do crânio. Agora sabemos que alguns dos novos e maravilhosos aparelhos auditivos transistorizados dependem de condução óssea.

O método pode ser estendido? Meu método funcionou, mas requeria que uma pessoa dedicada permanecesse de plantão muitas horas por noite. Mais tarde fiz experiências com um fonógrafo que repetia uma mensagem gravada a cada quinze minutos, canalizando-a para um aparelho auditivo embaixo do travesseiro da pessoa adormecida. Eu mesmo tive grande benefício com esse equipamento.

Também sabemos que equipamentos similares são postos à venda, às vezes. Esses aparelhos têm sido beneficiados por desenvolvimentos modernos em gravação e transmissão de som, mas o princípio é o mesmo. Atualmente, tomei conhecimento de outra pesquisa recente sobre as técnicas de aprendizado no sono que sugere algumas dificuldades que as pessoas podem encontrar:

Em primeiro lugar, só a máquina não é suficiente. Primeiro, é preciso haver a *crença* de que a mente subconsciente pode e vai receber mensagens enquanto a consciente dorme. Uma mente cética pode não fazer nada com as mensagens. A mente cheia de medo e inferioridade, ou as duas coisas, logo vai decidir que o "aparelho" dá muito trabalho para usar.

E, também, algumas pessoas têm o sono tão perturbado pela mera existência de uma máquina ao lado da cama, que a mente consciente nunca sai de cena. Provavelmente, elas podem se condicionar para dormir, com ou sem máquina, mas suspeito de que muitas dessas pessoas ficam mais aflitas para devolver a máquina dentro do prazo de garantia!

Muitas pessoas também parecem se esforçar para negar qualquer benefício que possam ter com o aprendizado durante o sono. A mensagem gravada no nível subconsciente precisa de tempo para criar raiz, digamos assim, nas redes de células da mente. Isso não vai acontecer se a mente consciente tiver autorização, ou mesmo incentivo, para usar suas horas de vigília a fim de criar pensamentos negativos – a lembrança de um antigo fracasso, por exemplo, ou a preocupação excessiva com o que os outros vão pensar sobre alguma atitude, ou algo assim.

E, finalmente, descobri isto: as mensagens gravadas precisam ser reforçadas quando o indivíduo está em um estado consciente, alerta. Ele precisa memorizar as mensagens gravadas – que, é claro, não têm relação com nada que não seja o que deve ser conquistado, e não carregam entulho de obstáculos imaginados. Ele deve repetir essas mensagens completamente positivas, focadas, para si mesmo muitas vezes por dia, de forma que sua mente consciente se acostume com elas e, pelo condicionamento repetitivo, elas possam falar com seu subconsciente.

Com o tempo, o aprendizado durante o sono pode ser aperfeiçoado de forma a abrir grandes novos mundos de realização. Ele pode ajudar muito agora, mas prefiro não mencioná-lo como exemplo do jeito como o subconsciente pode e vai aceitar ordens que o orientem para sempre, e pode, como mostrei, até causar mudanças maravilhosas no corpo.

Este livro enfatiza o fato de cada um de nós carregar *dentro de si* os meios de encontrar a própria grandeza. Conhecendo o Segredo Supremo – aquilo em que a mente humana pode acreditar, a mente humana pode conquistar – você vê que tem o que é necessário – sua mente – e tem disponível o único outro ingrediente de que precisa: um mundo que explode de riquezas e pulsa de oportunidades.

Una as duas coisas.

A arte da autossugestão. Há um homem hoje em Cleveland que vale cerca de US$ 10 milhões. Ele começou a ganhar dinheiro instalando aparelhos de TV em supermercados, oferecendo aos compradores programas especiais que ele transmitia no ponto de compra. Isso não exigiu nenhuma nova invenção, nem a imposição de um novo estilo de vida a milhões de pessoas. Não exigiu nenhum investimento de grande capital ou posição especial, porque esse homem – seu nome é Art Modell – começou trabalhando em estaleiros. Ele teve uma ideia e a levou à frente e acima até a realização.

Dizem que um homem chamado McVicker, de Cincinnati, afirmou: "Você precisa acreditar tão fortemente que supere as dúvidas dos outros". Ele acreditava que um material maleável usado para limpar papel de parede encantaria as crianças – e seus pais – como massa de modelar não aderente. As pessoas disseram que ele estava errado. Ele conquistou um negócio cujo valor aproximado era US$ 4 milhões por ano.

Como Henry Ford ou Thomas Edison, esses homens bem-sucedidos de hoje *acreditaram* e *realizaram*. Sua crença mostrou a eles o caminho para a realização. Foi assim com Colombo. Foi assim com Paulo de Tarso. Pode ser assim com você.

A arte da autossugestão é completamente autocontida. Nós a veremos claramente, em letras simples, em breve. Primeiro, pergunte a si mesmo: *O que você quer?* Essa não é uma pergunta que se responde de maneira descuidada. O que você quer? Mais uma vez, forneço uma lista para ajudá-lo a pensar:

Melhorar a saúde geral

Melhorar algum fator específico funcional ou de saúde

Curar algum mau hábito

Eliminar o medo

A capacidade de transmutar a energia sexual

A capacidade de encontrar o parceiro certo no casamento

Reduzir ou ganhar peso

A capacidade de romper com costumes desgastados ou estilos de vida antiquados

A capacidade de se entender melhor com outras pessoas

A capacidade de atrair outras pessoas para sua maneira de pensar

Orientação interior na seleção de um negócio ou de uma profissão

Dinheiro

Quando você sabe o que quer, está pronto para ir atrás disso. Você precisa de um Objetivo Principal Definido. Concepções mentais vagas são um pouco melhor que simples desejos. Decida *aonde você vai* – então, e só então, você começa a ver os sinais que apontam o caminho.

Você vai ganhar dinheiro, e espero que o veja apenas como uma forma de riqueza – mas, como apontei, uma forma de riqueza que o ajude a obter muitas outras. É possível que você aceite automaticamente o dinheiro como um objetivo, então, vamos usar esse objetivo como um protótipo para ilustrar a autossugestão.

Quanto dinheiro você quer ganhar? Você deve se lembrar das histórias de W. Clement Stone e de outros homens que estabeleceram quantias específicas como objetivo e conquistaram a posse desses valores. Eles não ocuparam a mente com pensamentos das dificuldades em seu caminho, nem com a ameaça de competição. Acreditavam que teriam o dinheiro e alcançaram o que buscavam.

Esse é o jeito de usar a autossugestão para ajudá-lo a obter a quantia que você quer. São seis passos que estimulam sua mente subconsciente:

Um: encontre um lugar tranquilo onde possa ficar sozinho, sem ser perturbado. Muitos descobrem que, quando se deitam na cama, pouco antes de dormir, a mente se torna receptiva. Feche os olhos e repita em voz alta, ouvindo suas palavras, a quantia que pretende conquistar – o prazo que estipulou para acumular esse valor – e uma descrição do serviço ou da mercadoria que pretende dar ou vender por esse dinheiro.

Dois: escreva essas mesmas palavras (você pode escrever primeiro, se quiser). Escreva cuidadosamente e com detalhes. Memorize. Quando for ao seu lugar tranquilo para repetir seu objetivo para si mesmo, repita palavra por palavra como as escreveu. Você pode mudar aqui e ali até ser absolutamente específico. Acrescente uma declaração desta natureza, em suas próprias palavras:

Acredito que terei esse dinheiro em meu poder. Minha crença é tão forte que agora posso ver o dinheiro diante dos meus olhos. Eu o seguro em minhas mãos. Sei que ele existe e espera ser transferido para mim em troca dos meus serviços prestados com total honestidade e toda habilidade e diligência possível. Existe um plano que vai transferir essa soma [estabeleça o valor] para mim até [estabeleça a data], e minha mente receptiva verá esse plano e me fará segui-lo.

Veja-se prestando o serviço ou entregando a mercadoria. Veja-se recebendo seu pagamento. Isso é importante!

Três: ponha uma cópia escrita de sua declaração onde possa vê-la à noite e de manhã. Leia quando acordar. Leia de novo antes de ir dormir. Você também pode carregá-la e ler várias vezes por dia, mas ler ao acordar e antes de dormir é particularmente importante.

Enquanto lê, veja-se desempenhando as ações que vão trazer o dinheiro. Sinta o dinheiro em suas mãos. Sinta com *sentimento*. Simplesmente ler as palavras (ou dizê-las para você mesmo) não vai significar nada, a menos que elas transmitam a carga emocional de desejo. Sabe-se bem que o subconsciente tem menos consideração por *razão* do que por *emoção*.

Quatro: ponha o Princípio do MasterMind para funcionar. Nem sempre é possível formar um grupo de MasterMind de acordo com as orientações que você leu no capítulo anterior – e é melhor não ter um grupo do que fazer isso do jeito errado. Mas você pode fazer bom uso do princípio reunindo-se com as pessoas certas. São pessoas que podem ajudá-lo e, se possível, pessoas que você pode ajudar. Não esqueça, se você quer encontrar um banqueiro para falar sobre o financiamento do seu negócio, *você* o está ajudando a administrar o negócio dele (e não esqueça, muitos banqueiros de "sangue-frio" foram envolvidos pela confiança, a crença e o entusiasmo que eles veem em um possível tomador de empréstimo – com bons motivos).

Quanto maior o número de pessoas com quem você conversa, mais informação vai receber. Quanto mais elas sabem, mais você sabe. Mas escolha as pessoas certas. De vez em quando, você vai encontrar entre elas alguém cuja mente sintoniza com a sua. Falar com essa pessoa é um tônico poderoso para o subconsciente ter sob sua orientação.

Cinco: quando seu plano aparecer, ponha-o em prática. Você vai reconhecê-lo. O subconsciente é como um jardim fértil no qual qualquer semente vai crescer, seja uma semente de erva daninha, seja a semente de sua fortuna. Pela autossugestão, você faz maravilhas para evitar as sementes de erva daninha. Quando uma semente da sua fortuna cai no jardim do seu subconsciente, porém, ela cresce em proporção à atenção que você dá a ela.

Não fique sentado esperando seu plano aparecer. Você pode não saber com precisão, por exemplo, onde vai estabelecer seu negócio – mas até o lugar certo atrair sua atenção sintonizada, você pode entrar em contato com fornecedores de suprimentos, aprender mais sobre o negócio e encher a cabeça com o processo de sua conquista em uma centena de outras maneiras. Lembre-se de como os editores chegaram a mim quando precisei deles.

Seis: assim que tiver um plano maduro que cubra todos os detalhes, escreva esse plano. Leia esse plano à noite e de manhã. Adira a ele, mas esteja preparado para modificá-lo se as circunstâncias apontarem que a mudança é aconselhável. Sua mente não vai passar constantemente de uma alternativa a outra. Seu subconsciente vai filtrar as alternativas com grande poder de mostrar *o que você precisa fazer para alcançar esse objetivo.*

Eu poderia relacionar *Fé* como o sétimo fator de autossugestão; mas a fé é abrangente. A fé é chamada de química-chefe da minha mente em outro dos meus livros. Quando a fé se mistura ao pensamento, ela se torna o ingrediente perfeito para a verdadeira crença subconsciente. Quando a fé se torna parte de você, acompanha toda mensagem que repetir para si mesmo. Ela se torna parte de sua personalidade, parte do seu caráter. A fé o ajuda a carregar os pensamentos com emoção, colocá-los sob o poder da razão, em outro domínio de existência mental onde pensamentos se tornam seu equivalente físico.

Agora, com um sentimento de fé, leia os seis passos da autossugestão novamente.

Um novo olhar para sua mente e seu corpo. O Segredo Supremo é: *Qualquer coisa em que a mente humana pode acreditar, a mente humana pode conquistar.* Seria igualmente válido dizer: *Qualquer coisa em que a mente pode acreditar, a mente pode alcançar*, mas quero enfatizar o poder da mente *humana*. Nenhuma outra criatura viva pode se apoderar da própria mente como nós, sentir e explorar seus poderes, encontrar meios de aumentar esses poderes em uma medida quase além da imaginação.

Você está acostumado a ser humano. De vez em quando, dedique um tempo a perceber a unicidade de seu estado humano.

Um dos grandes comentaristas modernos do homem e sua mente é o Dr. Pierre Lecomte du Noüy. Tenho uma passagem favorita de seu grande livro *Human Destiny*, que gosto de mostrar às pessoas que não conseguem ver como é possível a mente curar o corpo. Cito essa passagem agora:

> O corpo humano é constituído de seres distintos, as células, cada uma dotada de propriedades totalmente diferentes. Temos as comuns e prolíficas plebeias, os fibroblastos; temos a química independente do fígado e da medula; temos as substâncias químicas que obedecem às ordens transmitidas pelo cérebro e pelo sistema nervoso, e que sabem fabricar instantaneamente, na ponta dos nervos,

acetilcolina, que contrai os músculos, e adrenalina, que os descontrai. Existem as células nobres, as células piramidais do cérebro, que vivem em orgulhosa esterilidade e nunca se reproduzem; tem as células nervosas que transmitem ordens e reações; tem aquelas que defendem, as que protegem, as que curam. A partir da coordenação do todo surge a personalidade autônoma do homem.

E essa breve descrição quase nem toca o estupendo grupo de fatores disponíveis ao homem, em seu corpo e cérebro, para a organização, projeção e uso do poder do pensamento.

Há uma importante alegação contra o sistema educacional global de que a maioria das pessoas chegue a este mundo, viva seu tempo e morra sem ter tomado consciência de seu poder de pensamento e do fato de sua vida ser feita ou desfeita por esse poder. Pior ainda é que nos ensinam todos os tipos de coisas, mas raramente nos ensinam a usarmos a mente para a conquista da única forma indispensável de riqueza – paz de espírito.

Também se alega contra os religiosos que eles parecem ter aprendido muito sobre como se preparar para a vida no paraíso – mas têm feito muito pouco para nos preparar para viver com prosperidade, em paz e felizes aqui, agora.

E, também, alega-se contra nossa civilização que a maioria das pessoas mantém boa parte do poder de pensamento centrada em seus medos, não em concepções e crenças profundas que podem dar a elas o que quiserem – não aquilo de que têm medo.

Todo homem pode se superar. Dr. du Noüy aponta dramaticamente o poder do ser humano para ir além de seus limites e estender, dessa maneira, seus poderes para sempre:

> Todos temos nosso papel a desempenhar individualmente. Mas só o desempenhamos bem com a condição de sempre tentar fazer melhor, de nos superarmos. É esse esforço que constitui nossa participação pessoal na evolução, nosso dever. Se temos filhos, teremos colaborado de maneira modesta, estatisticamente, *mas, a menos que desenvolvamos nossa personalidade*, não teremos deixado nenhum traço na verdadeira evolução humana. [Os itálicos são meus.]

Obviamente, Dr. du Noüy reconhecia a importância de cada indivíduo exercer seu privilégio de escolha de pensamento como meio de crescimento mental e espiritual, porque continua:

"Um ser inteligente", disse Bergson, "carrega dentro de si a maneira de se superar". É necessário que ele a conheça, e é essencial que tente realizá-la. O incomparável dom do cérebro, com seu incrível poder de abstração, tornou obsoletos, e às vezes desajeitados, os mecanismos utilizados pela evolução até aqui. Graças ao cérebro, apenas, o homem, ao longo de três gerações, conquistou o reino do ar, enquanto demorou milhares de anos para os animais alcançarem o mesmo resultado pelo processo da evolução.

> Graças apenas ao cérebro, o alcance de nossos órgãos sensoriais aumentou um milhão de vezes, muito além dos nossos mais caros sonhos; trouxemos a lua a cinquenta quilômetros de nós [du Noüy é um escritor moderno, mas veja como ele já precisa ser atualizado!], vemos o infinitamente pequeno e vemos o infinitamente remoto; ouvimos o inaudível; minimizamos a distância e matamos o tempo físico.
>
> Escravizamos as forças do universo, antes mesmo de termos conseguido entendê-las completamente. Causamos vergonha aos métodos tediosos e demorados de tentativa e erro usados pela natureza,

porque a natureza finalmente conseguiu produzir sua obra-prima na forma do cérebro humano. Mas as grandes leis da evolução ainda são ativas, embora a adaptação tenha perdido sua importância, do nosso ponto de vista. Somos agora responsáveis pelo progresso da evolução.

Somos livres para nos destruirmos se não entendermos o significado e o propósito de nossas vitórias; e somos livres para seguir em frente, prolongar a evolução, cooperar com Deus, se percebermos o significado de tudo isso, se entendermos que isso só pode ser alcançado por intermédio de um esforço sincero pelo desenvolvimento moral e espiritual.

Paz de espírito e poder da mente. Como o que você adquire na vida depende do que concebe primeiro, e isso depende, antes de tudo, de sua crença profunda baseada no subconsciente, você entende que sua vida depende do seu poder de acreditar.

Não, o mero processo de viver não depende desse poder. O Eterno tornou possível que o homem, a realização suprema da evolução, permaneça vivo mesmo sem saber que está vivo. O bater do coração, o bombear dos pulmões, o processo de digestão e outras funções vitais são supervisionados por uma parte do cérebro que cuida de si mesma.

Além disso, o homem cria uma espécie ainda melhor. Ele aspira – e sobe ao pico de suas aspirações – e conquista esse pico, além do qual tem outro e outro.

Significativamente, filósofos sempre reconheceram o poder da mente tranquila, da mente em paz. Isso não tem a ver com uma mente vazia de aspirações. É, pelo contrário, a mente que consegue apreender, julgar e avaliar as mais elevadas formas de aspiração. A mente pacífica também não é propriedade exclusiva de uma pessoa que não se move nesse mundo e não se ocupa das muitas questões do mundo, porque algumas das mentes mais tranquilas são as mais ocupadas. Lembre-se de que falamos de paz interior como um centro quieto em torno do qual tudo gira, como um grande dínamo giratório fazendo trabalho útil e cheio de energia, mas usando como referência para sua rotação sempre o pivô imóvel em seu centro.

A mente em paz é aquela que tem liberdade para conceber com grandiosidade. Não abriga em seu subconsciente grandes conflitos que possam prejudicar a mente consciente e, portanto, a ação consciente. A mente em paz é uma mente livre. Seu poder é ilimitado.

Forme suas grandes crenças sobre a base da paz interior, e elas serão realmente grandes – e serão possíveis de realizar. Não é possível para todos, talvez, mas é possível para o homem que sabe que a paz de espírito e o poder da mente são a mesma coisa.

Quem disse que isso é impossível? Que grande realização tem ele em seu nome para ter o direito de usar a palavra "impossível"?

VERIFICAÇÃO DO CAPÍTULO 14:

Qualquer coisa em que a mente humana pode acreditar, a mente humana pode realizar

Esse é o Segredo Supremo, a eterna base secreta dos esforços do homem para controlar seu destino. Conceba um grande passo à frente em sua vida, forme uma profunda crença subconsciente, e a crença se torna a base da realidade. "Desejar não faz acontecer", porque um simples desejo não penetra as profundezas da mente; mas uma crença verdadeira se torna parte de seu ser completo.

Consciente e subconsciente

A mente subconsciente é seu chefe escondido. Embora a mente consciente controle suas ações conscientes, o subconsciente determina o padrão dessas ações. Se, no nível subconsciente, você tem medo de alguma coisa, pode arquivar desculpas e evasivas que o impedem de tomar essa atitude. Mas seu subconsciente pode ser convencido a mudar qualquer uma de suas ordens válidas e, assim, mudar completamente sua vida. A mente subconsciente é o assento da crença profunda que se torna seu guia constante.

A mente subconsciente não conhece limite para seu poder

O uso apropriado da mente subconsciente nos põe em contato com forças além dos sentidos comuns. Pensamentos podem ser transmitidos à mente subconsciente de uma pessoa adormecida, ultrapassando a guarda da mente consciente. Esse é o segredo de aparentes milagres de cura. Métodos de aprendizado durante o sono podem ser aperfeiçoados com o tempo, de forma a abrir grandes horizontes de força mental.

Autossugestão e seu sucesso

Sabendo que aquilo em que a mente humana pode acreditar, a mente humana pode alcançar, você pode ver que a crença profunda abre grandes janelas de oportunidade. A fim de ter aquilo que quer, você deve focar sua crença em um Objetivo Principal Definido. Dinheiro é um objetivo que deve ser tratado com parcimônia, mas é um objetivo aceitável e definido. Técnicas de autossugestão devem ser focadas na quantia exata de dinheiro que você quer e nos meios pelos quais vai conquistar esse valor. Paz de espírito e poder da mente andam de mãos dadas, e a mente em paz é aquela que é mais capaz de grandes concepções, grandes crenças, e de desfrutar dessas crenças como realidades sólidas.

15

ENTUSIASMO – E ALGO MAIS

Entusiasmo é a grande ferramenta de persuasão. Peça um favor com entusiasmo, adicione certos fatores psicológicos mostrados aqui, e sua solicitação se tornará irresistível. Por trás do entusiasmo deve haver o desejo honesto de servir, e um favor prestado a você deve beneficiar também a pessoa que presta o favor. Quando procurar um emprego, siga as regras-chave para ter certeza de encontrar o emprego certo, com todas as perspectivas de progresso rápido. Garanta que vai fazer o tipo de trabalho pelo qual pode se expressar – porque esse é um longo passo em direção à riqueza e à paz de espírito.

Tenho revisto algumas cartas antigas. Eu as reproduzi em um livro algum tempo atrás, e os comentários que recebi me fazem ter certeza de que elas devem ser reproduzidas novamente.

As cartas eram parte de um discurso sobre Entusiasmo – um discurso que mudei e aperfeiçoei ao longo dos anos. Porém, nunca encontrei motivo para mudar o princípio:

Entusiasmo é um estado mental que inspira e motiva o indivíduo a juntar AÇÃO à tarefa à mão. Ele é a mais contagiosa de todas as emoções e transmite o ímpeto de concordar e agir a todos que estão ao alcance de suas palavras.

Agora dou a você as cartas exatamente como as escrevi. Você pode lê-las e dizer: "Cartas não são mais escritas assim". Verdade; estilos mudam. Espero ter sempre consciência desse fato. Mas lembre-se do princípio enunciado acima e veja o que é mais importante, o estilo ou o princípio. Leia as cartas primeiro; depois contarei a história delas.

Meu caro Sr...

Contemplo agora um manuscrito para um novo livro chamado *How to Sell Your Services.* Antecipo a venda de várias centenas de milhares desses livros e creio que aquele que o comprar apreciará a oportunidade de receber uma mensagem sua sobre o melhor método de comercializar serviços pessoais.

Teria, então, a gentileza de me dar alguns minutos de seu tempo escrevendo uma breve mensagem a ser publicada em meu livro? Esse será um grande favor pessoal para mim, e sei que será apreciado pelos leitores do livro.

Agradecendo antecipadamente por qualquer consideração que me possa demonstrar,

Atenciosamente,

Meu caro Sr...

Gostaria de ter a oportunidade de mandar uma mensagem de incentivo, e possivelmente uma palavra de conselho, a algumas centenas de milhares de seus semelhantes que não deixaram sua marca no mundo com o mesmo sucesso que você teve?

Terminei o manuscrito de um livro cujo título será *How to Sell Your Services.* O principal ponto desse livro é que serviço prestado é *causa,* e pagamento é *efeito;* e que o último varia em proporção à eficiência do primeiro. O livro seria incompleto sem algumas palavras de aconselhamento de alguns homens que, como você, ascenderam a posições invejáveis no mundo. Portanto, se escrever para mim seus pontos de vista em relação aos pontos mais essenciais a ter em mente por aqueles que oferecem serviços pessoais à venda, transmitirei sua mensagem em meu livro. Isso vai garantir que ela chegue a mãos nas quais fará um bem enorme a uma categoria de pessoas sérias que se esforçam muito para encontrar seu lugar no mundo do trabalho.

Sei que é um homem ocupado, Sr..., mas lembre-se, por favor, que, simplesmente ditando para sua secretária uma carta breve, estará transmitindo uma mensagem importante a, possivelmente, meio milhão de pessoas. Em dinheiro, isso não valeria seus dois centavos em selo na carta, mas, se estimado do ponto de vista do bem que pode fazer aos outros que são menos afortunados que você, pode significar a diferença entre sucesso e fracasso para muitas pessoas dignas que lerão sua mensagem, acreditarão nela e serão guiados por ela.

Muito cordialmente,

As cartas dizem as mesmas coisas... MAS. A segunda carta transmite um entusiasmo quieto, mas definido, e outros fatores de sugestão mente a mente que vou explicar. A segunda carta cumpriu seu papel. As duas cartas foram enviadas para oito ou dez homens que, de fato, deixaram sua marca no mundo e eram ocupados; homens como Henry Ford e Thomas R. Marshall, na época vice-presidente dos Estados Unidos. A primeira carta não produziu respostas. A segunda carta, escrita depois que percebi meu erro ao escrever a primeira, produziu respostas *de todos a quem foi enviada*. Algumas dessas respostas eram obras-primas e foram além das minhas mais caras esperanças como valiosos suplementos para o meu livro.

A primeira carta não é totalmente desprovida de entusiasmo. Mas em relação a quê? Em relação ao meu interesse pessoal. É verdade que as pessoas sempre responderão a um pedido de favor – mas é ainda mais verdadeiro que elas responderão quando esse favor as beneficiará de alguma forma ou, de algum jeito, beneficiará terceiros que pareçam dignos desse benefício.

Assim, se eu estivesse vendendo, por correspondência, sapatos à prova de arranhão (se é que isso existe), poderia mandar uma carta pedindo para você me fazer um favor usando um par dos meus sapatos por dez dias e ver se consegue riscá-los. Você faria esse teste por minha conta e risco, mas veria que, se os usasse por dez dias e não conseguisse riscá-los, teria feito um favor a você mesmo por descobrir sapatos tão maravilhosos. Ou, escrevendo para um pai, eu poderia pedir a ele para me fazer um favor de levar a Enciclopédia X para casa por trinta dias e ver seu maravilhoso efeito nas notas de seu filho na escola, portanto, esse favor seria, na verdade, para uma terceira pessoa.

Agora leia o último parágrafo da primeira carta. Que implicação há em "Agradeço antecipadamente por qualquer consideração que possa ter por mim"? Tem uma forte sugestão de que quem escreveu antecipa recusa! Bem, por que não recusar? Esse escritor deu pouca razão para um homem ocupado se dar ao trabalho de escrever uma carta. O destinatário leu que quem comprar o livro vai gostar de ter uma oportunidade e assim por diante, mas isso não transmite a mensagem, e está escondido no corpo da carta.

Toda a carta me lembra de um vendedor que certa vez queria que eu assinasse o *Saturday Evening Post*. Ele segurava uma cópia da revista e disse: "Você não assinaria o *Post* para me ajudar, assinaria?".

Bem, fui eu que escrevi a primeira carta. Pelo menos reconheça que a melhorei!

Agora veja a segunda carta. Note que o primeiro parágrafo faz uma pergunta – e a pergunta pode ser respondida de um só jeito. A pergunta, além disso, é feita de forma a criar todo um ponto de vista relacionado ao assunto em questão.

O leitor é agora condicionado. O segundo parágrafo o leva adiante. Ele me menciona e aborda rapidamente meus assuntos, mas é dominado por uma declaração de fato que o fará assentir e saber que estou falando seu idioma. Mesmo que ele nunca tenha pensado em termos de causa e efeito, verá o ponto como claro e útil.

Podemos dizer que o parágrafo seguinte contém lisonja – ou pode-se dizer que não contém mais que a verdade. Os homens a quem escrevi realmente vieram de baixo e chegaram a posições invejáveis no mundo. Tendo reconhecido isso, levei o leitor a mais um passo na jornada psicológica que conduz diretamente ao atendimento de minha solicitação. Depois vem o pedido propriamente dito – mas revestido de termos de serviço que o leitor pode prestar, por causa de suas qualificações, a uma terceira parte que é digna de sua ajuda.

O parágrafo final esconde habilmente a sugestão de que o leitor não pode recusar um pedido que vai custar a ele (naqueles dias) um selo de dois centavos, especialmente quando se compara àqueles menos afortunados. A carta não pode ser deixada de lado sem um sentimento de culpa por não responder. Afinal, o destinatário foi solicitado em nome daqueles que *vão ler sua mensagem, acreditar nela e ser guiados por ela.*

Não só a carta me trouxe valiosas respostas, mas também, com uma exceção, os homens a quem a enviei responderam em pessoa. A exceção foi Theodore Roosevelt, que respondeu por meio da assinatura de seu secretário. John Wanamaker e Frank A. Vanderlip escreveram respostas magníficas. William Jennings Bryan e Lord Northcliffe escreveram boas cartas, como os outros. Além disso, apenas quatro do grupo todo me conheciam, então, certamente a maioria do grupo não escreveu para me agradar; escreveram para agradar a eles mesmos, sabendo que estavam prestes a prestar um serviço digno.

Devo dizer neste ponto que dez homens menores poderiam ter jogado minha carta na lata de lixo. Os homens realmente grandes que conheci foram notáveis por sua disponibilidade para prestar serviço a outras pessoas. Talvez por isso eram realmente grandes.

Venda e autossugestão. Você pode não estar no ramo de vendas – mas você sempre se vende.

Você pode não acreditar que tem algum motivo para convencer qualquer pessoa de qualquer coisa – no entanto, boa parte de seu sucesso e de sua felicidade depende de adquirir uma razoável aceitação de suas ideias por outras pessoas. Faça uma pequena análise de seus assuntos, e isso vai ficar evidente.

Você pode não ver nenhuma razão para se convencer de nada – mas é o próprio processo de autopersuasão que traz profunda CRENÇA subconsciente e dá a você o comando do Segredo Supremo da vida.

Por isso comecei este capítulo falando sobre entusiasmo. Entusiasmo é o grande veículo de persuasão, seja ela direcionada a outra pessoa ou a si mesmo.

Entusiasmo sempre resulta em autossugestão automática. Entusiasmo não vem do “nada”, mas quando chega parece se apoderar de absolutamente todo o resto.

Por muitos anos escrevi a maior parte dos meus trabalhos à noite. Naturalmente, eu me cansava depois de algumas horas. Uma noite, eu estava envolvido com um texto que me enchia de entusiasmo. Depois de um tempo, olhei pela janela, para o outro lado da Madison Square na Cidade de Nova York, e notei a torre da Metropolitan Life Insurance Company. Vi um reflexo estranho, prateado, na torre. A lua, pensei, mas nunca tinha visto a luz refletida com uma cor tão estranha. Era um reflexo não da lua, mas do sol! Meu entusiasmo me mantivera trabalhando a noite toda sem cansaço. Além disso, o mesmo entusiasmo me manteve trabalhando o dia inteiro e a noite seguinte também, parando apenas para me alimentar frugalmente. Depois disso, com a tarefa concluída, eu me senti normalmente cansado.

Entusiasmo é uma força vital que energiza todas as forças de sua mente e do corpo. Faça do entusiasmo parte do processo de autossugestão, parte de você.

* * *

Ajude outras mentes a vibrar em harmonia com a sua. Falamos do "rádio mental". Falo agora de algo que pode ser a mesma coisa, ou, se não, é certamente semelhante. É a natureza contagiosa do entusiasmo; seu poder quase mágico de "vender" ideias a outras pessoas.

Qualquer um que tenha falado para uma plateia sentiu, às vezes, que está "dominando". Por alguns momentos mágicos, seu entusiasmo captura todas as outras mentes naquela sala ou no auditório, e o que ele diz naqueles momentos permanece com sua plateia; eles levam isso para casa.

Entusiasmo, ainda que tratado com cuidado, é a ferramenta indispensável de qualquer vendedor. Ele coloca as duas mentes – a do vendedor e a do comprador – em *conexão*, ou harmonia. Permite ao vendedor transmitir ao comprador um sentimento de necessidade pelo produto, uma apreciação de seu valor, uma disponibilidade para se desfazer do dinheiro em troca de fazer sua vida mais plena e feliz – um serviço no qual ele vê o que o produto fará por ele.

O que você diz é importante, claro. No entanto, não existe combinação de palavras que possa fazer o trabalho que deve ser feito, a menos que essas palavras transmitam o espírito de convicção, crença, fé, *entusiasmo* que transmite tudo isso.

Para deixar esse ponto claro, vamos ver o que acontece quando o efeito contrário entra em cena. Entusiasmo é perfeitamente positivo; o que acontece quando um pensamento negativo é transmitido?

Por exemplo: uma vez entrei em um escritório da Dictaphone Company para ver uma de suas máquinas de ditado. Até o modelo antigo, naqueles dias anteriores ao plástico, parecia útil, e eu estava propenso a concordar com o vendedor que apontava o quanto ela poderia me ajudar no trabalho. Mas não comprei. Uma estenógrafa ao lado do vendedor transcrevia uma de suas cartas de um antiquado caderno de taquigrafia! Fui embora levando uma impressão negativa.

Ou, suponha que você esteja vendendo qualquer coisa; vamos chamar de equipamento. Você encontra um possível comprador e descreve para ele com entusiasmo como os Jones, que moram naquela rua, estão felizes com o equipamento de sua empresa. O possível comprador responde que viu um anúncio do equipamento de outra empresa e parecia um produto melhor.

A essa altura, você, o vendedor, pode ser tentado a "diminuir" o equipamento da outra companhia. Qualquer vendedor que treinei sabe que isso é um erro. Você faz o possível comprador *pensar negativo*. Provoca nele um azedume em relação a todo o assunto dos equipamentos. A disposição de precisar, querer, comprar é substituída por uma receosa disposição do tipo deixe-me em paz; o contato mente a mente se perdeu.

Aqui vai um princípio para lembrar cada vez que você falar com outra pessoa ou escrever para ela, e quiser convencê-la de seu ponto de vista. *Quando ideias nos tocam, seja por sugestão, seja por autossugestão, elas se formam em dois grupos, negativo e positivo.* As impressões negativas são armazenadas todas juntas em um banco de memórias do cérebro, e as impressões positivas são armazenadas em outro banco de memórias.

Agora, suponha que uma de suas palavras ou expressões toque outra mente e seja identificada como *negativa*. Ela abre o banco de memórias *negativas* e tende a provocar todas as lembranças negativas de natureza semelhante, como se você tivesse puxado só um elo de uma corrente, mas, inevitavelmente, arrastasse todos os outros elos com ele.

Suponha que um estranho peça para você descontar um cheque. Se você nunca recebeu um cheque sem fundos, pode descontar o cheque sem preocupação. Por outro lado, se perdeu dinheiro descontando cheques para estranhos, outra solicitação vai trazer imediatamente todas as dúvidas e os medos de seu banco de memórias.

É por isso que um pequeno mundo negativo, um pequeno pensamento negativo, até uma pequena visão que não é logicamente negativa (talvez aquela garota com o caderno tivesse acabado de ser contratada e não tenha tido tempo para se acostumar ao Dictaphone) é suficiente para fazer girar grandes engrenagens negativas. É por isso que sucesso de todo tipo depende de um ponto de vista positivo, dentro de você e transmitido a outros.

Entusiasmo é a grande emoção que garante automaticamente que seu ponto de vista será positivo!

Isso significa que você nunca deve mencionar um assunto negativo, nunca admitir nem mesmo que sabe sobre doença, pobreza, acidentes, guerra? Não é isso! É bom mantermos tendências negativas fora da nossa conversa de maneira geral; acentuar o positivo, falar sobre o lado que queremos que prevaleça. Mas realidade é realidade. Aceite isso como é, quando for negativo, e mostre uma saída! Então sua declaração, à sua própria mente e à de outras pessoas, presta serviço, aponta o caminho para uma vida melhor.

Talvez o melhor exemplo seja um dos mais simples. Um velho *slogan* de propaganda, que ainda continua forte, é: *Dor de cabeça? Tome analgésico x.* A condição negativa é admitida; a positiva, a saída feliz, é mostrada imediatamente. Não foi analgésico – que eu costumava tomar muito –, mas paz de espírito, que finalmente me livrou de dores de cabeça, por isso evito mencionar o nome do fabricante do analgésico – mas não consigo pensar em uma transformação melhor de positivo em negativo do que aquelas seis palavras. Perceba o princípio: *Tem alguma coisa errada? Aqui está como consertar.*

Boa venda é venda honesta. Falo de vender no sentido de "vender" ideias que daí em diante serão transmutadas em realidade.

Penso naquele momento memorável quando minha nova madrasta – a quem me disseram para tratar com desconfiança – segurou meu queixo e anunciou que Napoleon Hill não era um menino mau, mas um menino inteligente cuja mente só precisava ser orientada. A convicção honesta e o entusiasmo terno daquelas palavras afastaram todas as falsidades que tinham sido plantadas em minha mente jovem. Daquele momento em diante, procurei maneiras de ser melhor; e quando as procurei, eu encontrei.

Venda boa é venda honesta. *Ninguém pode expressar, por pensamentos ou atos, aquilo que não está em harmonia com sua crença, porque, se o faz, ele tem que pagar com a perda de sua capacidade de influenciar outras pessoas.*

Sei que só quando falo do coração posso convencer uma plateia a aceitar minha mensagem.

Em uma ocasião, eu poderia ter obtido considerável vantagem monetária por ser conhecido como alguém que não se aliava ao Grande Negócio, ou a nenhuma facção política. Fui procurado por um representante de um governo latino-americano que os Estados Unidos se recusavam a reconhecer na época. Ele queria que eu fosse visitar seu país, que estudasse seus assuntos, depois escrevesse uma série de artigos recomendando reconhecimento.

Mas eu sabia que não seria capaz de escrever com entusiasmo e convicção. O motivo era simples: eu não acreditava na causa. Valorizava minha integridade mais do que valorizava o dinheiro que teria recebido por mergulhar minha caneta em tinta turva.

Leia com cuidado: *Se você compromete sua consciência, você a enfraquece. Logo sua consciência deixa de guiá-lo, e você nunca terá riqueza real baseada em paz de espírito.*

Quando falo dessa maneira, dou-lhe todo o crédito por ser um adulto, uma pessoa inteligente que usa sua inteligência. Você pode ver que esses preceitos, ou os mesmos preceitos expressos com mais maestria por Emerson ou outros grandes pensadores, não são meramente "declarações brilhantes". São leis vitais de vida. Funcionam.

Vou adicionar mais um preceito a essa questão muito importante de transmitir ideias de sua mente para a de outra pessoa:

Você não pode sugerir para outra pessoa, por palavra falada ou escrita, ou por qualquer ato, aquilo em que você mesmo não acredita.

Por certo, isso é suficientemente direto.

Onde está focado seu entusiasmo? Quando você treina vendedores, conhece centenas de homens que podem ser descritos de maneira geral como *tipos vendedores.* Eles são, antes de mais nada, notáveis por seu entusiasmo. Tudo que dizem tem impacto. Cada ato, até o de sentar-se, parece vir de alguma fonte interior de energia persuasiva.

Vi alguns desses homens terem esplêndido sucesso – e vi outros fracassarem, e fracassarem, e desistirem.

Como disse Emerson: "Aprendo a sabedoria de São Bernardo, 'Nada pode me prejudicar, exceto eu mesmo; o dano que sofro é o que levo comigo, e nunca sou um verdadeiro sofredor, senão por minha culpa'".

O problema com esses homens entusiastas que fracassaram foi que tinham entusiasmo, e não muito mais. O dano profissional que sofreram foi causado por não respaldarem seu entusiasmo com conhecimento simples, honesto – com uma disponibilidade para fazer além do necessário –, com um sincero interesse em alguém além deles mesmos.

Muitas e muitas vezes, vi esses homens venderem um produto porque simplesmente envolviam o cliente com o poder motivador da própria personalidade. Eles voltavam ao escritório e se gabavam do dinheiro ganhado naquele dia. Então os pedidos eram cancelados – ou se descobria que o vendedor tinha forçado uma compra que simplesmente não podia ser paga, fato que teria sido evidente se o vendedor tivesse se dado ao trabalho de ouvir e entender.

Entusiasmo precisa de foco. A simples existência do foco faz você ter alguma coisa além de entusiasmo para oferecer.

Na venda honesta (e bem-sucedida) de produtos e serviços, o foco é *o interesse do cliente*. Você quer que o cliente aceite, a partir de sua mente, a ideia de que precisa ter seu produto ou serviço para tornar a vida dele melhor? Muito bem:

Esteja preparado para responder às perguntas dele. Conheça seu produto ou serviço de dentro para fora. Saiba como ele pode aplicar o produto às próprias necessidades (você pode dizer a ele com entusiasmo; mas entusiasmo não substitui informação).

Se você marca um compromisso, compareça a tempo. Reconheça o cliente como um homem cujo tempo é valioso (sua história entusiasmada sobre o motivo de seu atraso não é um substituto aceitável).

Se você promete serviço, garanta que o cliente o receba. Não existe cliente como um cliente que retorna.

Mas não é assim que se desenvolve a arte da venda, então me abstive de dar a você uma lista que poderia abranger algumas páginas. Você vê o princípio: *Entusiasmo precisa de alguma coisa sólida por trás dele.*

Como focar seu entusiasmo quando você se candidata a um emprego. Qualquer empregador gosta de falar com um homem que se candidata com entusiasmo para uma vaga em sua empresa. O empregador sabe que esse entusiasmo pode ser transmitido para o trabalho do homem, e esse é um ingrediente que não tem preço.

Mas lembre-se da lei dos negativos. Quando um homem distribui algumas dúzias de empregos, ele aprende que é desaconselhável se deixar convencer a contratar alguém que não tem nada além de entusiasmo para mostrar.

Uma grande editora considerou aconselhável testar a real disponibilidade dos candidatos para o trabalho mostrando a eles um relógio. É explicado que nada é aceito como substituto para a pontualidade no início do expediente. Isso tem um impressionante efeito de resfriamento sobre certos candidatos falantes.

Entusiasmo muitas vezes põe um homem em um emprego, ou adquire para ele crédito bancário, ou faz uma venda quando a pessoa solicitada sente que tem alguma coisa por trás do entusiasmo. O contratante ou o funcionário do banco podem então abrir mão de alguns requisitos formais. Entusiasmo *focado*, no entanto, é realmente irresistível. Vamos ver como focar seu entusiasmo quando você se candidata a um emprego. Aplicamos o processo à busca de emprego, mas você vai ver as diversas maneiras como ele pode ser aplicado a outras situações.

Prepare uma declaração escrita com cuidado das razões pelas quais você deve conseguir o emprego. Você pode não ter recebido a solicitação para preparar uma carta de apresentação, mas a declaração escrita foca a informação na sua cabeça.

Declare sua escolaridade. Cite as escolas que frequentou, os cursos que fez. Fale, especialmente, de sua educação fora da escola, como em cursos noturnos. Detalhe qualquer tipo de educação que o preparou particularmente para desempenhar o trabalho que procura.

Declare sua experiência. Cite nomes de empregadores, períodos de emprego. Não deixe de relacionar a experiência que ajude a qualificá-lo aos olhos do empregador em potencial.

Dê referências. Escolha-as com cuidado. Escolha-as, se possível, em relação ao que elas podem dizer ao empregador em potencial sobre você como empregado *dele*.

Estabeleça o emprego que quer. Às vezes, quando se candidata a um emprego em uma grande empresa, você pode não conseguir a vaga que quer, porque eles estão mais interessados em preencher uma vaga em algum outro lugar. Conseguir ou não o emprego é uma questão de julgamento. Mesmo assim, foque seu entusiasmo em um emprego específico quando for candidato.

Estabeleça suas qualificações para esse emprego específico. Quando você foca o trabalho que quer, isso pode resultar na empresa "encontrando" uma vaga onde você quer que exista uma – ou expandindo a equipe para incluir você.

Mostre que você sabe muito sobre o negócio do empregador em potencial. Não faça isso de um jeito invasor, mas mostre que sabe alguma coisa sobre o mercado, fornecedores e clientes, por exemplo, nesse "ramo". Uma ou duas horas com revistas do ramo – disponíveis em bibliotecas – podem ensinar muito.

Ofereça-se para um período de experiência no emprego. Deixe claro que essa oferta se baseia em sua confiança na capacidade de atender às necessidades do emprego, sua confiança de que será permanentemente empregado depois de ter uma chance de mostrar que tem o que é necessário (até isso deve ser escrito, mesmo que não seja solicitado, para fixar na sua cabeça).

Agora você está pronto para sua entrevista – pronto para mostrar entusiasmo que vai ser transferido para o seu emprego. Vamos ver o que mais você está pronto para mostrar, além disso – ou já mostrou, se mandou um currículo.

Você vai mostrar que o empregador em potencial terá um homem com algum tipo de educação. Se você fez cursos noturnos, ele verá que sua educação não parou depois que você saiu da escola.

Vai mostrar que esteve "por perto" e aprendeu com a experiência – o tipo certo de experiência, do ponto de vista dele.

Você vai mostrar que sabe o que quer – o que sugere que é suficientemente focado para ajudá-lo a conseguir o que *ele* quer.

Você vai mostrar que é capaz de ver um negócio, além de um emprego. Isso o coloca na posição de um homem que pode merecer promoção.

Você vai mostrar que quer o emprego o suficiente para se arriscar a um período de experiência – e, é claro, terá fé em si mesmo.

Agora, é perfeitamente óbvio que você quer o emprego para ganhar dinheiro e avançar seus interesses na vida. Mas acima e além disso, você demonstrou que é do interesse do empregador em potencial contratá-lo. Não se esqueça disso. Você está se vendendo nos termos do interesse do outro homem. Reveja os vários pontos que mencionamos e você vai ver que eles remetem a isso. Não é VEJA QUE PESSOA MARAVILHOSA EU SOU, mas VEJA QUANTO TENHO PARA OFERECER A *VOCÊ*.

O *adicional* do entusiasmo eleva suas palavras acima do nível de meras palavras e as transforma em *crença* de que você é o homem para ele!

Muito bem, você pode dizer, mas minha apresentação escrita ou falada não acrescenta muito. Minha educação parou no início da adolescência, nunca fiz um curso noturno em nada que não fosse violão, e assim por diante. Você foi capturado pelo sentimento negativo de que não tem nada a oferecer.

Você tem muito a oferecer, se acreditar que tem – e mostrar!

Por exemplo, vejamos a questão de candidatar-se a um emprego em particular. Você pode não ser capaz de demonstrar que já tem as habilidades de que precisa para garantir esse emprego – mas você pode mostrar que sabe quais são os requisitos do emprego. Pode mostrar que se orientou para esse emprego. Isso tem um bom efeito sobre empregadores que estão acostumados a pagar um homem só por aparecer todas as manhãs, até saber o que ele está fazendo. Além disso, quando uma empresa mantém um curso de treinamento, você pode deixar claro que está disponível e ansioso para fazer o curso no seu tempo livre, se for necessário.

Vejamos a questão de saber alguma coisa sobre a "linha". Você não precisa de educação formal para ler revistas do ramo. Ser capaz de "falar a linguagem de um homem" é surpreendentemente impressionante. Qualquer entrevistador sensato interpreta a escolaridade formal com parcimônia, de qualquer maneira. Com exceção de empregos que exigem certificação por diplomas específicos, ele sabe que muitos cargos de posição elevada foram ocupados por homens sem uma educação de alto grau, isto é, sem educação formal de alto grau.

Vejamos a questão de aceitar o período de experiência. Deixe o entrevistador ver *alguma coisa* em você, e isso pode decidir o caso. Ofereça-se para colocar isso no papel, por escrito!

Deixei de fora questões como usar uma camisa limpa, um terno passado e sapatos engraxados? Não somos todos como um Barnes entrevistado por um Edison, então, não negligencie esses fatores. Garanto, no entanto, que as roupas de um homem muitas vezes não são notadas quando o *homem* brilha.

Agora recue um passo para ter uma visão mais ampla! Veja um artista pintando um quadro e você pode ver que, de vez em quando, ele dá um passo para trás para ter perspectiva do que está fazendo. Ele precisa de uma visão mais ampla.

Já disse como se candidatar a um emprego, com alguns detalhes, reservando o "olhar mais amplo". Use-o agora. Recue um passo (não *retroceda*, o que é diferente!) e se veja candidatando-se a um emprego e conquistando a vaga. Muito bem. Mas por que você queria o emprego?

Existe a visão ampla que é altamente essencial – tão essencial quanto a composição que um artista pode esboçar para esse quadro antes de começar a pintá-lo.

Como eu disse, será óbvio para o empregador em potencial que você quer o emprego para ganhar dinheiro e avançar seus outros interesses na vida. Para isso, você vai se servir servindo a ele. Muito bem; esse trabalho *vai* avançar seus outros interesses na vida?

Você pode ver a relação com o Objetivo Principal de que falamos há algum tempo. Como esse emprego vai avançar seu Objetivo Principal na vida?

E mais: como esse emprego vai ajudá-lo a se realizar como uma pessoa que pode trabalhar com alegria, e assim trabalhar com eficiência, realização e sucesso? Essas perguntas são importantes.

Muitos homens têm empregos de que não gostam. Eles dão todo tipo de motivos para terem sido forçados a aceitar esses empregos, ou para estarem "presos" em um emprego por razões de família, e assim por diante. Podem mencionar o dinheiro que ganham e relacionar os diversos prazeres que esse dinheiro permite. Mas eles não conseguem mencionar honestamente paz de espírito, e por isso não apontam honestamente sucesso.

O tempo de trabalho diminui, mas qualquer homem que tem um emprego ainda passa boa parte da vida nesse emprego. Se essa porção de sua vida é desnaturada e infeliz, ela deve ter um efeito degradante sobre o resto de suas horas e seus dias. De qualquer maneira, por que permitir que qualquer parte de sua vida o deixe insatisfeito, quando *isso não é necessário*? Seu trabalho pode ser uma grande realização quando você adquire perspectiva e o vê antes de mergulhar nele.

Siga estes passos antes de aceitar um emprego. *Decida exatamente que tipo de trabalho você quer.* Isso em si requer considerável autoanálise, e, se você não tem um Objetivo Definido, esse fato vai atrair sua atenção com muita força. Volte atrás neste livro. Você está apto a viver sua vida, fechar a porta para o passado, exceto se ele puder beneficiá-lo para viver sem medo, conquistar riqueza de todos os tipos – tudo isso pelo poder da mente e, é claro, por seus esforços. Você é VOCÊ e tem um tipo de trabalho que expressa VOCÊ, da mesma forma que o escritor se expressa escrevendo, como o artesão se expressa no trabalho amoroso que faz com as mãos. Uma das coisas que a América faz melhor é oferecer uma grande variedade de ocupações para seus cidadãos escolherem com liberdade. Tudo em nossa economia o ajuda a encontrar o trabalho que você quer; e se o trabalho em particular não existe, você o cria.

Escolha a empresa ou pessoa para quem você quer trabalhar. Mais uma vez, vai haver muitas opções. O histórico de uma companhia geralmente é de conhecimento público e compensa o pouco de trabalho que dá para ser encontrado. O histórico de um indivíduo também pode ser de conhecimento público ou avaliado de muitas maneiras, especialmente conhecendo o indivíduo. Encontre uma empresa ou pessoa com quem possa cooperar. Encontre oportunidade, além de um emprego.

Se a pessoa para quem você quer trabalhar é você mesmo, faça o mesmo tipo de análise!

Decida o que você tem a oferecer. Aqui, uma análise fria pode revelar espaços vazios. Você pode desejar primeiro preenchê-los, ou pode, de maneira perfeitamente justa, encontrar e ser capaz de mostrar maneiras pelas quais pode compensar qualquer carência até que a experiência a supra. Nesse ponto, esqueça o "emprego". Concentre-se no que pode dar que seja do interesse do outro. A Regra de Ouro vai ajudá-lo.

Apresente-se, e apresente suas qualificações, à pessoa que pode lhe dar o emprego. E era aqui que estávamos há pouco, quando decidimos recuar um passo e obter perspectiva. Sabendo que trabalho você quer, preparar-se para conquistá-lo e conquistá-lo não são processos separados – mas compensam uma vista ampla, honesta, cada um a seu tempo, e, quando são respaldados por entusiasmo, superam obstáculos que detêm outros homens.

Você é entusiasmado sobre si mesmo? Entusiasmo flui de maneira contagiosa de uma mente a outra, e é assim que geralmente o vemos em ação. Mas você já tentou ser entusiasmado sobre si mesmo? *Com alguma coisa por trás disso?*

Pode ser muito divertido, e muito instrutivo, recuar esse passo em relação a *você*, como se saísse de sua pele, e depois olhar para a pessoa que tem seu nome.

Quando consegue sentir entusiasmo por esse sujeito é excelente! Mesmo que seu entusiasmo seja baseado apenas em sua evidente *promessa*, sua *crença*, sua *disponibilidade* – mesmo que ainda não haja muito para ver em termos de realizações –, muito bem! Sintonize seu espírito. Avalie suas qualidades de *dar*. Observe o quanto ele é bem-sucedido ao fazer justiça aos poderes que Deus deu a ele. Quando vê que ele é uma pessoa que você pode apreciar, aplauda-o!

Se você o escuta dando desculpas por si mesmo, aponte o dedo para ele. Diga a ele que a vida reflete a imagem que mostramos a ela. Você não pode responsabilizar um espelho pela imagem que ele reflete.

Ele entende? Ele vê que é o senhor de seu destino?

Muito bem! Aplauda-o!

Que tal?

Sucesso não requer explicações. Fracasso não permite desculpas.

VERIFICAÇÃO DO CAPÍTULO 15:

Entusiasmo e ação

Entusiasmo transmite o ímpeto em direção à concordância e à ação, esteja você vendendo um produto, um serviço, ou você mesmo. Uma carta entusiasmada fez grandes homens dedicarem tempo à realização de um favor, quando as mesmas palavras ditas sem entusiasmo não deram resultado. Peça um favor em nome de um terceiro, se possível, e em todos os casos a pessoa que faz o favor deve ver um benefício para ela mesma. Entusiasmo ajuda-o a fazer grandes quantidades de trabalho sem fadiga.

Negativo x positivo

A mente tem um banco de memória de lembranças negativas e lembranças positivas. Quando você oferece uma ação ou um pensamento negativo, abre o banco de memórias negativas e pode perder todo o poder de convencimento. Um negativo pode ser eficiente quando é seguido por uma declaração positiva que afasta o sentimento negativo. Boa venda é venda honesta. Se você compromete sua consciência, você a enfraquece, ela deixa de orientá-lo e você não consegue ter paz de espírito.

Entusiasmo precisa de foco

Muitos homens entusiasmados se perdem porque não há o suficiente por trás de seu entusiasmo. Venda honesta e eficiente inclui ter conhecimento com o qual auxiliar o cliente – e um desejo firme de ser útil para ele. O processo de procurar emprego é um bom modelo para outros processos de "vender-se". Requer que você demonstre que realmente quer o emprego, disponibilidade para se preparar para desempenhar a função e, acima de tudo, concentração no interesse de seu empregador em potencial.

O olhar amplo

As questões da vida requerem um olhar amplo, para assegurar perspectiva. Isso inclui avaliação de um emprego, antes de aceitá-lo, e relacioná-lo a seu objetivo principal. Boa parte de sua vida é passada no trabalho, e você pode, se tiver o emprego certo, ser feliz no trabalho e usá-lo para se expressar. Você também pode ter um olhar amplo sobre si mesmo e ver se pode sentir entusiasmo por essa pessoa. Veja se ele precisa de um aviso – corrija-o, se for necessário – e incentive-o com um aplauso entusiasmado.

16

Cabe a você viver a vida que o Criador lhe deu

A Regra de Ouro pode ser aplicada a tudo de um jeito que vai transformar nossa economia para melhor. Quando as pessoas forem ajudadas para transformar suas ideias nas realidades de negócios e produção, todos nos Estados Unidos terão mais riqueza e felicidade. A maioria acredita em deuses e demônios criados pelo homem. O medo não tem lugar em uma vida bem vivida. Ponha fé não em um Criador que o comanda, mas em Um que torne possível para você, como ser humano, conquistar sucesso por seus esforços. A riqueza agora pode ser sua. Paz de espírito agora pode ser sua ao mesmo tempo, mas lembre-se, essa que é a maior de todas as riquezas só é reconhecida pela pessoa que a tem.

"Ajude-me a encontrar paz de espírito", disse o homem rico.

Isso foi há alguns anos. Uma viagem pelo país não era então uma questão de seis horas a bordo de um avião, mas ele atravessou o país para falar comigo. "Tenho tudo que o dinheiro pode comprar", ele disse, "e vivi o suficiente para saber que dinheiro não pode comprar paz de espírito. Por favor, me ajude a encontrá-la".

Boa parte deste capítulo consiste no que discutimos, e que relatarei na forma de conversa. Primeiro, tratamos de tudo que este livro abrangeu – vou omitir essa parte – e depois passamos ao que tem sido meu projeto mais querido por muitos anos.

É um projeto comercial – e um projeto de paz de espírito. Pode trazer alegria e prosperidade a milhões de homens e mulheres, especialmente àqueles que precisam de ajuda para encontrar seu lugar na vida. Funcionaria de mãos dadas com nossa economia americana. Não seria um projeto do tipo "trabalho pronto", já que forneceria serviços cuja necessidade é comprovada. Geraria renda – esse fator indispensável cujas virtudes finalmente foram reconhecidas até na União Soviética. Seria um projeto comercial que, em primeiro lugar, seria um projeto *humano* dedicado a criar riqueza pelo compartilhamento de riqueza.

Um emprego para um homem dedicado. "Antes de contar sobre meu projeto", eu disse ao meu visitante, "quero deixar claro que, para ser posto em andamento, ele precisa de um homem dedicado. Um homem que tenha muito dinheiro, muito tempo e muito *know-how* executivo, porque tudo isso é necessário para transformar a ideia em realidade. Teria que ser um homem que fosse trabalhar sem pensar no que *ele* receberia por seus esforços. Digo que ele teria que ter muito dinheiro, porque pode perder parte dele – e também teria que ser psicologicamente adequado para aceitar esse fato sem perder a paz de espírito que o projeto daria a ele".

"Conte-me mais", disse o homem da Califórnia.

"Bem, o que tenho em mente é uma organização nacional que será chamada de The Golden Rule Industries of America."

O visitante parecia intrigado. "Onde entra a Regra de Ouro?"

"Vamos supor que você tivesse dinheiro suficiente para viver, ou menos, mas tivesse uma boa ideia comercial que quisesse desenvolver. O que gostaria que alguém fizesse por você?"

"Eu certamente gostaria que alguém aparecesse e me desse o capital!"

"Foi o que eu quis dizer. A Golden Rule Industries of America se dedicaria a encontrar pessoas que têm boas ideias comerciais, capitalizando essas ideias e ajudando essas pessoas a começarem seus negócios. Depois ofereceria orientação para a administração de negócios, que poderia ser necessária. Cuidaria de dois grandes fatores que fracassam nos negócios – falta de capital e administração inadequada. Atenderia a essas necessidades de pessoas honestas que quisessem progredir, mas não conseguissem atender a essas necessidades por si mesmas."

Meu visitante parecia pensativo. "Deve haver milhares desses casos."

"Tenho certeza disso. Vou contar alguns que conheço.

"Tem uma jovem que é muito competente em *design*. Ela quer desenhar e produzir peças femininas para o varejo. A Golden Rule Industries poderia colocá-la no mundo dos negócios, garantir um bom começo e acompanhar seu crescimento. Com o tempo, ela empregaria centenas de pessoas. Tenha em mente que ela, e todas as outras pessoas que a Golden Rule Industries ajudar com capital e orientação, serão pessoas que aplicam e transmitem a Regra de Ouro a outras, em especial aos empregados. A Regra de Ouro também é isso."

"Entendo."

"Um mecânico construiu um modelo de automóvel que pode ser produzido e vendido por mil dólares. Ele teria o rendimento de vinte quilômetros por litro, acomodaria três pessoas – ideal para uma família pequena – e tem um *design* tão simples que a manutenção seria muito pequena. Golden Rules Industries poderia instalar esse homem em uma pequena oficina e deixá-lo expandir, se os negócios se justificarem.

Sem dúvida, toda a indústria automobilística poderia responder com carros melhores por preços mais baixos.

"Um colegial brilhante constrói excelentes modelos de aviões. Ele quer desenvolver sua habilidade em um negócio nacional e empregar outros colegiais, depois das aulas, como sua equipe. A Golden Rule Industries poderia ajudar esse jovem e seus amigos a começarem um negócio e desenvolvê-lo."

"Esse seria um começo maravilhoso de uma vida produtiva!", meu visitante exclamou.

"Certamente. Pense também em um certo agricultor pobre. Tenho simpatia por fazendeiros pobres. Esse homem quer introduzir a cultura de determinada fibra que agora é desenvolvida na África, que pode ser cultivada nos estados sulistas. Sem dúvida, há um futuro nisso, e a Golden Rule Industries poderia fornecer a esse homem a terra, máquinas e empregados necessários.

"Um jovem autor escreveu um romance muito crível baseado na vida nas montanhas do Tennessee. Ele não conseguiu publicá-lo, mas a Golden Rule Industries poderia capitalizar sua publicação, se fosse necessário.

"Uma jovem estenógrafa inventou uma cadeira desenhada de forma a se mover para trás e para a frente com o movimento do corpo e ajustar-se para acomodar a curvatura das costas. Essa é uma grande ideia. Vai reduzir a fadiga, melhorar o trabalho, e deve ter um tremendo mercado. Seria muito gratificante para a Golden Rule Industries."

"De onde vêm essas ideias?", meu visitante quis saber.

"Muitas delas representam casos que tratei para meus clientes. Em minhas empreitadas para ajudar as pessoas a se manterem em pé, tomei conhecimento de muita gente que tem boas ideias e muita capacidade, mas precisa de capital e bons conselhos de administração a fim de começar. Agora vou falar sobre uma área especial em que a Golden Rule Industries poderia fazer um grande bem.

"Em toda prisão há muitos homens com boa educação capazes de conduzir negócios e cursos para o benefício de outros detentos. Isso pode resultar em prontidão, disponibilidade e capacidade desses homens para terem uma vida honesta e útil quando forem libertados. Um grupo de empresários testou esse plano na Penitenciária Estadual de Ohio, e funcionou como mágica. A International Correspondence Schools contribuiu com livros que equivalem a mais de US$ 35 mil. O plano poderia ser muito expandido – e a sociedade lucraria. *Eu me apropriei pessoalmente dessa ideia, e ela está criando milagres de reabilitação em muitas penitenciárias.*

"Um mecânico fez um modelo de casa pré-fabricada feita com partes de alumínio. Qualquer homem capaz, com poucos ajudantes, pode levantar as paredes e o telhado em um dia e começar a morar na casa com sua família enquanto termina o interior. Há casas semelhantes no mercado, mas essa também pode ser desmontada com a mesma facilidade com que é montada, e transferida para outra locação, sem dano aos seus componentes."

"Essa ideia gera renda", disse o homem da Califórnia.

"Sim, e tenho várias outras ideias igualmente rentáveis. Muitas delas só precisam de algum jeito para começar, apesar da oposição de interesses estabelecidos que só enxergam que seu mundo comercial seria afetado, sem ver o benefício da economia em geral. Agora vamos nos afastar das ideias comerciais e olhar para a política geral da Golden Rule Industries.

"A Golden Rule Industries deve ser desenvolvida com a ideia de que vai gerar renda à medida que operar. Portanto, eu incorporaria a ideia de compartilhar lucro. Cada empreitada daria à Industries um retorno de 10% de sua receita líquida. Metade desse valor iria para a

Industries para uso do capital e administração dos negócios. Os outros 5% seriam usados como pagamento do investimento original. Quando o investimento fosse totalmente retornado, cada empreendimento pagaria à Industries 5% de sua receita líquida daí em diante, em troca dos serviços de administração e outros serviços que possam ser necessários.

"Você pode ver que essa política criaria um fundo giratório que poderia ser usado muitas vezes para ajudar a começar mais empreendimentos. Mas nenhum empreendimento ficaria ligado para sempre à Industries. Depois de reembolsar sua capitalização, ele poderia deixar a Industries. Não queremos um monopólio. Mas tenho certeza de que, mesmo se um empreendimento deixasse a Industries, ele manteria a base da Regra de Ouro de compartilhar a riqueza que ele cria com seus empregados, porque seria evidente, então, que esse é o jeito de fazer um negócio e suas pessoas prosperarem."

Meu visitante tinha chegado ao meu escritório com uma expressão desanimada. Agora ele parecia vibrante e dez anos mais jovem. "Isso é ótimo!", ele exclamou. "E posso ver que empreendimento após empreendimento desejariam se unir a uma empreitada como essa. Ora, é o melhor jeito de prevenir greves e outros problemas trabalhistas."

"Acredito que criaria harmonia e paz de espírito onde essas qualidades são tão necessárias", eu disse. "E criaria importante autorrespeito ao dar às pessoas uma oportunidade para se ajudarem, em vez de se alimentarem do recurso público à custa de outros. O plano teria um efeito abrangente em toda a nossa economia.

"Além disso, a Golden Rule Industries of America deveria operar a própria estação de rádio e televisão. Não haveria comerciais. Todo o tempo de transmissão seria dedicado a ensinar às pessoas, em suas casas, tudo que é essencial para a realização pessoal. As pessoas finalmente descobririam que sucesso é uma questão interior que cada um de nós deve construir dentro de si mesmo, em vez de esperar que alguém dê aquilo de que precisamos. Teremos uma nação que não procura 'ismos' para cuidar dela – uma nação de pessoas que vai trabalhar duro para criar riqueza, na feliz confiança de que receberá uma boa parte dela."

"Céus!", meu visitante exclamou. "Você está falando sobre o milênio."

"Não", respondi, "estou apresentando um plano prático para salvar esta nação da destruição pela ganância que ainda não aprendeu a necessidade – e a virtude – de compartilhar riquezas.

"A Golden Rule Industries iria além da transformação da indústria para melhorar esta nossa terra. Ela manteria uma escola para treinar homens e mulheres para o serviço público – tudo, de funcionário da carrocinha a presidente. Espero que essa escola alcance, com o tempo, uma posição que garanta que os eleitores possam escolher servidores públicos com base em sua capacidade – em vez de sua astúcia para conquistar votos pelo uso de adequadas quantias em dinheiro".

"Amém, amém!", disse meu visitante.

"Com essa escola de economia política haveria um comitê de cidadãos formado por homens e mulheres capazes de examinar e classificar todos os candidatos ao serviço público. O povo voltaria a ter plena posse de seu governo."

"Ótimo! Mas não acha que haveria muita oposição a seu plano – tanto da indústria quanto do governo? Afinal, você encerra com ele boas e suculentas oportunidades de exploração."

"Espero oposição", respondi. "Oposição é uma circunstância saudável. Faz o indivíduo provar a solidez de seu plano ou descobrir sua fraqueza. Espero fazer ajustes à medida que avançar.

"Há outras características que tenho em mente para a Golden Rule Industries que podem provocar ainda mais oposição. O poder de compra centralizada da Industries seria grande o bastante para provocar uivos daqueles que só pensam em lucro. Quando ajudássemos nossos membros a comprar suas casas – como acredito que deve ser feito –, haveria gritos de *socialismo* – da parte de outros interesses.

"Quando ajudássemos membros da Industries, incluindo seus empregados, com serviços prestados por médicos, dentistas, advogados, até esteticistas – e garantíssemos que eles recebessem os melhores serviços pelos menores preços possíveis –, os gritos aumentariam. No fim, no entanto, seria reconhecido que o plano representa a democracia operando na mais alta escala de eficiência. Todos os homens que querem viver e deixar viver receberão bem esse plano que tanto contribui para o *viver*. Nossa força estaria no fato de essas pessoas superarem de maneira grandiosa em números aquelas que querem dominar e explorar outras."

Meu visitante pensou por um momento. "E isso começaria pela identificação de pessoas que têm boas ideias comerciais, e por colocá-las em prática."

"É verdade. Isso traria crenças valiosas da mente humana para o plano da realização. Quanto mais tivermos desse processo no mundo, melhor o mundo que construiremos."

Meu visitante pensou um pouco. Finalmente, ele se levantou e deixou algum dinheiro sobre a mesa.

"Quero que receba esses honorários pela ajuda que me deu. Vou entrar em ação com uma nova e melhor filosofia de vida que qualquer outra que já conheci no passado. Não sei se sou o homem com o dinheiro, tempo, filosofia e experiência comercial para iniciar a Golden Rule Industries. Mas vejo agora o que a vida pode ser quando os homens cooperam na produção de bens e serviços entre si. Entendo por que ganhei dinheiro mas nunca encontrei paz de espírito. Vejo o que faltava em minha vida, e me sinto melhor, Dr. Hill. Sim, senhor, sinto-me melhor do que me senti em anos. Você fez mais por mim do que vários médicos foram capazes de fazer."

Meu visitante nunca retornou. A Golden Rule Industries ainda é um sonho – sim, em parte, é um sonho que vejo se realizar. Nossa economia se torna cada vez menos o território de caça do pirata industrial. Só aqui e ali eu vejo o desenvolvimento de cooperação, mas vejo a ondulação do *compartilhamento da riqueza*, e é essa filosofia, baseada na Regra de Ouro, que vai tornar a América grande; não a prática do governo de dar subsídios a pessoas que nada fizeram para merecê-los.

Paz de espírito *x* deuses e diabos feitos pelo homem. Estamos chegando ao fim deste livro. Agora você vê que o poder da crença firme e livre vem de uma mente livre: o poder de transformar aquilo em que a mente acredita no que a mente conquista raramente pode ser encontrado por um homem que é tolhido por medo e direcionamento errado.

Existem algumas exceções. Você pode ver homens de negócios ainda ganhando dinheiro enquanto prejudicam outras pessoas ao ganhá-lo, mas esse tipo não é mais tão prevalente quanto era cinquenta anos atrás.

Você também pode ver exceções em outros lugares. Infelizmente, a mente humana é capaz de acreditar em imagens criadas pelo homem que ela estabelece como Grandes Verdades. Essa crença pode levar a suposta realização em seu próprio plano; por exemplo, a realização de grandes sociedades conhecidas como religiões que ensinam que você vai fritar no inferno se não acreditar em certas coisas.

Escrevo aqui para pessoas fortes – pessoas que percebem que as crenças mais valorizadas ainda podem ser erradas se prejudicam o desenvolvimento do espírito humano. Elas afirmam desenvolver o espírito – mas o desenvolvem tanto quanto a visão de mundo de um homem seria desenvolvida se ele andasse em uma viela estreita entre duas paredes altas durante toda a vida.

Independentemente de suas emoções agora, por certo você foi impressionado pelo fato de o Criador ter dado a você controle sobre seu poder de pensamento e impedido que qualquer pessoa lhe roubasse esse privilégio – a menos que você permitisse.

Em minhas décadas de pesquisa sobre as raízes da realização pessoal, encontrei um livro chamado *Catalogue of the Gods*. Esse livro fornece uma breve descrição de cada um dos TRINTA MIL deuses criados pelo homem e por ele idolatrados desde o início da civilização. Sim, TRINTA MIL.

Esses objetos sagrados variavam desde a minhoca até o sol que aquece nossa Terra. Incluíam quase todo objeto concebível entre esses dois extremos, como peixes, cobras, tigres, vacas, aves, rios, oceanos e os órgãos genitais do homem.

Quem transformou esses objetos em deuses? O próprio homem. Quais eram deuses autênticos? Pergunte a qualquer adorador e ele dirá, e no fim você terá uma lista de trinta mil deuses autênticos, cada um tão autêntico quanto o outro.

Se decidisse descrever as misérias da humanidade que podem ser depostas aos pés (se tivessem pés) daqueles trinta mil deuses, e os medos, infelicidades e fracassos que eles inspiraram na mente dos homens, eu precisaria de mais que uma vida para fazer o trabalho adequadamente.

O homem deu um grande passo à frente por si mesmo quando começou a ver um Criador, não deuses, e removeu esse Criador de qualquer relação com objetos terrenos. Os antigos hebreus realizaram esse serviço pelo homem (um dos reis egípcios parece ter chegado à mesma conclusão alguns séculos antes deles, mas esses sacerdotes providenciaram para que ele morresse jovem).

Mas o que fizemos com essa crença? Meu caso é o que conheço melhor. Até meu pai se casar com a mulher que me salvou, a família em que cresci era dominada pelo medo. Ela contribuía para o apoio de uma organização dedicada a manter esse medo; ela é conhecida como

Batistas Radicais. Um pregador visitava nossa comunidade só uma vez por mês, mas naquelas ocasiões eu era forçado a ouvir quatro ou cinco horas de sermão. Éramos bombardeados por fotos de um inferno que esperava para nos receber com fogo e enxofre, e às vezes eu conseguia sentir o cheiro da coisa queimando.

Uma noite, quando eu tinha sete ou oito anos, sonhei que estava lá embaixo acorrentado a um poste de ferro. Meu corpo estava quase coberto por uma grande pilha de enxofre fresco. Lá vinha Satã balançando o rabo, e, com um sorriso diabólico, ele ateou fogo ao enxofre. Acordei gritando. Não é necessário ter conhecimento formal de psicologia para saber que isso não é bom para criança nenhuma. Mas, quando tentei ficar longe da igreja que me dava terríveis pesadelos, fui surrado sem misericórdia.

O Criador que conheço. Um dia ouvi minha madrasta dizer ao meu pai: "O único diabo real que existe neste ou em outro mundo é o homem cujos negócios consistem em criar diabos". Aceitei essa declaração imediatamente e nunca mais me afastei dela.

Tenho me esforçado para colocar neste livro o fato de que as orações de meu pai pareciam ter poderes focados de cura além da medicina, o que salvou minha vida quando tive febre tifoide. Aquele foi seu tempo de fé, não medo.

Ao negar que eu tinha alguma coisa a temer, eu também negava que alguém tem conhecimento suficiente para me dizer qualquer coisa definida sobre o espírito que comanda o universo.

Um teólogo poderia dizer – embora hoje em dia eles estejam se cansando de dizer: "Lá em cima, em algum lugar, tem um céu onde Deus mora, e todos os Seus filhos *aceitáveis* vão para lá quando deixam o corpo terreno, e se reúnem em torno Dele".

Um cientista poderia dizer: "Apontei meu telescópio para o espaço em todas as direções. Olhei o espaço em distâncias equivalentes a milhões de anos-luz, mas em nenhum lugar vejo o menor sinal de alguma coisa que pareça o paraíso".

O Criador que conheço não é separado de mim por anos-luz, nem por nenhuma outra distância. Vejo evidência de Sua existência em cada folha de grama, cada flor, cada árvore, cada criatura nesta Terra, na ordem das estrelas e nas plantas que flutuam por lá, no espaço, nos elétrons e prótons de matéria, e mais especialmente nos princípios funcionais da mente e do corpo humanos dentro dos quais ele opera.

Se você preferir falar de uma força ou presença de inteligência ilimitada, em vez de um Criador, é a mesma coisa. Está lá. É afetada por sua adoração? Duvido. Podemos às vezes sintonizar-nos de forma a receber ajuda das vibrações universais? Isso, acredito, é quase certo.

Nem tento presumir o objetivo ou plano geral por trás do universo. Até onde posso dizer, não há plano para o homem, exceto vir para este mundo, viver um pouco e ir embora. Quando vive, ele tem a oportunidade de tornar a si mesmo e a seus semelhantes seres melhores, talvez uma forma mais avançada de homem, como sugere Lecomte du Noüy. Mas qual seu objetivo final? Não creio que alguém saiba mais sobre isso do que eu, e eu não sei nada sobre isso.

Sua grandiosidade é aqui e agora. Sua felicidade é aqui e agora. Aqui estão alguns dos fatores que criam paz de espírito. Eles também estão envolvidos na criação da riqueza em dinheiro; mas vamos deixar isso de lado, por enquanto. Eis alguns fatores de paz de espírito; leia-os com atenção; perceba que os encontrou neste livro, de uma forma ou de outra, e *perceba que ouviu sobre eles também de outras fontes.*

Você precisa entender que tem uma consciência que o guiará, e manter uma boa relação com sua consciência para que ela o guie bem.
Você precisa se apoderar de sua mente, do seu pensamento, viver sua vida.
Você precisa manter-se tão ocupado vivendo sua vida que não se sinta tentado a interferir na vida dos outros.
Você precisa aprender a libertar sua vida de empecilhos desnecessários, materiais e mentais.
Você precisa estabelecer harmonia em sua casa e harmonia com aqueles com quem trabalha.
Você precisa compartilhar suas bênçãos com outras pessoas, e deve compartilhar sinceramente.
Você deve ver as realidades da vida como elas são, não como quer que sejam, e avaliá-las adequadamente.
Você precisa ajudar outras pessoas a encontrar e desenvolver os próprios poderes para se tornarem o que querem ser.

Bem, eu não inventei esses meios de conquistar paz de espírito. Eles são conhecidos. São os meios que se provaram certos, fortes e eternos. Se os tornei mais claros para você, e se dei meios práticos pelos quais aplicá-los, muito bem; mas a sabedoria por trás deles é a sabedoria reunida da humanidade.

E você já ouviu anteriormente sobre esses fatores de paz de espírito. Talvez eles tenham sido contados a você como *maneiras de se ajudar a ir para o céu.* Essa crença o deixa contra uma parede vazia. Eu os dou a você como representante dos *métodos testados e verdadeiros que o ajudam a viver uma vida mais saudável, mais rica, melhor, aqui, nesta Terra, agora.* Isso não é suficiente?

O Criador em sua vida. Você viu que não nego o conceito de um Criador como uma inteligência eterna e difusa, ou força cósmica. Mas o Criador com quem fiz as pazes muitos anos atrás não requer que eu tenha medo Dele; nem Se oferece a mim apenas pela invenção de uma religião em particular.

Meu Criador me deu Sua maior bênção quando me fez humano.

Ele me deu o poder de escolher entre bom e mau, e fez meu conceito tão amplo quanto todos os assuntos do mundo e todas as suas pessoas. Ele me pôs no mundo para aprender que minhas boas ações são recompensadas de forma justa, e que minhas más ações atraem de forma igualmente inexorável penalidades de acordo com sua natureza. Ele me deu uma mente que supera a mente de qualquer outra de suas criaturas, e Ele me fez livre para usar minha mente como só um ser humano pode usar o poder de sua mente.

Posso rezar, fazer a prece construtiva que não se resume a implorar por favores especiais. Posso encontrar fé que aumenta muito meus poderes. Mas sei sempre que sou o senhor do meu destino, o capitão da minha alma, porque assim me fez meu Criador, e por isso não preciso pedir a Ele orientação constante. Você já notou que *aquele que faz a oração muitas vezes tem grande participação na resposta a essa oração?* Reconheço a prece que vai Além; mas acredito que muitas preces permanecem com aquele que reza e o fortalecem em sua percepção das próprias capacidades humanas.

* * *

O papel do Criador em sua vida é ajudá-lo a ser seu mestre de maneira mais triunfante. O Criador fez de você uma Criatura que sabe pensar por si mesma, ser você mesmo, acreditar no que deseja realizar, e realizar poderosamente! Faça menos que isso, e você não poderá se realizar em toda a sua gloriosa humanidade.

A mente do homem é cheia de poderes para serem usados, não negligenciados. Esses poderes, essas bênçãos, ou são usados – e os benefícios de seu uso são compartilhados com outras pessoas – ou você corre o risco de ser penalizado por não usá-los.

Se você precisasse de uma casa, soubesse como construir uma casa e tivesse todo o material necessário para construí-la mas deixasse de fazê-lo – então você entenderia sua penalidade ao ficar exposto à chuva e à neve.

Muitos não usam seu poder para se apoderar da riqueza e da paz de espírito que estão disponíveis à nossa volta. Então somos penalizados pela pobreza, miséria, preocupação e doença – e culpamos todo mundo, menos nós.

Qualquer coisa em que a mente humana pode acreditar, a mente humana pode conquistar.

Acredite em pobreza, e você será pobre.

Acredite em riqueza, e você será rico.

Acredite em amor, e você terá amor.

Acredite em saúde, e você será saudável.

Você viu o que existe por trás dessas declarações. Seria bom ler este livro de novo e renovar sua compreensão. Nenhum livro pode entregar toda a sua riqueza na primeira leitura. Faça amizade com este livro, releia-o, deixe-o de lado por um tempo, pegue-o e leia-o mais uma vez, e você vai ler muito nas entrelinhas – e muita coisa que se aplica a *você*.

Compartilhei com você o que podem ser apenas palavras, ou grande riqueza e contentamento – dependendo de como você as usa. Fico feliz por não poder forçá-lo a usar o conhecimento que lhe dei. Fico feliz por caber a você melhorar sua vida.

Agora o deixo sem grande cerimônia.

Lembre-se: não há coisa boa neste mundo que não esteja disponível para você, se a desejar suficientemente.

E lembre-se: não importa o que os outros podem ver de suas posses depois que você ganhar muito dinheiro; não importa como podem respeitar seu cargo, sua influência e seu talento; não importa o quanto podem admirar sua generosidade, sua bondade, sua disposição para viver e deixar viver; você é o único que pode ter e desfrutar de seu maior tesouro: paz de espírito.

Respeite suas visões e seus sonhos. Eles são filhos de sua alma, os mapas de suas conquistas definitivas.

VERIFICAÇÃO DE COMO ENRIQUECER COM PAZ DE ESPÍRITO:

Conheça sua mente – viva sua vida

Você pode fazer de sua vida o que quer que ela seja – mas ela deve ser sua própria vida. Todos temos um grande efeito uns sobre os outros, mas o sonho que você transforma em sólida realidade é *seu* sonho. Deixe seu efeito sobre os outros se mostrar quando os ajuda a perceber os próprios poderes para encontrar seu elevado destino. Estabelecer um prazo para uma conquista específica é uma grande ajuda para alcançar seu objetivo, apesar de quaisquer obstáculos. Volte e leia como estabelecer defesas espirituais dentro de sua mente, de forma que seus pensamentos permaneçam seus, sintonizados com grandes poderes.

Feche as portas para o seu passado

Olhe no passado apenas o que ele ensinou a você. Muitos grandes homens têm histórias de fracasso, mas nunca se deixaram deter pelas cadeias espirituais de velhos erros. Precisamos de riqueza para ter paz de espírito, uma vez que os castigados pela pobreza também são castigados por insegurança e preocupação; mas as armadilhas da riqueza podem roubar sua paz quando se tornarem um fim em si mesmas. O trabalho que constrói seu futuro é aquele a que você dá a medida mais plena. Onde você começa nunca é tão importante quanto para onde você vai. Comece fazendo além do necessário. Volte e leia o que significa fazer além do necessário.

A atitude mental básica que traz riqueza e paz de espírito

Garanta que sua mente diga SIM à vida. Uma atitude mental positiva mantém sua mente no objetivo e mostra a você o caminho para seu objetivo. Somos governados por nove motivos básicos, sete deles conectados intensamente à paz de espírito. Quando você supera a tentação de ser desonesto, faz mais por sua paz de espírito do que qualquer dinheiro pode fazer, e estabelece hábitos-emoção positivos que criam raízes em tudo que você faz. Uma atitude mental positiva muitas vezes é o segredo do poder mental do "gênio". Volte e leia como estabelecer dez Príncipes de Orientação para manter influências negativas fora da sua mente.

Quando você fica livre do medo, é livre para viver

Medo é como oração ao contrário; ele apela a forças negativas que nos prejudicam, em vez de forças positivas que nos ajudam e sustentam. O medo da pobreza traz pobreza; o medo da crítica prejudica a iniciativa. Para se libertar do medo da adversidade, lembre-se de que toda adversidade carrega nela a semente de um benefício equivalente ou maior. Cuidado sob circunstâncias perigosas é aconselhável, mas pesquise seus medos e você vai ver que, invariavelmente, são criados por você mesmo, um diabo criado pelo homem. Fé autoconfiante é um ingrediente indispensável para viver bem. Volte e verifique a lista completa de medos que promovem realidade prejudicial correspondente – se sua mente permitir.

Você domina o dinheiro – ou ele domina você?

Você pode perder a paz de espírito perseguindo o dinheiro com muita ansiedade. O homem que faz muito barulho pode ser o homem que caiu do barco. Dinheiro "suficiente" é um valor relativo. Quando você sente que vai ficar satisfeito com o suficiente para ter conforto e segurança, e alguns luxos, muitas vezes conquista mais. Trabalhar é uma necessidade humana, e qualquer um que obtenha seu dinheiro sem trabalho – como é o caso dos filhos de muitos homens ricos – foi roubado de seu direito de nascença de autossuficiência. Parte do dinheiro que você ganha deve ficar com você, porque economizar traz muitos benefícios, além de dinheiro no banco. Volte e leia os passos básicos que podem construir sua renda e podem ser aplicados a quase todas as circunstâncias.

A arte abençoada de compartilhar suas riquezas

Riqueza compartilhada cria mais riqueza. A mão com que você ajuda o outro pode recompensá-lo muitas vezes. Hoje em dia, milionários percebem que, quando a riqueza é distribuída, cria oportunidades. Trabalhadores insatisfeitos tornam-se trabalhadores satisfeitos e ambiciosos quando conhecem a Ciência da Realização Pessoal. Quando você compartilha a riqueza em sua casa, cria paz de espírito em uma área da maior importância em sua vida. Dizem que os três motivos básicos de amor, sexo e dinheiro governam o mundo. Quando você adota a prática de compartilhar, nunca tem que perguntar: "Que riqueza tenho para dividir?". Volte e leia as maneiras básicas de compartilhar; elas são uma via para a riqueza.

Como desenvolver seu ego saudável

Ego é a "tendência autoafirmativa do homem". Pode transcender muitos obstáculos, até prestar um grande trabalho a um homem quando ele tem a aparência de um vagabundo. Faça a si mesmo certas perguntas em relação à sua infância, e pode descobrir o que está prejudicando seu ego e superar essa influência do passado. Um ego saudável o torna mais receptivo para as influências que o guiam a partir de uma região além dos cinco sentidos. Um vendedor vende por meio do ego. Quando o ego é forte, atrai sucesso. Quando o ego é fraco, pode ser fortalecido. Volte e leia como os homens encontraram seus fortalecedores de ego, e aprenda como encontrar os seus.

Como transmutar a emoção sexual em poder de realização

Diferentemente de outros mamíferos, o impulso sexual do homem está sempre com ele. Esse impulso pode ser desperdiçado, ou pode ser transmutado em energia efervescente que se mostra em tudo que um homem faz. Como o ego, a energia sexual pode ajudá-lo a ir além das aparências. Muitos homens usam sua energia na direção errada, mas fazem milagres de realização quando se colocam no caminho certo. Você pode garantir que é o beneficiário de seu impulso sexual – não sua vítima. Energia sexual pode dar vigor à capacidade da mente subconsciente de formar novos padrões a partir de fatos conhecidos, e assim criar novas invenções e novas oportunidades. Volte e leia sobre a conexão entre experiência e intuição. Veja o que a intuição pode fazer por você.

Para ter sucesso na vida, tenha sucesso em ser você mesmo

Não deixe que nada seja maior em sua vida do que ser você mesmo. Muitos homens foram subornados para abandonar o trabalho em que se realizavam, e agora têm riqueza, mas nenhuma paz de espírito. Você pode ajudar os outros sem interferir no comando que eles têm de si mesmos; não espere que outras pessoas correspondam à sua ideia de "perfeição". Pratique autocontrole como um meio de ser sua melhor versão, e não vai sofrer os resultados de raiva e animosidade. Sua mente é seu único mestre. Tenha certeza de viver sua vida exatamente como quer vivê-la; por um tempo, todos os dias, faça apenas aquilo que o agrada. Seja paciente na busca por paz de espírito; essa grande qualidade é construída sobre muitos dias de progresso. Volte e leia sobre os meios definidos, firmes, de praticar como ser você mesmo.

O grupo de MasterMind, um poder além da ciência

Muito conhecimento em outras mentes pode ser transferido para a sua. Você pode "sintonizar" uma mente simpática à sua e duplicar seu poder mental. Descobertas modernas se associam a teorias mais antigas sobre por que uma mente é capaz de se comunicar com outra, e um dia poderemos conseguir sintonizar uma mente à outra como hoje sintonizamos estações de rádio. Quando vê seus problemas através de outros olhos, muitas vezes você vê a solução de seus problemas. Forme um grupo de MasterMind com amigos que compartilham seus interesses, e todos poderão colher os benefícios dos pensamentos falados e não falados que trocam. Volte e leia as regras a seguir para um grupo de MasterMind bem-sucedido, lucrativo.

Conquiste ajuda poderosa da eterna Lei da Compensação

O ensaio de Emerson sobre compensação é leitura obrigatória para pessoas que desejam compreensão e riqueza. Quando você se dá, a Lei da Compensação garante que uma recompensa virá, embora possa demorar. Você será compensado por punição por qualquer mal cometido. Forças invisíveis e silenciosas nos influenciam constantemente. A tendência para invejar outras pessoas e tirar proveito dos outros vai desaparecer quando você entender a Lei da Compensação. A filosofia às vezes é "do outro mundo", mas pode ser prática e positiva. O verdadeiro filósofo é blindado contra boa parte do que aborrece e derrota outros homens. Volte e leia todas as citações de Emerson.

Você é muito importante – por um tempo

Ninguém constrói sucesso só por esforço próprio. Arrogância prejudica a consciência, mas a verdadeira perspectiva de si mesmo colabora com a paz de espírito. No fim, nada importa. Este mundo importa agora, no entanto, e as contas são acertadas neste mundo antes de você deixá-lo. Na Selva da Vida existem observadores invisíveis. Um grande reservatório de sabedoria é mantido para benefício da humanidade, e aqueles que vencem os inimigos do homem atravessam a selva ilesos e prontos para dar o próximo passo acima. Sua experiência de vida pode e deve qualificá-lo para riqueza e paz de espírito para si mesmo e para compartilhar com outras pessoas. Volte e leia a lista de inimigos do homem; veja quantos encontrou hoje.

Nem muito, nem pouco

Riqueza chega para o homem que vê e usa seu potencial para a riqueza. Potencial à sua volta não é riqueza até você trazer a riqueza à existência. Desesperar-se por riqueza pode levá-lo a perder essa riqueza. Não limite o que você dá, apenas o que toma. A Regra de Ouro, antiga no tempo de Jesus, segue sendo um guia verdadeiro. Dê ao outro aquilo de que ele precisa, e você fará justiça à Regra de Ouro. Você pode notar o efeito no caráter quando uma pessoa nunca permitiu que a Regra de Ouro entrasse em sua vida. Os serviços de um homem geralmente valem o que ele pagou por eles, e um homem tem seu jeito de pôr preço em si mesmo. A Regra de Ouro não pode ser enganada. Volte, leia e relembre a Regra de Ouro na forma que realmente a faz funcionar.

O poder mágico da crença

Qualquer coisa em que a mente humana pode acreditar, a mente humana pode conquistar; esse é o Segredo Supremo. Um desejo ocorre na superfície da mente; uma crença verdadeira torna-se parte de você. Decida sobre a crença que você quer, mande-a para a mente subconsciente, e seu subconsciente tomará medidas, a partir disso, para que você aja de acordo com a crença. Ninguém conhece o limite do poder da crença. Ela promove até mudanças físicas no corpo. A mente humana agora está transformando a humanidade e o mundo em que o homem vive. Você pode assumir seu papel nesse poderoso processo usando cada porção de seu poder humano. Volte e leia como implantar crença em sua mente subconsciente por meio da arte da autossugestão.

Entusiasmo – e algo mais

O que você diz sem entusiasmo pode não produzir resultados, enquanto a mesma coisa, dita com entusiasmo, promove 100% de realização. Entusiasmo ajuda a vender tudo, mas não pode compensar a falta de honestidade e uma verdadeira consideração pelos interesses do cliente. Entusiasmo abre vastas reservas de energia. Qualquer pensamento ou ação negativos interferem no processo de vendas, mas um negativo pode ser transmutado em um positivo. Foque seu entusiasmo em um objetivo e saiba que, se seu objetivo não for honesto, você não poderá sentir e usar a magia do entusiasmo. Dê uma boa olhada em si mesmo. Volte e leia a fórmula que pode trazer o emprego que você quer.

Cabe a você viver a vida que o Criador lhe deu

Um homem rico que não conseguia encontrar paz de espírito encontrou um jeito de administrar os negócios que podia dar paz de espírito a milhões, e riqueza também. É a Regra de Ouro aplicada à nossa economia. Muitas pessoas são criadas de acordo com regras que requerem viver com medo e acreditar em um Criador que precisa ser aplacado. O homem criou trinta mil deuses; é possível que todos sejam autênticos? Algumas regras para ter paz de espírito podem parecer regras que você aprendeu a fim de ir para o paraíso, mas elas se referem à felicidade aqui e agora – que você pode alcançar por si mesmo. A mente do homem é repleta de poderes a serem usados, não negligenciados.

Pense um pouco. Veja que parte deste livro chega com mais força à sua memória. Volte e leia essa parte com muito cuidado. Você a manteve em seu subconsciente; portanto, ela deve ter em algum lugar uma mensagem de importância especial para VOCÊ.